D1090218

Pourquoi les hommes se grattent l'oreille

...et les femmes tournent leur alliance ?

Allan et Barbara Pease

Traduit de l'anglais par Daniel Roche

Pourquoi les hommes se grattent l'oreille

...et les femmes tournent leur alliance ?

Comment le langage du corps révèle vos émotions

ÉDITIONS FRANCE LOISIRS

Titre original : *The Definitive Book of Body Language*

Édition du Club France Loisirs,
avec l'autorisation des Éditions Générales First

Éditions France Loisirs,
123, boulevard de Grenelle, Paris
www.franceloisirs.com

ISBN: 2-7441-8652-X

Sommaire

Introduction

Les ongles d'un homme, les manches de sa veste, ses bottes, la marque des genoux sur son pantalon, les cals de son pouce et de son index, l'expression de son visage, les manchettes de sa chemise, ses mouvements – sont autant de signes révélateurs du métier qu'il exerce. Il est presque inconcevable que, dans le cadre de toute affaire criminelle, tous ces indices réunis ne parviennent pas à éclairer un enquêteur compétent.
SHERLOCK HOLMES, 1892

J'ai compris dès mon enfance que les mots ne correspondent pas toujours à ce que les gens veulent dire, ni à ce qu'ils ressentent. Et je savais déjà qu'on pouvait en faire ce qu'on voulait, à condition de savoir décoder leurs attitudes psychiques réelles, et d'y répondre avec pertinence. J'ai débuté ma carrière dans le commerce à l'âge de onze ans. Je gagnais de l'argent de poche en vendant à domicile des éponges en caoutchouc. J'ai vite appris à deviner, dès qu'on m'ouvrait la porte, si la ménagère était prête ou non à me les acheter. Si elle m'envoyait promener en ouvrant les paumes de ses mains, je savais que cela valait la peine d'insister. Et je procédais à ma démonstration parce que, malgré ses paroles de rejet, elle n'était pas agressive. Si elle me renvoyait poliment d'une voix douce, mais avec le poing fermé ou l'index dressé, mieux valait déguerpir. J'adorais la vente, et je m'en sortais fort bien. Adolescent, je suis passé à la vente de batteries de cuisine. Je faisais mes tournées le soir, et c'est ma faculté de décrypter les intentions réelles des clients qui me permit d'acheter mon premier logement. La vente à domicile me donnait l'occasion de rencontrer des gens, de les étudier de près et d'évaluer mes chances de faire affaire avec eux, par la seule observation de leur langage corporel. Ce talent s'avéra également très payant pour draguer les filles dans les discothèques. J'étais pratiquement toujours capable de distinguer à l'avance celles qui accepteraient de danser avec moi de celles qui refuseraient.

Je suis entré à vingt ans dans une compagnie d'assurances, et j'y ai battu plusieurs records de ventes, après avoir été le plus jeune agent à dépasser le million de dollars de chiffre d'affaires au cours de la première année. Une performance qui m'a ouvert les portes de la prestigieuse *Million Dollar Round Table*[1]. J'ai eu la chance de pouvoir adapter à la vente de polices d'assurances les techniques de lecture gestuelle acquises dès mon enfance. Et c'est à cette capacité de décryptage que je dois la réussite de toutes mes entreprises impliquant des relations humaines.

---

[1] The Million Dollar Round Table : club réunissant les commerciaux les plus performants des entreprises américaines.

Ne pas se fier aux apparences

Il est assez simple de deviner ce qui se passe dans la tête des autres – je ne dis pas que c'est facile, mais *simple.* Il s'agit de confronter ce qu'on voit et ce qu'on entend au contexte de la situation, et d'en tirer des conclusions plausibles. Or dans la plupart des cas, nous ne voyons que ce que nous croyons voir.

Cette petite histoire illustrera mon propos :

Deux hommes se promenaient dans les bois, lorsqu'ils se trouvèrent devant un gouffre dont ils ne voyaient pas le fond.

– Oh la la ! dit le premier. Il m'a l'air très profond. Jetons-y des cailloux pour nous faire une idée.

Ils lancèrent chacun dans le trou une poignée de cailloux et attendirent. Aucun bruit ne parvint à leurs oreilles.

– Eh bien ! Il est vraiment profond, ce trou ! Il n'y a qu'à y jeter une de ces grosses pierres. On devrait l'entendre.

Ils jetèrent dans le gouffre deux pierres de la taille d'un ballon de football, et tendirent l'oreille. Toujours rien.

– Il y a un vieux wagon-lit dans les taillis là-bas. Si on arrive à le balancer là-dedans, on l'entendra s'écraser au fond du trou, c'est *sûr.*

Ils traînèrent le vieux wagon jusqu'au bord du trou et le firent basculer dedans. Pas un bruit ne remonta jusqu'à eux.

Tout à coup, une chèvre apparut derrière eux. Rapide comme le vent, elle passa en courant entre les deux promeneurs et, après un vol plané, disparut dans le gouffre.

À ce moment-là, un fermier sortit du bois et leur demanda :

– Eh là ! Vous n'avez pas vu ma chèvre ?

– Un peu qu'on l'a vue ! Elle est sortie du bois comme une fusée et elle a sauté dans le trou...

– Alors, ce n'est pas la mienne. Je l'avais attachée à un wagon de chemin de fer !

Êtes-vous capable de vous reconnaître ?

On dit en français « Je connais ça comme ma poche. » L'expression anglaise équivalente est : « Je connais ça comme le dos de ma main. » Or des études ont prouvé que nous sommes moins de 5 % à reconnaître le dos de notre main sur une photo. Nous avons monté un jour, pour une émission de télévision, une expérience dont les résultats montraient que nous ne sommes guère plus nombreux à lire les signaux de notre langage corporel. Nous avions installé, au fond de l'entrée d'un hôtel, un grand miroir qui donnait l'impression qu'un couloir prolongeait le hall d'entrée. Nous avions suspendu au plafond des plantes qui retombaient jusqu'à un mètre soixante du sol, si bien que dès qu'une personne entrait, elle avait l'impression qu'une autre arrivait en face d'elle. Son visage était masqué par les plantes, mais pas son corps ni ses mouvements. Chacun des nouveaux arrivants a passé entre cinq et six secondes à observer son reflet dans le miroir, avant de tourner à gauche vers le bureau de la réception. Et quand on leur a demandé s'ils avaient reconnu l'autre client de l'hôtel, 85 % des hommes ont répondu : « Non. » L'un d'eux a même répliqué : « Vous voulez dire ce gros type moche ? » Comme on pouvait s'y attendre, 58 % des femmes ont répondu qu'il s'agissait de leur propre reflet, et 30 % d'entre elles ont confié que cette personne leur avait paru familière.

La plupart des hommes, et presque la moitié des femmes, ne reconnaissent pas leur silhouette quand ils ne distinguent pas leur visage !

Savez-vous repérer les contradictions du langage corporel ?

Le langage corporel des hommes politiques a toujours quelque chose de fascinant. Tout le monde sait qu'ils affichent des convictions auxquelles ils ne croient pas, et on en déduit qu'ils se font passer pour ce qu'ils ne sont pas. Il est vrai qu'ils consacrent beaucoup d'énergie à esquiver ou à éluder les questions, à mentir, à faire semblant, à masquer leurs émotions, à user d'écrans de fumée et de jeux de miroirs, à faire des signes de la main à des amis imaginaires au sein des foules auxquelles ils s'adressent. Et comme nous savons qu'ils finiront par se trahir par des signaux corporels contradictoires, nous adorons les étudier de près, trop pressés de pouvoir les prendre en défaut.

Quel signe indique qu'un homme politique est en train de dire un mensonge ? Ses lèvres remuent.

Nous avons mené une expérience pour une autre émission de télévision, en collaboration avec un syndicat d'initiative. Les touristes entraient dans le bureau pour se renseigner sur les sites et les attractions de la région. On les dirigeait vers un guichet, où ils étaient accueillis par un homme blond à moustache, en chemise blanche et cravate. Après quelques minutes de discussion sur les itinéraires possibles, l'employé disparaissait sous le comptoir pour chercher des prospectus. Et c'est un homme brun, glabre et en chemise bleue qui réapparaissait avec les brochures en main. Il reprenait la conversation au point exact où son prédécesseur l'avait laissée. Presque la moitié des touristes ne s'aperçurent pas du changement. Deux fois plus d'hommes que de femmes n'y avaient vu que du feu, tant du point de vue du langage corporel que de celui de l'apparence physique ! À moins de jouir d'une aptitude innée ou acquise à décoder le langage corporel, la communication corporelle a de grandes chances de nous échapper complètement. Cet ouvrage se propose de vous montrer l'importance cruciale d'un registre d'expression habituellement négligé.

Comment nous avons écrit ce livre

Barbara et moi avons écrit ce livre en nous fondant sur un de mes ouvrages antérieurs, *Le Langage du corps.* Nous ne nous sommes pas contentés de développer le premier, mais nous y avons aussi inclus les recherches les plus récentes de la biologie et de la psychologie ainsi que des technologies de pointe, comme l'imagerie à résonance magnétique qui « filme » l'activité cérébrale. La structure de cet ouvrage permet de commencer par n'importe quel chapitre. Nous nous sommes limités à décrire les mouvements du corps, les expressions et les gestes – l'essentiel de ce qu'il faut savoir pour exploiter au mieux toutes les rencontres en « face-à-face ». *Pourquoi les hommes se grattent l'oreille … et les femmes tournent leur alliance* vous donnera les clés des signaux non verbaux que vous émettez. Il vous apprendra à les mettre au service d'une communication efficace et à obtenir les réactions que vous souhaitez chez votre interlocuteur.

Ce guide de la communication non verbale examine un à un chaque élément des gestes et du langage corporel dans des termes simples, qui le rendent accessible à tous. Toutefois, comme il existe très peu de gestes qui apparaissent isolés, nous avons cherché à éviter l'excès de simplification.

Il se trouvera toujours des lecteurs pour lever les bras au ciel en proclamant que l'étude du langage corporel n'est encore qu'un nouveau moyen de détourner les recherches scientifiques à des fins d'exploitation et de domination des autres par le décryptage de leurs pensées secrètes. Notre propos consiste plutôt à vous rendre plus perspicace dans votre communication, à vous ouvrir à une meilleure compréhension de vous-même et des autres. La vie devient plus facile lorsqu'on comprend comment les choses fonctionnent, alors que l'ignorance et l'incompréhension ne font que renforcer les peurs et les superstitions, ainsi que la critique systématique d'autrui. De même que l'ornithologue amateur n'observe pas les oiseaux pour pouvoir les tuer et les empailler, celui qui apprend à observer le langage corporel de ses semblables transforme chacune de ses rencontres en une expérience passionnante.

Pour simplifier la lecture de ce livre, et sauf indication contraire, les pronoms « il » et « elle » s'appliquent aux genres masculin et féminin.

Votre dictionnaire de langage corporel

Si mon premier ouvrage était conçu comme un manuel à l'usage des professions commerciales et de management, des cadres et négociateurs, celui-ci traite de tous les aspects de la vie quotidienne – familiale, amoureuse, relationnelle et professionnelle. Résultant de plus de trente années d'études et d'expériences, *Pourquoi les hommes se grattent l'oreille … et les femmes tournent leur alliance* vous familiarisera avec le « vocabulaire » de base nécessaire au décodage des attitudes et des émotions. Il répondra aux questions les plus déroutantes que vous vous êtes toujours posées sur les comportements d'autrui, tout en vous aidant à changer définitivement les vôtres. Il vous donnera l'impression de sortir d'une pièce obscure, où vous sentiez la présence des portes, des fenêtres, du mobilier et de la décoration, sans avoir jamais pu les décrire. Ce dictionnaire est le bouton électrique qui allumera la lumière et vous fera découvrir ce qui était toujours là sans que vous l'ayez remarqué. Vous serez enfin capable de voir et de nommer ces choses qui conditionnent votre vie, de les situer, et de vous en servir.

Allan Pease

CHAPITRE I

COMPRENDRE LES BASES

En Occident, ce geste signifie « *très bien* »,
en Italie il veut dire « *un* »,
au Japon c'est le chiffre « *cinq* »,
et en Grèce, il signifie « *va te faire fiche* ».

Nous connaissons tous quelqu'un qui, dans une pièce remplie d'inconnus, est capable au bout de quelques minutes de décrire sans se tromper ce que ressent chacun d'eux, et les relations qu'il entretient avec les autres. Cette faculté de décoder les émotions et les pensées d'autrui à partir de son comportement nous vient du seul mode d'échange qui existait entre les humains avant l'élaboration du langage et de la parole.

Avant l'invention de la radio, l'essentiel de la communication passait par les livres, les lettres et les journaux, ce qui explique pourquoi des hommes politiques aussi peu gâtés qu'Abraham Lincoln par leur physique que par leur élocution ont réussi de brillantes carrières grâce à leurs qualités d'écrivains. L'avènement de la TSF assura le succès de ceux qui, comme Winston Churchill, maîtrisaient l'usage du verbe à merveille, mais qui auraient peut-être rencontré des difficultés en s'exposant aux caméras de télévision.

Tous les hommes politiques d'aujourd'hui ont compris que le succès est affaire d'image et d'apparence. Les plus en vue se font conseiller par des spécialistes du langage corporel, qui leur apprennent à mimer la sincérité, la bienveillance et l'honnêteté, qualités qu'ils ne possèdent pas toujours.

Il peut paraître incroyable, compte tenu de la longue évolution (plusieurs centaines de milliers d'années) de l'espèce humaine, que le langage corporel n'ait fait l'objet d'aucune étude scientifique avant les années 1960, et que le grand public n'en ait pris conscience qu'avec la publication de notre livre en 1978. La majorité des humains sont encore persuadés que la parole est le principal moyen de communication. Or le langage ne fait partie du répertoire de communication humain que depuis une période relativement récente, et sa fonction consiste essentiellement à véhiculer des faits et des informations. On estime que la parole a commencé à se développer chez l'homme au plus tôt il y a deux millions d'années et au plus tard cinq cent mille ans, une période au cours de laquelle le cerveau humain a triplé de volume. Auparavant, les émotions et les sentiments s'exprimaient essentiellement par le langage corporel et l'émission de sons gutturaux. C'est toujours le cas de nos jours. Mais comme notre attention se concentre sur les paroles des autres, nous restons majoritairement très mal informés sur le langage corporel et, *a fortiori*, sur la place qu'il occupe dans notre vie.

Et pourtant le langage parlé est extrêmement riche en évocations de la communication non verbale. Contentons-nous de citer ici quelques expressions d'usage courant :

Épauler quelqu'un. Ne pas sourciller. Garder la tête haute. Lever les bras au ciel. Prendre un problème à bras-le-corps. Partir du bon pied. Ramper devant quelqu'un. Courber l'échine. Se jeter tête baissée. Se voiler la face. Rester les bras croisés. Jouer des coudes. Accueillir à bras ouverts. Faire des pieds et des mains. Montrer les dents. Ouvrir des yeux ronds. Tourner les talons. Baisser les bras…

Certaines de ces expressions sont peut-être *difficiles à avaler*, mais beaucoup d'entre elles vous *ouvriront les yeux.* À vue de nez, les choses vous sembleront *cul par-dessus tête*, et il faudra choisir entre *les prendre à bras-le-corps* ou leur *tourner le dos.* Espérons qu'elles vous *exciteront suffisamment les papilles* pour que vous vous *penchiez sur la question.*

Au commencement...

Charlie Chaplin et les acteurs du cinéma muet étaient de grands maîtres du langage corporel, leur unique outil d'expression à l'écran. Le public évaluait leur talent à l'aune de leur habileté à communiquer leurs émotions par des gestes et des signaux corporels. Après l'avènement du cinéma parlant, les qualités verbales de l'interprétation prirent progressivement le dessus, et nombreux furent les acteurs du muet qui sombrèrent dans l'oubli. Seuls survécurent ceux qui savaient allier les deux langages.

C'est Charles Darwin qui inaugura les études scientifiques sur le langage corporel en 1872, avec *L'Expression des émotions chez les hommes et les animaux*. L'ouvrage ne toucha qu'un public limité d'universitaires, mais il marqua le début des recherches modernes sur les expressions faciales et corporelles. Depuis le travail de Darwin, les chercheurs ont répertorié près d'un million de signes et de signaux non verbaux. Albert Mehrabian, l'un des précurseurs de cette discipline, a montré dans les années 1950 que l'impact total d'un message n'est verbal (mots seuls) qu'à 7 %, qu'il est vocal à 38 % (ton, inflexion de la voix et sons annexes), et qu'il est non verbal à 55 %.

Votre expression pèse plus lourd dans la balance que les mots que vous employez.

C'est l'anthropologue Ray Birdwhistell qui baptisa de « cinétique » l'étude de la communication non verbale. Il procéda à des estimations similaires à celles d'Albert Mehrabian sur le nombre de signes non verbaux qu'échangent les êtres humains. Il aboutit à la conclusion que nous parlons en moyenne dix à onze minutes par jour, et que nos phrases-type durent environ deux secondes et demie. Il recensa également 250 000 expressions faciales reconnaissables.

Dans le sillage de Mehrabian, Birdwhistell – un autre chercheur – révéla que la parole ne compte que pour 35 % dans une conversation en tête-à-tête, et que la composante non verbale dépasse les 65 %. De notre côté, nous avons analysé, dans les années 1970 et 1980, des milliers de négociations commerciales. Les résultats ont fait apparaître que le langage corporel entrait pour 60 à 80 % dans l'impact des entretiens d'affaires, et que le même pourcentage de l'opinion que l'on se fait d'une personne nouvelle s'y forme en moins de quatre minutes. Les résultats de cette étude montrent aussi que, si au cours d'une négociation au téléphone, c'est la personne disposant du meilleur argument qui l'emporte, ce n'est pas le cas dans les entretiens en face-à-face : nous sommes plus influencés par ce que nous voyons que par ce que nous entendons.

Ce n'est pas tant ce qu'on dit...

Même si ce n'est pas socialement très correct, lorsque nous rencontrons quelqu'un pour la première fois, nous jaugeons en un clin d'œil sa gentillesse, sa capacité de domination ou son potentiel en tant que partenaire sexuel. Et ce ne sont pas *ses yeux* que nous regardons en premier.

La plupart des spécialistes s'accordent maintenant à dire que la parole nous sert essentiellement à véhiculer des informations, tandis que les relations interpersonnelles s'établissent au moyen du langage corporel qui, dans certains cas, se substitue au message verbal. Une femme peut, par exemple, transmettre à un homme un message très clair en lui lançant un regard séducteur – et sans ouvrir la bouche.

Si l'on excepte les différences culturelles, l'association entre gestes et paroles est presque parfaitement prévisible, et Birdwhistell soutenait qu'une personne bien entraînée était capable de deviner les gestes d'une autre, rien qu'en entendant ce qu'elle disait. Il avait lui-même appris à déduire les paroles d'un individu à partir de ses gestes.

Il est difficile pour bien des gens d'accepter que les humains soient des animaux sur le plan biologique. Nous appartenons à une espèce de primates – *Homo sapiens* – un singe qui avait appris à marcher sur deux pattes et dont le cerveau était très développé. Comme toutes les autres espèces animales, nous sommes soumis à des règles biologiques, qui régissent nos actions, nos réactions, notre gestuelle et notre langage corporel. Le plus fascinant, c'est que l'homme n'a que rarement conscience que ses postures, ses mouvements et ses gestes puissent signifier autre chose que ce que dit sa voix.

Le langage corporel révèle les émotions et les pensées

Le langage corporel est le reflet extérieur de l'état émotionnel d'un individu. Chacun de ses mouvements ou de ses gestes peut traduire très fidèlement ce qu'il ressent à un moment donné. Par exemple, un homme gêné par son surpoids tire souvent sur le repli de peau qui s'est formé sous son menton, tandis qu'une femme qui trouve ses cuisses trop grosses a tendance à lisser sa jupe ou sa robe. Une personne craintive ou sur la défensive croise volontiers les bras ou/et les jambes. Et un homme qui s'adresse à une femme dotée d'une poitrine généreuse essaie consciemment d'éviter de regarder ses seins, alors que ses mains peuvent se montrer dans le même temps inconsciemment baladeuses.

Le prince Charles rencontre une amie de cœur.

Décrypter le langage corporel consiste à deviner l'état émotionnel d'une personne à ses gestes, tout en l'écoutant et en tenant compte des circonstances qui environnent son discours. Cette compétence permet de séparer les faits de la fiction, et la réalité de l'imaginaire. L'homme moderne est encore obsédé par la parole ; et l'éloquence garde un prestige considérable. Mais nous sommes, pour la plupart, étonnamment peu au fait des signaux corporels et de leur impact, alors qu'on connaît maintenant leur rôle essentiel dans la transmission d'un message.

Comme Ronald Reagan et Jacques Chirac, l'ex-Premier ministre australien Bob Hawke se servait de ses mains pour signifier l'importance de la question dont il parlait. Un jour qu'il défendait les augmentations de salaire des hommes politiques, Bob Hawke soutenait que la revalorisation qu'il proposait était plus faible que celle dont avaient bénéficié les cadres du pays. Or chaque fois qu'il évoquait les revenus des hommes politiques, il écartait les mains d'une distance d'un mètre, et il réduisait cet écart à 30 cm lorsqu'il mentionnait ceux des cadres. Il révélait ainsi malgré lui qu'il trouvait les hommes politiques beaucoup plus favorisés qu'il ne l'admettait dans son discours.

Le président Jacques Chirac :
évoque-t-il les dimensions d'un problème national
ou se vante-t-il de ses performances sexuelles ?

Pourquoi les femmes sont plus perspicaces

Quand on dit de quelqu'un qu'il est « perspicace » ou « intuitif », on reconnaît sans la nommer sa capacité à déceler les signaux corporels des autres, et à les comparer avec les signaux parlés. En d'autres termes, lorsque nous disons avoir « l'intuition » ou « le pressentiment » que quelqu'un nous ment, c'est souvent parce que nous avons l'impression d'un désaccord entre ses paroles et son langage corporel. C'est ce que les conférenciers appellent la « perception de l'auditoire » – la capacité à entretenir des rapports avec un groupe. L'orateur perspicace qui s'aperçoit que les membres de l'assistance sont adossés à leur siège, le menton baissé et les bras croisés, devine que son message ne passe pas bien, et qu'il doit aborder la question sous un autre angle s'il veut capter leur attention. À l'inverse, celui qui ne remarque rien continuera à débiter son baratin sans parvenir à les intéresser.

Être perspicace, c'est savoir repérer les contradictions entre les paroles et le langage corporel de l'autre.

Les femmes sont en général plus perspicaces que les hommes, et c'est à cette supériorité que l'on doit la notion d'« intuition féminine » – la faculté innée de détecter et de déchiffrer les signes non verbaux, et un sens aigu du détail. Voilà pourquoi très peu de maris réussissent à mentir impunément à leur femme, qui n'éprouve quant à elle aucune difficulté à leur faire voir la lune en plein midi.

Une étude réalisée par des chercheurs en psychologie de l'Université Harvard a révélé que les femmes sont beaucoup plus sensibles au langage corporel que les hommes. L'expérience consistait à projeter sans le son des courts métrages montrant une conversation entre un homme et une femme. On demandait ensuite aux participants de deviner ce que disaient les personnages d'après les expressions de leur visage : 87 % des femmes ont répondu avec exactitude à la question, contre 42 % des hommes. Les participants masculins artistes, acteurs ou infirmiers étaient presque aussi performants que les femmes, de même que les homosexuels. L'intuition féminine est particulièrement évidente chez les mères. Au cours des premières années du développement de l'enfant, la communication avec celui-ci repose presque exclusivement sur des échanges non verbaux. Cet entraînement à la lecture de ces signaux explique pourquoi les femmes se montrent souvent meilleures négociatrices que les hommes.

Ce que montrent les images cérébrales

Les images à résonance magnétique (IRM) montrent que le cerveau féminin est beaucoup mieux organisé pour communiquer que le cerveau masculin. Il comporte quatorze à seize zones qui lui permettent d'évaluer les comportements d'autrui, quand celui de l'homme n'en possède qu'entre quatre et six. On comprend ainsi pourquoi, lors d'un dîner, une femme parvient rapidement à deviner la qualité des relations de couple des convives – ceux qui viennent de se disputer, lequel des deux est le plus amoureux, et ainsi de suite. Et c'est aussi ce qui explique pourquoi les femmes trouvent que les hommes ne parlent pas beaucoup, tandis qu'eux les jugent incapables de se taire !

Comme nous l'avons évoqué dans *Pourquoi les hommes n'écoutent jamais rien et les femmes ne savent pas lire les cartes routières*, le cerveau de la femme possède un agencement « multipistes » – qui lui permet de jongler avec deux, trois ou quatre activités simultanées. Elle peut regarder une émission de télévision tout en téléphonant, en buvant une tasse de café et en écoutant ceux qui parlent dans la pièce où elle se trouve. Au cours de la même conversation, elle est capable d'aborder plusieurs sujets totalement disparates, d'adopter jusqu'à cinq tons de voix différents pour passer ainsi du coq à l'âne ou insister sur tel ou tel point. Il se trouve malheureusement que les hommes ne parviennent pas à identifier plus de trois tonalités vocales, et qu'ils perdent très facilement le fil de la conversation.

Certaines études ont montré que, dans une relation en face-à-face, la personne qui s'appuie sur des signes visuels tangibles pour évaluer l'attitude psychique de l'autre a moins de chances de se tromper que celle qui ne se fie qu'à son intuition. Ces signes visuels composent le langage corporel de l'interlocuteur et, si les femmes sont capables de les décrypter sans effort, n'importe qui peut apprendre à en faire autant de manière consciente. Cet apprentissage est l'objet de ce livre.

Les petits trucs de la voyance extralucide

S'il vous est arrivé d'aller consulter un voyant ou une voyante, vous avez peut-être été stupéfait de constater que cette personne devinait chez vous des aspects que vous étiez seul à connaître. Et vous en avez peut-être déduit qu'elle était douée d'une perception extrasensorielle. Des enquêtes effectuées sur les devins, voyants et autres diseurs de bonne aventure montrent qu'ils recourent à ce qu'on appelle la « lecture à froid », une technique qui peut leur garantir jusqu'à 80 % d'exactitude dans la compréhension d'une personne inconnue. Si cette clairvoyance apparente peut paraître magique à des individus naïfs et influençables, il ne s'agit en fait que d'un processus fondé sur une observation minutieuse des signaux du langage corporel, associée à une bonne compréhension de la nature humaine et quelques notions de base en calcul de probabilités.

Les médiums, lecteurs de tarot, astrologues et autres voyants utilisent la lecture à froid pour collecter des informations sur leurs « clients ». Comme beaucoup d'entre eux n'ont pas conscience de cette lecture du non-verbal, ils se croient sincèrement doués de capacités paranormales. Et cette conviction favorise leur réussite, déjà garantie par l'attente généralement positive de leurs clients. Il leur suffit alors de mettre sur la table quelques cartes de tarot, une boule de cristal et d'y ajouter une dose d'art dramatique pour se garantir une séance réussie. Les sceptiques les plus irréductibles en sortiront persuadés d'avoir eu affaire à des forces obscures et magiques. En fait, il s'agit simplement de l'aptitude du voyant à interpréter l'apparence physique du client ainsi que ses réactions aux questions et aux assertions hasardeuses. Si la plupart des voyants sont des voyantes, c'est parce que le système cérébral féminin, capable de décoder les signaux corporels du bébé, sait aussi déchiffrer les états émotionnels de l'adulte.

Les yeux fixés sur sa boule de cristal, la voyante éclata d'un fou rire incontrôlable. Furieux, Jean lui asséna un aller et retour qui envoya valser ses lunettes. La voyante était devenue… bigleuse !

Voici un exemple de « lecture à froid ». Il vous est personnellement destiné. Imaginez que vous venez de pénétrer dans une pièce enfumée, à l'éclairage tamisé, où vous attend une voyante extralucide enturbannée, aux grands yeux noirs soulignés d'un trait de khôl, assise devant une table basse en demi-lune sur laquelle scintille une boule de cristal. Elle se lance dans un monologue qui pourrait ressembler à ceci :

« Je suis heureuse de vous accueillir… Je reçois de vous des signaux très forts… Vous êtes préoccupé, n'est-ce pas ?

Je sens… Je sens que certaines de vos aspirations sont irréalistes, et vous vous demandez comment les satisfaire… Je sens également qu'il vous arrive, parfois, d'être extraverti, affable et sociable, alors qu'à d'autres moments vous êtes introverti, circonspect, réservé… Vous estimez qu'il est imprudent de vous montrer trop franc et de vous révéler aux autres tel que vous êtes. Vous tirez une certaine fierté de votre esprit indépendant et vous savez aussi ne pas accepter sans preuves ce que vous disent les autres. Vous aimez le changement et la variété et vous vous énervez dès que vous vous sentez enlisé dans la contrainte et la routine. Vous voulez partager avec vos proches vos sentiments les plus profonds, mais il vous arrive de regretter de vous être montré trop ouvert et confiant. Il y a dans votre entourage un homme dont le prénom commence par un « S », et qui exerce sur vous une forte influence. Au cours du mois qui vient, vous rencontrerez une femme née en novembre qui vous fera une proposition très intéressante. Si vous donnez l'apparence de quelqu'un de calme et de pondéré, vous avez tendance à vous faire du souci et vous vous demandez parfois si vous ne vous êtes pas trompé dans vos choix et vos décisions. »

Alors, qu'en pensez-vous ? Vous êtes-vous retrouvé dans cette description ? Une étude a montré que 80% des affirmations paraissent exactes aux personnes qui la lisent « à froid ». Si voulez en tester l'effet sur votre entourage, apprenez d'abord à décoder le langage corporel de vos cobayes, leurs expressions, leurs gestes, leurs tics ; puis tamisez la lumière, mettez un disque de musique orientale, faites brûler un bâton d'encens et distillez-leur ces vérités. Vous verrez que même votre chien sera impressionné ! Sans pour autant vous encourager à devenir voyant professionnel, nous vous garantissons qu'avec ce livre vous aurez vite acquis l'essentiel de leurs capacités divinatoires !

Inné, génétique ou culturel ?

Lorsque vous croisez les bras sur la poitrine, est-ce le gauche ou le droit qui passe au-dessus de l'autre ? Il est difficile de répondre à cette question sans faire le geste. Croisez les bras. Et inversez immédiatement la position de vos bras. La première posture vous paraît confortable, et la seconde ne vous est pas du tout naturelle. Il y a de fortes chances qu'il s'agisse là d'un trait génétique que vous ne pouvez pas changer.

Sept personnes sur dix croisent le bras gauche au-dessus du droit.

Nombreuses sont les recherches et enquêtes qui se sont penchées sur l'origine des signaux non verbaux : sont-ils innés, génétiques ou acquis ? Des tests ont été effectués à l'échelle internationale sur des aveugles de naissance – qui ne pouvaient les avoir acquis par imitation – issus de cultures différentes, ainsi que sur des singes, nos plus proches parents dans le règne animal.

Les résultats de ces études font apparaître qu'il existe des gestes appartenant aux trois catégories : innés, génétiques et acquis. La capacité de téter, dont font preuve dès leur naissance les petits primates, fait partie des gestes congénitaux ou génétiques. Le chercheur allemand Eibl-Eibesfeldt a découvert que les bébés nés sourds et aveugles sourient, hors de tout apprentissage ni mimétisme. Et dans une étude portant sur les expressions faciales d'individus issus de cultures très éloignées, Ekman, Friesen et Soreson défendent la théorie darwinienne des gestes innés, devant la découverte de mimiques semblables traduisant certaines émotions.

Si les différences culturelles sont nombreuses, les signaux de base du langage corporel sont les mêmes dans le monde entier.

Il reste malgré tout de nombreux gestes pour lesquels on se demande encore s'ils sont le fruit de l'habitude – donc culturels – ou de la génétique. Si les hommes enfilent en général d'abord la manche droite de leur veste, alors que les femmes commencent le plus souvent par le bras gauche, c'est que les premiers se servent de l'hémisphère gauche de leur cerveau, et les secondes de leur hémisphère droit. Lorsqu'un homme croise une femme à pied dans la rue, il se tourne en général vers elle, alors que dans la même situation, le corps de la femme se détourne instinctivement, pour protéger sa poitrine. Cette réaction est-elle génétiquement féminine, ou provient-elle d'une imitation inconsciente de l'attitude d'autres femmes ?

Les signaux primitifs fondamentaux

La plupart des signaux de la communication élémentaire sont identiques dans le monde entier. Les gens sourient lorsqu'ils sont contents, ils froncent les sourcils ou se renfrognent sous l'effet de la colère ou de la tristesse. Le hochement de tête est presque partout un signe d'acquiescement ou d'affirmation, probablement inné, parce que les non-voyants l'utilisent. Secouer la tête pour exprimer la négation est aussi un geste universel, qui semble acquis dès la petite enfance. Lorsqu'un bébé a suffisamment tété, il tourne la tête pour rejeter le sein de sa mère. Lorsque le petit enfant n'a plus faim, il secoue la tête pour empêcher la cuiller d'entrer dans sa bouche, et il apprend vite à utiliser ce geste pour signifier son refus.

Secouer la tête pour dire « non » est un signal qui doit son origine à la satiété du nourrisson.

Certains de nos gestes trouvent leur origine dans notre passé animal primitif. Le sourire qui découvre les dents est chez la plupart des carnivores un signal de menace, mais il est associé chez les primates à des gestes non menaçants qui traduisent la soumission.

Signal humain et animal : on n'a pas plus envie de passer la soirée avec l'un qu'avec l'autre.

Montrer les dents en dilatant les narines est un signal d'agression, hérité des primates. Les animaux utilisent cette expression pour avertir qu'ils sont prêts à se servir de leurs dents pour attaquer ou se défendre. On retrouve la même mimique chez les humains, qui pourtant ne se servent pas de leurs dents pour agresser leurs congénères.

La dilatation des narines permet une meilleure oxygénation du corps avant le combat ou la fuite. Le primate y recourt pour demander du renfort à ses semblables en cas de menace imminente. Chez les humains, elle traduit l'irritation, la colère, la réaction à une agression physique ou émotionnelle ou l'impression qu'il se passe quelque chose d'anormal.

Les gestes universels

Le *haussement d'épaules* constitue lui aussi un bon exemple de geste universel, signifiant que l'on ne sait pas ou que l'on ne comprend pas ce dont l'autre est en train de parler. Il s'agit d'une posture complexe, qui met en œuvre trois mouvements : l'ouverture des paumes de la main, montrant qu'on n'y cache rien, le relèvement des épaules pour protéger la gorge de toute agression, et celui des sourcils, un signal universel de soumission.

Comme le langage verbal, certains signaux corporels diffèrent d'une culture à l'autre. Un geste courant dans telle ou telle civilisation peut ne rien signifier ou exprimer tout autre chose dans telle autre. Ces différences culturelles sont développées dans le chapitre 5.

Le haussement d'épaules est un geste de soumission.

Les trois règles du bon décodage

Dans une situation donnée, les paroles comme les gestes ne reflètent pas nécessairement l'état d'esprit de la personne qui les émet. Pour les interpréter correctement, il convient de respecter trois règles de base :

Première règle : décoder les postures globales
L'une des erreurs les plus fréquentes consiste à interpréter un geste sans tenir compte des autres signaux ni du contexte. Si par exemple quelqu'un se gratte la tête, l'éventail de significations possibles est large : transpiration, incertitude, pellicules, poux, problème de mémoire ou mensonge – tout dépend alors des autres signaux émis.

Comme le langage parlé, le langage corporel possède un vocabulaire, une grammaire et une ponctuation. Le geste isolé n'a pas plus de valeur que le mot, lequel peut revêtir des sens différents. Le terme « pièce », par exemple, peut signifier l'unité d'un ensemble, une étendue de terre cultivable, un morceau de métal estampé servant de valeur d'échange, une œuvre théâtrale, un espace clos au sein d'une maison, un écrit justificatif, un morceau de tissu destiné à masquer une déchirure…

Les mots ne sont intelligibles qu'en situation au sein d'une phrase. La lecture des « phrases » du langage corporel consiste à observer des ensembles de gestes : les signaux corporels dont seule l'association révèle avec justesse les sentiments ou l'état d'esprit de celui qu'on observe. Comme pour les mots, il faut au moins trois gestes pour pouvoir établir avec certitude la signification de chacun d'entre eux. La personne « perspicace » est celle qui sait lire les postures globales – les associations cohérentes de postures partielles – en les rapprochant du langage verbal de l'individu.

Le geste de se gratter la tête peut exprimer la perplexité, mais il peut aussi indiquer qu'on a des pellicules.

Pour éviter de vous tromper, n'observez les postures partielles qu'en considérant une posture globale. Nous avons tous un ou deux gestes récurrents lorsque nous nous ennuyons ou que nous sommes tendus, comme se caresser les cheveux ou en tortiller une mèche. Mais quand il est isolé d'autres signaux corporels, ce même geste peut traduire le doute ou l'anxiété. Certains enfin se caressent les cheveux ou la tête parce que c'est ainsi que leur mère les réconfortait dans leur enfance.

Le signal principal de l'évaluation critique est celui de la main portée au visage, l'index dressé, le majeur devant la bouche et le pouce sous le menton. Des preuves supplémentaires sont apportées par les jambes étroitement croisées, le bras en travers du corps (geste défensif), et le menton baissé (geste négatif voire hostile). Cette « phrase » de langage corporel signifie : « Je n'aime pas ce que vous dites », ou « Je ne suis pas d'accord avec vous », ou encore « Je cache mon impression négative ».

Vous êtes en train de perdre des points
dans l'esprit de cet homme.

Parmi les postures globales courantes, celle de l'*évaluation critique*, qui signifie que l'on n'est pas convaincu par les paroles que l'on entend.

La « phrase » non verbale de Hillary Clinton lorsqu'elle n'est pas convaincue.

Deuxième règle : chercher la cohérence

Les recherches démontrent que les signaux corporels véhiculent cinq fois plus de sens que le langage parlé et que, lorsque les deux ne s'accordent pas, l'interlocuteur – et plus particulièrement l'interlocutrice – fonde son jugement sur la gestuelle plus que sur le discours. Si vous êtes en train de parler, que vous demandez son avis au personnage dessiné plus haut, et qu'il vous répond qu'il n'est pas d'accord avec vous, ses signaux corporels s'avéreront conformes à ses paroles. Les deux langages auront la même signification. Si, en revanche, il vous dit qu'il est d'accord avec vous, il y a plus de chances pour qu'il vous mente, parce que sa posture ne sera pas conforme à ses paroles.

Les femmes ne tiennent pas compte du langage verbal lorsqu'il n'est pas conforme au langage corporel.

Trouveriez-vous convaincant le discours d'un homme politique qui déclare à son auditoire sur un ton assuré à quel point il est ouvert et réceptif aux idées des jeunes, tout en croisant les bras serrés sur la poitrine (attitude défensive) et le menton baissé (attitude critique ou hostile) ? Ou de celui qui s'efforce de vous persuader de sa bienveillance chaleureuse en martelant son pupitre à coups de poing répétés ? Sigmund Freud racontait qu'une de ses patientes lui parlait de la réussite de son mariage, tout en faisant glisser son alliance le long de son doigt. Le psychanalyste, qui avait repéré ce geste inconscient, ne fut pas surpris lorsque les problèmes de couple remontèrent plus tard à la surface.

L'observation des gestes associés et de la cohérence entre les paroles et la posture constituent les deux premières clés de l'interprétation du langage corporel.

Troisième règle : lire les gestes dans leur contexte

L'observation des signaux corporels doit également tenir compte de la situation dans laquelle ils apparaissent. Si vous trouvez par une froide journée d'hiver une personne assise sur le banc d'un abribus, les jambes et les bras croisés, la tête rentrée dans les épaules, cela ne signifie pas qu'elle est sur la défensive, mais tout simplement qu'elle cherche à se protéger du froid. Mais la même gestuelle chez quelqu'un à qui vous tentez de vendre un produit, un service ou une idée, peut être interprétée sans risque comme un rejet de votre proposition.

Il n'est pas sur la défensive – il a froid.

Dans cet ouvrage, tous les gestes du langage corporel seront envisagés dans leur contexte. Et, dans la mesure du possible, ils seront étudiés dans le cadre de postures globales.

Ce qui fait qu'on se trompe facilement

Une poignée de main souple ou molle – particulièrement chez un homme – est souvent interprétée comme un signe de faiblesse de caractère. Le chapitre suivant, qui explore les signaux des mains, tente d'expliquer pourquoi. Mais si cette personne souffre de rhumatismes, elle ne vous serre la main que très légèrement, pour éviter les douleurs causées par une poigne de fer. Il en va de même des artistes, des musiciens et des chirurgiens qui cherchent à protéger leurs mains, et qui peuvent donner l'impression de vous saluer mollement.

Le langage corporel de quelqu'un qui porte des vêtements trop serrés se trouve affecté par son incapacité à effectuer certains gestes, de même que les obèses ne peuvent pas croiser les jambes. Les femmes en minijupe croisent leurs jambes serrées lorsqu'elles sont assises, ce qui peut les faire paraître moins accessibles en boîte de nuit. Si ces nuances ne s'appliquent qu'à une minorité de sujets, il ne faut pas sous-estimer les effets des contraintes physiques sur le langage corporel.

Pourquoi les gestes des enfants sont plus faciles à décoder

Le tonus musculaire du visage se relâche avec l'âge, et les expressions faciales des enfants sont plus faciles à interpréter que celles des personnes âgées. De même, la rapidité et l'évidence de certains gestes s'estompent avec l'âge. Un enfant de cinq ans qui dit un mensonge a de grandes chances de se couvrir immédiatement la bouche d'une ou des deux mains, un signal facile à décoder pour ses parents.

Une fillette en train
de mentir.

Le sujet pourra recourir à ce geste pendant toute sa vie, mais il sera en général de moins en moins rapide. L'adolescent qui ment utilisera un geste moins évident, comme celui de se caresser la bouche d'un doigt.

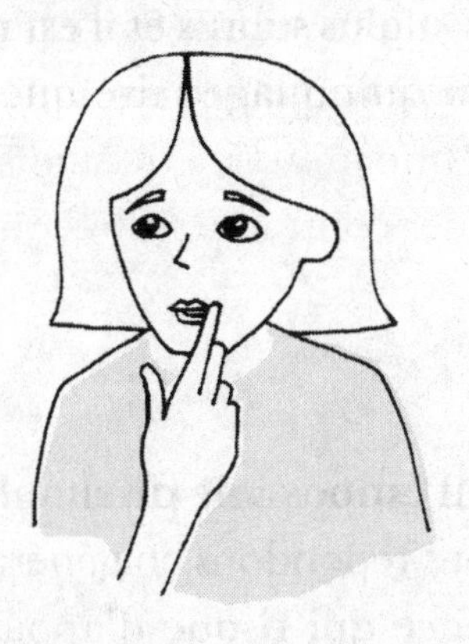

Une adolescente en train
de mentir.

Le réflexe qui consiste à se couvrir la bouche évolue encore avec l'âge. Quand un adulte ment, tout se passe comme si son cerveau ordonnait à sa main de se poser sur sa bouche, pour tenter de bloquer les mots trompeurs qui vont en sortir, comme il le faisait quand il était enfant. Mais au dernier moment, le geste est dévié vers le nez. On peut dire qu'il s'agit là d'une version plus mûre du geste enfantin.

Bill Clinton interrogé par le *Grand Jury*
sur ses relations avec Monica Lewinsky.

En vieillissant, nos gestes se font plus subtils et il est moins évident de décoder ceux d'un quinquagénaire que ceux d'un enfant.

Peut-on simuler ?

On nous demande souvent s'il est possible de simuler les signes du langage corporel. Nous répondons en général que non, en raison de l'incohérence qui risque d'apparaître entre les gestes principaux, les signaux secondaires et le langage parlé. Les paumes des mains ouvertes, par exemple, sont un signe de sincérité. Mais lorsque quelqu'un ment en faisant ce geste et en souriant, il est trahi par les microsignaux qu'il émet. Ses pupilles se dilatent, il hausse un sourcil ou le coin de sa bouche se contracte – autant de mouvements instinctifs qui contredisent la sincérité affichée par ses gestes volontaires. En conséquence, ceux – et surtout celles – qui l'écoutent ont tendance à se méfier de ce qu'il dit.

Le langage corporel est plus facile à simuler en présence d'hommes que de femmes, car elles sont plus habiles à le décoder.

Une histoire vraie : le mensonge du candidat

Nous avons un jour reçu en entretien d'embauche un homme qui nous disait avoir démissionné de son emploi. Il expliquait que les perspectives d'avenir y étaient insuffisantes, et qu'il avait eu du mal à prendre cette décision car il s'entendait bien avec ses collègues. Une femme de notre équipe nous a confié ensuite qu'elle avait « l'intuition » que ce candidat mentait – qu'il éprouvait en fait des sentiments hostiles envers son ancien patron, malgré tout le bien qu'il disait de lui. En visionnant au ralenti la vidéo de l'entretien, nous avons remarqué que chaque fois qu'il parlait de son ancien patron, un tic apparaissait sur sa joue gauche. Ce genre de petits signaux contradictoires avec le discours sont souvent trop fugitifs pour qu'un observateur non entraîné puisse les remarquer. Nous avons téléphoné au patron, qui nous a appris que son employé avait été licencié pour avoir vendu de la drogue à certains membres du personnel. Notre candidat avait simulé en toute confiance son langage corporel, mais ses microgestes avaient été décelés par notre collaboratrice.

Pour distinguer la personne sincère du menteur ou de l'imposteur, il faut savoir faire la différence entre les signaux volontaires et instinctifs. La dilatation des pupilles, la transpiration et le rougissement sont des signes qu'on ne peut pas simuler, alors qu'il est facile d'apprendre à ouvrir les paumes des mains en signe d'honnêteté.

Les simulateurs ne peuvent pas feindre pendant longtemps.

Dans certains cas, les gestes du langage corporels sont feints dans le but d'obtenir certains avantages. Si l'on prend l'exemple du concours de Miss Monde ou de Miss Univers, toutes les candidates ont consciencieusement étudié les mouvements qui traduisent une personnalité chaleureuse et sincère. C'est leur capacité à transmettre ces signaux qui leur vaudra l'attribution de points par le jury. Mais même les plus expertes ne peuvent simuler que pendant un temps limité, et leur corps finira par émettre des signaux inconscients qui véhiculent un message contradictoire. Comme John Kennedy et Adolf Hitler, de nombreux hommes politiques sont passés maîtres dans l'art de feindre les signaux non verbaux, pour que les électeurs croient à leurs promesses ou à leurs déclarations. On dit alors d'eux qu'ils sont doués de « charisme ».

En résumé, s'il est difficile de feindre longtemps les signes du langage corporel, nous verrons plus loin que, pour bien communiquer, il est important d'apprendre à en utiliser les gestes « positifs », en éliminant ceux qui sont « négatifs » et qui risquent de déformer notre message. Cette compétence contribue au confort de la vie sociale et nous permet d'être mieux accepté par les autres. L'objectif de ce livre est de vous doter de cette compétence.

Comment devenir expert

Consacrez chaque jour un quart d'heure à l'observation du langage corporel des gens qui vous entourent, et à l'analyse consciente de vos propres gestes. Choisissez pour cela un lieu public favorable aux rencontres et aux interactions. Les gares et les aéroports sont des lieux particulièrement adaptés à cet exercice, car ils donnent à voir un échantillonnage varié de gestes humains, où les passagers et leurs accompagnateurs laissent libre cours à un large éventail d'émotions : la joie, l'excitation, l'impatience, l'énervement, la déception, la tristesse... et bien d'autres encore. Les réceptions mondaines et les congrès professionnels sont aussi d'excellentes scènes de théâtre pour les expressions du langage corporel. Lorsque vous y aurez acquis une certaine compétence, vous ne vous ennuierez plus dans les soirées : il vous suffira de vous asseoir dans un coin bien placé pour assister au spectacle des rituels du non-verbal et passer ainsi une soirée très amusante.

En matière de décryptage des gestes, les hommes d'aujourd'hui sont beaucoup moins compétents que leurs ancêtres, parce qu'ils sont distraits par le langage parlé.

La télévision représente, elle aussi, un lieu privilégié pour exercer vos compétences de décodeur. Il suffit de couper le son et d'essayer de deviner ce qui passe sur l'écran. Vous le rétablirez de temps à autre, pour vérifier ou réorienter votre interprétation, et vous serez capable de suivre une émission complète en images muettes, comme le font les malentendants.

Le décryptage du langage corporel des autres vous aidera à détecter leurs tentatives de domination ou de manipulation, mais il vous apprendra également à prendre conscience qu'eux aussi étudient vos gestes. Surtout, il vous rendra plus sensible aux sentiments et aux émotions d'autrui.

Une nouvelle science sociale est en train de voir le jour – celle de l'étude du langage corporel. Comme l'ornithologue amateur qui se passionne pour le comportement des oiseaux, le spécialiste du non-verbal se délecte de l'observation des signaux corporels de ses semblables. Il les scrute lors des interactions de la vie sociale, au bureau, dans les magasins, dans les transports en commun, à la plage, à la télévision, partout où les humains se rencontrent. Il se considère comme un étudiant en comportement humain. Le fruit de ses recherches lui procure de plus une meilleure compréhension de lui-même et la capacité d'améliorer ses relations avec autrui.

Chapitre 2

LE POUVOIR EST DANS VOS MAINS

L'autorité passe par les paumes et les poignées de main

L'ouverture des paumes signifiait autrefois que l'on n'avait pas d'arme dans la main.

Le jour où il prit ses fonctions dans une entreprise de communication, Adam souhaitait faire bonne impression à tout le monde. Chaque fois qu'on lui présentait un nouveau collègue, il lui serrait énergiquement la main avec un sourire enthousiaste. Du haut de son mètre quatre-vingt-dix, ce beau garçon bien habillé semblait sans aucun doute très doué pour les relations publiques. Sa poigne de fer, héritée de l'éducation paternelle, fit saigner les doigts bagués de deux de ses nouvelles collègues et laissa plusieurs mains meurtries. Certains hommes renchérirent virilement, bien sûr. Les femmes souffrirent en silence mais on les entendit murmurer : « Ne t'approche surtout pas de ce malabar ! » Les collègues masculins ne bronchèrent pas, et les femmes se contentèrent de l'éviter soigneusement. Elles représentaient la moitié du personnel...

Voulez-vous un conseil *de première main* ? Si vous voulez *garder la main*, pratiquez *la politique de la main tendue. La main sur le cœur* et *le cœur sur la main*, vous réussirez *de main de maître* et vous vous en *frotterez les mains* !

Les mains sont les outils les plus perfectionnés de l'évolution humaine et les connexions entre le cerveau et elles sont plus nombreuses que pour tout autre organe du corps. Or très peu de gens se préoccupent de leur comportement, en particulier de la façon dont ils serrent la main de ceux qu'ils rencontrent. Les premières poignées de main sont pourtant déterminantes pour les rapports de pouvoir, de domination et de soumission qui vont s'établir entre deux personnes. L'ouverture des paumes est depuis toujours associée à la sincérité, l'honnêteté, l'allégeance et la soumission. Les serments se font encore souvent la main sur le cœur et on lève la main dans les tribunaux pour jurer de dire la vérité : quand on jure sur la Bible, on pose dessus la main gauche et on dresse sa paume droite avant de témoigner. L'un des meilleurs moyens de s'assurer de l'ouverture et de la franchise d'une personne est d'observer son jeu de paumes. De même que les chiens exposent leur gorge en signe de soumission ou de reddition, les humains ouvrent leurs paumes pour montrer qu'ils n'ont pas d'arme et ne sont donc pas menaçants.

Pour signifier sa soumission, le chien montre sa gorge, et l'homme montre ses paumes.

Comment détecter la franchise ?

Pour montrer aux autres leur ouverture et leur sincérité, les hommes ont coutume de leur tendre l'une ou les deux paumes de leurs mains, en disant : « Ce n'est pas moi qui fais cela ! », ou « Je suis désolé de vous avoir contrarié », ou encore : « Je vous dis la vérité. » Quand la franchise s'installe au cours d'un entretien, on voit souvent s'ouvrir les paumes des interlocuteurs. Comme beaucoup de signaux corporels, il s'agit là d'un geste inconscient, qui laisse pressentir qu'on ne ment pas.

Faites-moi confiance – je suis médecin.

On peut ouvrir volontairement les paumes des mains pour inspirer confiance.

Un enfant qui ment ou qui cache quelque chose met souvent les mains derrière son dos. Un homme qui cherche à cacher qu'il est sorti en célibataire avec ses copains mettra spontanément les mains dans ses poches ou croisera les bras pour raconter sa soirée à sa compagne qui, le voyant cacher ses mains, en déduira justement qu'il lui raconte des bobards. De son côté, la femme qui dissimule la vérité essaiera de changer de sujet de conversation tout en s'activant à des tâches diverses.

L'homme accompagne ses mensonges d'un langage corporel révélateur. La femme qui ment préfère s'affairer.

Les paumes dans les poches : le prince William signifie aux journalistes qu'il ne veut pas leur parler.

Dans certaines formations au métier de vendeur, on apprend à guetter l'ouverture des paumes du client lorsqu'il avance des objections à l'achat d'un produit. Si les mains sont ouvertes, cela signifie que les raisons du refus sont sincères et pertinentes. Les explications accompagnées de l'ouverture des paumes sont plus fiables que celles que l'on donne en cachant les mains.

Un homme qui garde ses mains dans ses poches au cours d'une conversation manifeste qu'il n'a pas envie d'y participer. Les paumes des mains de nos ancêtres étaient au langage corporel ce que les cordes vocales sont à la voix, l'outil d'expression essentiel, et le fait de les cacher équivalait à se taire.

Le jeu de paume trompeur

On peut se poser la question suivante : « Si je dis un mensonge en montrant les paumes de mes mains, y a-t-il plus de chances que l'on me croie ? » La réponse est *oui* – et *non.* Vous vous trahirez probablement : par l'absence des autres gestes positifs manifestant la sincérité, et par la présence d'autres, négatifs ceux-là, et qui ne seront pas cohérents avec vos mains ouvertes. Mais les experts de l'arnaque et les escrocs professionnels, qui ont appris à accorder tous leurs signaux corporels à leur discours, peuvent prétendre transmettre un langage corporel qui fait passer un mensonge pour une vérité. Plus ils connaissent la gestuelle globale de la sincérité, plus ils réussissent.

« M'aimeras-tu encore quand je serai une vieille aux cheveux blancs ? » demanda-t-elle en ouvrant les paumes des mains.
« Non seulement je t'aimerai, mais je t'écrirai ! » répondit-il sans hésiter.

La cause et l'effet

On peut s'entraîner à parler les mains ouvertes pour améliorer sa crédibilité quand on communique avec autrui. Il est d'ailleurs intéressant de constater que la sincérité progresse avec cette habitude – et ce en raison d'un phénomène de cause à effet. Si une personne sincère ouvre naturellement ses mains, le fait de reproduire volontairement ce signal finira par gêner celle qui cherche à faire passer un mensonge convaincant. Car les émotions et les gestes sont directement liés. Quand on se sent sur la défensive, on a tendance à croiser les bras sur la poitrine. Et le croisement de bras peut provoquer cette impression. De plus, si vous parlez les mains ouvertes, votre interlocuteur se sentira contraint à l'honnêteté envers vous. En d'autres termes, votre geste l'incitera à ne pas tricher.

Le pouvoir des paumes

Les signaux corporels transmis par les paumes dans la poignée de main et lors des gestes démonstratifs (indications ou instructions) figurent parmi ceux que l'on remarque le moins. Le pouvoir de la paume est pourtant celui de l'autorité silencieuse.

On distingue trois positions principales : la *paume en supination* (tournée vers le haut), la *paume en pronation* (tournée vers le bas) et la *paume fermée avec index pointé.* Illustrons-les en contexte : vous demandez à quelqu'un de passer prendre un objet pour le transporter ailleurs ensuite. Partons du principe que vous accompagnez chacune des trois postures des mêmes mots, du même ton de voix et des mêmes expressions faciales.

La paume tournée vers le haut est un geste de soumission et de bienveillance, qui rappelle le mendiant et l'homme qui veut signifier qu'il est désarmé. La personne à qui vous demandez ce service ne se sentira ni contrainte ni menacée par votre requête. Si vous souhaitez qu'elle vous parle, vous lui signalez également que vous êtes prêt à l'écouter.

Le geste de supination a évolué au cours des siècles, donnant celui de la *paume ouverte dressée* et de la *paume sur le cœur.*

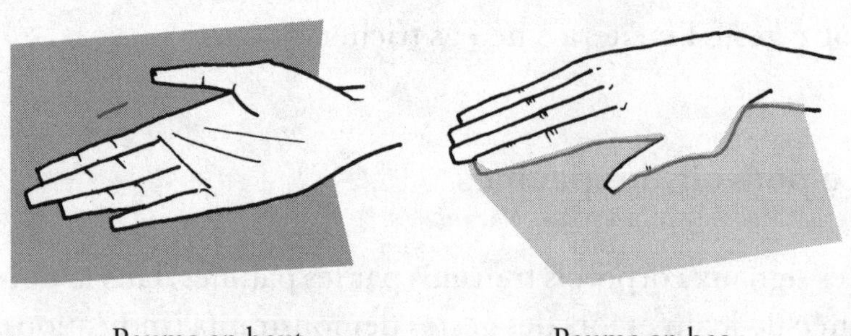

Paume en haut : pas de menace. Paume en bas : autorité.

Si vous tournez les paumes des mains vers le bas, vous projetez une image d'autorité. Votre interlocuteur aura l'impression de recevoir un ordre et, en l'absence de relations hiérarchiques, il ressentira peut-être de l'hostilité envers vous.

Le passage de la paume vers le haut à la paume vers le bas modifie totalement la perception qu'on a de vous.

Par exemple, si celui à qui vous demandez un service n'est pas votre subordonné, il refusera peut-être votre requête, alors qu'il s'y serait volontiers plié si vous aviez eu les paumes en supination.

Le salut nazi avec la paume tournée vers la terre était l'un des symboles de la tyrannie du IIIe Reich. Personne n'aurait pris Hitler au sérieux s'il avait levé la paume vers le ciel.

Un exemple célèbre de paume en pronation.

Quand un couple marche main dans la main, le partenaire dominant – l'homme, le plus souvent – marche légèrement devant, la paume de la main tournée vers le bas, tandis que sa compagne tourne la sienne vers le haut. Ce petit geste tout simple permet à l'observateur averti de deviner immédiatement qui porte la culotte.

La posture de la main fermée avec l'index pointé comme une matraque symbolise la volonté de contraindre son interlocuteur à la soumission, ce qui déclenche chez lui des sentiments négatifs. Ce geste semble en effet précéder le geste primitif d'attaque du primate.

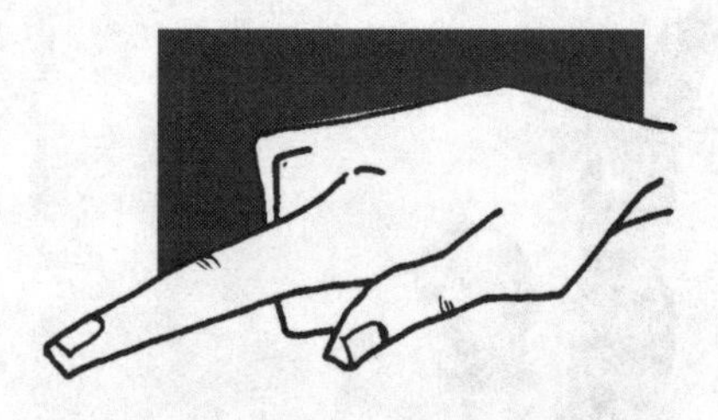

L'index pointé : « Fais-ce que je te dis, sinon… »

C'est l'un des signaux corporels les plus agressifs que l'on puisse utiliser en parlant, en particulier quand il est répété pour rythmer les paroles du locuteur. En Malaisie et aux Philippines, il constitue même une injure, car l'index y sert à désigner les animaux. C'est le pouce qui est utilisé pour montrer les gens ou pour donner des directives.

L'expérience de l'auditoire

Nous avons mené une expérience avec huit conférenciers auxquels nous avions demandé de privilégier l'un de ces trois gestes au cours d'une causerie de dix minutes devant des publics divers. Et nous avons filmé les réactions des participants. Les conférenciers qui ont essentiellement recouru au geste de la paume tournée vers le haut ont provoqué chez leur auditoire 84 % de réactions positives. Ceux qui ont délivré exactement le même message en tournant le plus souvent la paume vers le bas n'en ont obtenu que 52 %. Quant à la main fermée avec index pointé, elle n'en a recueilli que 28 %. Certains auditeurs ont même quitté la salle avant la fin de l'exposé.

L'index pointé provoque des réactions négatives chez la plupart des auditeurs.

En plus de ce très faible taux de réactions positives, les résultats de l'expérience ont montré que l'auditoire du conférencier à l'index pointé se rappelait moins bien que les autres le contenu de ses paroles. Si vous faites partie des pointeurs d'index, entraînez-vous aux postures des paumes ouvertes, vers le haut ou vers le bas. Vous constaterez rapidement que l'atmosphère de vos entretiens s'en trouvera plus détendue, et vos interlocuteurs mieux disposés à votre égard. Une alternative efficace consiste à plaquer le pouce contre l'index : le geste de la « pince » est généralement signe d'approbation. Vos paroles seront ressenties comme autoritaires, mais pas agressives. Nous avons testé la pratique de ce signal auprès d'un certain nombre de conférenciers, d'hommes politiques et de chefs d'entreprise, en mesurant les réactions de leurs publics. Les auditeurs ont décrit les orateurs comme des personnes « réfléchies », « motivées » et « déterminées ».

Le geste de la pince n'intimide pas l'auditoire.

Les pointeurs d'index étaient en revanche ressentis comme « agressifs », « belliqueux » et « brutaux », tandis que le taux de mémorisation des discours était nettement plus faible.

Les auditeurs étaient en effet plus occupés à les juger qu'à les écouter.

Une analyse des poignées de main

La poignée de main est une relique de notre passé. Lors des rencontres amicales entre les tribus primitives, ils se tendaient mutuellement la paume de la main pour montrer qu'ils n'y cachaient pas une arme. Les Romains de l'Antiquité, qui portaient souvent un poignard dans leur manche, se saluaient volontiers par une *prise d'avant-bras.*

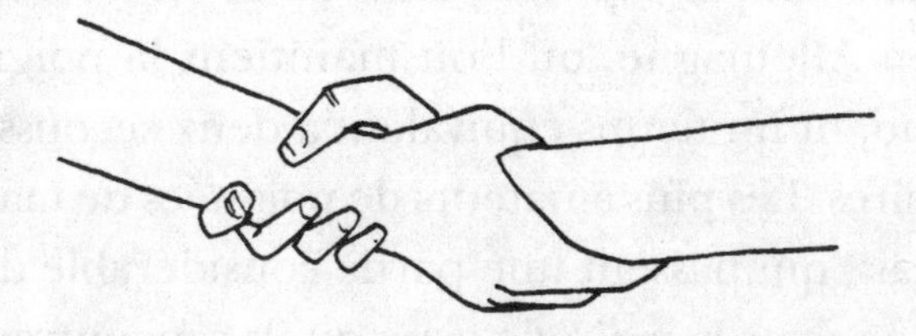

La prise d'avant-bras, qui permettait de vérifier que l'autre n'était pas armé : salutation type de la Rome antique.

La forme moderne de ce rituel consiste à joindre mutuellement les paumes avant de les serrer. Elle date du XIXe siècle, où elle servait à marquer la conclusion d'une transaction commerciale entre deux hommes de même condition sociale. La poignée de main ne s'est généralisée qu'au cours du siècle dernier, elle restait réservée aux hommes jusqu'à un passé relativement récent. En Europe, et en Occident en général, elle sert de salutation initiale et finale dans toutes les relations d'affaires, et elle est de plus fréquemment usitée chez les deux sexes lors des réceptions et des rencontres privées.

Au XIXe siècle, la poignée de main servait à sceller une transaction entre deux hommes.

L'usage de la poignée de main s'est même étendu au Japon, où les salutations sont traditionnellement marquées par des courbettes et à la Thaïlande, le pays du wai (les mains jointes en prière). Dans la plupart des pays, on secoue les mains entre cinq et sept fois, mais deux ou trois fois seulement en Allemagne, où l'on maintient la poignée de main pendant un temps équivalent à deux secousses supplémentaires. Les plus amateurs de poignées de main sont les Français, qui passent une partie considérable de leurs journées à serrer la main de ceux qu'ils rencontrent.

Qui doit tendre la main en premier ?

S'il est de coutume de serrer la main d'une personne qu'on rencontre pour la première fois, il peut se trouver des situations où il vaut mieux que vous n'en preniez pas l'initiative. La poignée de main est un signe d'accueil et de confiance et il convient de se poser certaines questions avant de tendre la main : suis-je le bienvenu ? Cette personne est-elle contente de faire ma connaissance, ou suis-je en train de forcer sa sympathie ? On apprend dans les écoles de commerce que ce genre d'initiative peut avoir des effets négatifs sur un client chez qui on se présente sans s'être annoncé ou sans qu'il vous ait invité à venir le voir. Il risque de se sentir contraint et forcé, et on conseille aux agents commerciaux d'attendre qu'il leur tende la main le premier. Si le geste ne vient pas, on se contentera d'un petit salut de la tête. Dans certains pays musulmans, il est impoli de serrer la main d'une femme, alors que le signe de tête est acceptable. Mais dans l'ensemble, les femmes qui prennent l'initiative de la poignée de main sont considérées comme plus ouvertes que les autres et font en général meilleure impression lors de la première rencontre.

Comment se communiquent l'autorité et la domination

Après avoir évoqué les messages opposés qu'envoyaient les paumes selon leur orientation, vers le haut ou vers le bas, explorons maintenant ce que signifient ces deux positions lors d'une poignée de main.

Quand deux chefs romains se serraient la main, leur salutation était très proche du bras de fer. Et c'est le plus fort des deux qui posait la paume de sa main sur celle de l'autre, en *posture de domination.*

Imaginez que l'on vous présente un inconnu auquel vous serrez la main. Il vous transmettra inconsciemment l'une des trois attitudes suivantes :

1. Domination. Vous penserez : « Il essaie de me dominer. Il faut que je me méfie. »
2. Soumission. Vous penserez : « Je peux le dominer. Il fera ce que je veux. »
3. Égalité. Vous penserez : « Je me sens à l'aise avec lui. »

Ces trois attitudes se perçoivent sans qu'on en ait conscience, mais elles peuvent avoir un impact déterminant sur l'issue de la rencontre. Dans les années 1970, nous décrivions dans nos cours de management les effets induits des différents types de poignées de main, en incluant ces gestes dans les stratégies professionnelles. La façon dont on serre la main est susceptible, avec un peu d'attention et d'entraînement, d'exercer une influence considérable sur tous les entretiens en face-à-face.

Le signal de domination se transmet en tournant la paume vers le bas (manche rayée du dessin ci-dessous). Votre main recouvre celle de l'autre et vous lui signifiez que vous avez l'intention de diriger l'entretien.

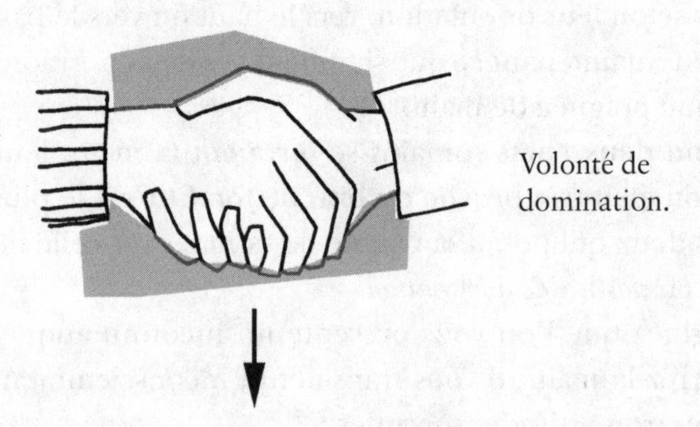

Volonté de domination.

Un test mené avec 350 cadres supérieurs a montré que la quasi-totalité des participants prenaient l'initiative de la poignée de main, et que 89 % des hommes recouraient à la position dominante, contre 31 % des femmes. Ces dernières sont en effet moins intéressées par le pouvoir et l'autorité. Si un certain nombre d'entre elles serrent mollement la main des hommes – dans une attitude docile – c'est pour souligner leur féminité ou pour suggérer qu'elles sont prêtes à se soumettre. Mais dans un contexte professionnel, ce geste peut se révéler désastreux, car leurs collègues masculins risquent de ne pas les prendre au sérieux. Même s'il est politiquement correct et très « tendance » de prêcher l'égalité des sexes, une femme qui proclame sa féminité dans une réunion professionnelle sera déconsidérée par ses collègues des deux sexes. Cela ne veut pas dire pour autant qu'elle doive se comporter de manière masculine, mais qu'il lui suffit de veiller à ne pas multiplier les signaux féminins si elle veut s'assurer une crédibilité équivalente à celle des hommes.

Dans un contexte professionnel sérieux, les femmes qui envoient des signaux corporels trop féminins perdent une part de leur crédibilité.

En 2001, William Chaplin entreprit une étude sur les poignées de main à l'Université de l'Alabama. Il découvrit que les extravertis et les femmes ouvertes aux idées nouvelles serrent plus fermement la main que les timides et les névrosés. Il semble donc que la poignée de main énergique soit une bonne tactique pour les femmes, en particulier dans leurs rapports avec les hommes.

La poignée de main soumise

Le geste non dominateur consiste à tendre la paume de la main tournée vers le haut (manche rayée du dessin ci-dessous), marquant ainsi sa soumission symbolique à l'autre, comme un chien qui montre sa gorge à un molosse.

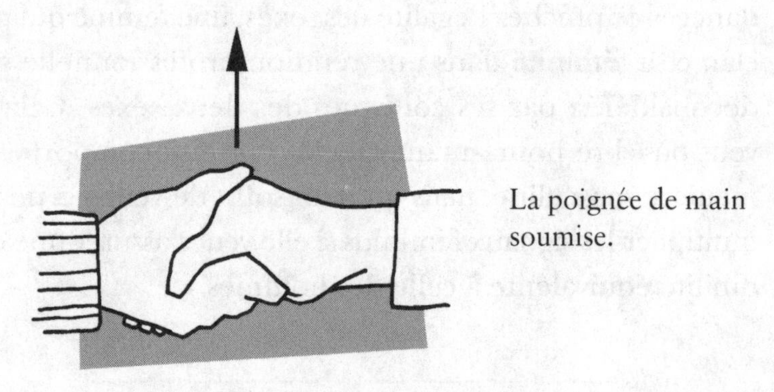

La poignée de main soumise.

Ce signal peut s'avérer efficace si vous voulez manifester à l'autre que vous le considérez comme « en charge » de la situation, ou si vous êtes en train de lui présenter vos excuses.

N'oubliez pas que la poignée de main molle de votre interlocuteur peut très bien n'être due qu'à l'arthrite qui le fait souffrir, et qu'il aura également tendance à vous présenter une paume soumise. Il ne faut pas non plus attendre une poignée de main énergique d'un pianiste, d'un chirurgien et d'un sculpteur, qui cherchent à protéger leur outil de travail. Pour savoir si une poignée de main molle est volontaire ou pas, observez les autres signaux corporels – plus ou moins soumis ou dominateurs – émis par la personne qui vous serre la main.

Comment établir un rapport d'égalité

Lorsque deux personnes dominatrices se serrent la main, il arrive souvent que chacune d'elles tente de tourner vers le haut la paume de l'autre en une lutte de pouvoir symbolique. Il en résulte une sorte de poignée de main en étau, où les deux mains se placent en position verticale, ce qui impose l'égalité et le respect mutuel, car aucun des protagonistes n'est prêt à céder.

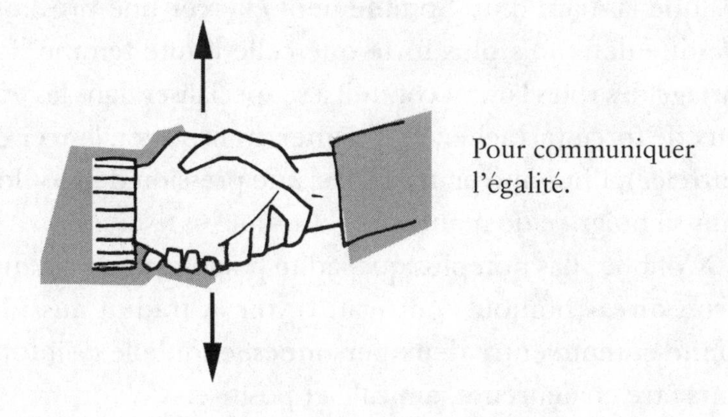

Pour communiquer l'égalité.

Comment établir une relation harmonieuse

Pour instaurer une relation équilibrée dès la première poignée de main, il convient de respecter deux règles essentielles. Tout d'abord, les deux personnes en présence doivent tendre la main en position verticale, pour qu'aucune des deux ne se trouve en situation dominante ni soumise. Et il faut ensuite que chacune ajuste l'intensité de la pression à celle de l'autre. Sur une échelle de fermeté allant de 1 à 10, si votre poignée de main atteint le niveau 7, mais que celle de votre interlocuteur ne dépasse pas le niveau 5, il vous faudra réduire de 20 % la pression de la vôtre. Si la sienne atteint le niveau 9 alors que la vôtre ne dépasse pas 7, vous renforcerez votre poigne dans les mêmes proportions. Si vous vous trouvez devant une dizaine de mains à serrer, vous procéderez à la série d'ajustements nécessaires – en orientation comme en intensité – pour établir un rapport harmonieux avec chaque nouveau venu. N'oubliez pas que la main d'un homme peut exercer une pression presque deux fois plus forte que celle d'une femme. Le partage des rôles l'ayant conduit à se spécialiser dans les travaux de force (arracher, empoigner, transporter, lancer et marteler), l'homme peut exercer une pression de 45 kilos dans sa poignée de main…

N'oubliez pas non plus que ladite poignée de main, qui sert à dire « bonjour » et « au revoir », traduit aussi la bonne entente entre deux personnes, et qu'elle doit toujours être chaleureuse, amicale et positive.

Comment déjouer l'épreuve de force

La présentation de la *paume vers le bas,* immortalisée par le salut nazi, aboutit à la plus agressive des poignées de main, et laisse peu de chances à celui qui la reçoit de pouvoir rétablir un rapport d'égalité. La personne dominatrice qui tend ainsi sa main au bout d'un bras raide a toujours l'initiative du contact.

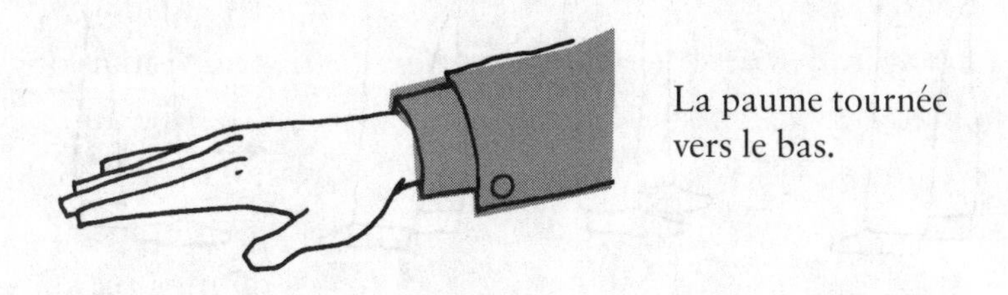

La paume tournée vers le bas.

Lorsqu'on vous tend la main de cette manière, vous disposez de plusieurs moyens pour déjouer la volonté de domination qu'exprime ce geste.

1. La technique du pas vers la droite

Il n'est pas toujours facile de retourner une paume tendue vers le bas – le plus souvent celle d'un homme – et la manœuvre risque d'être trop évidente.

Une bonne technique consiste à commencer par avancer le pied gauche en tendant votre main, ce qui demande un certain entraînement, car c'est dans 90 % des cas le pied droit que l'on avance spontanément pour serrer la main de quelqu'un.

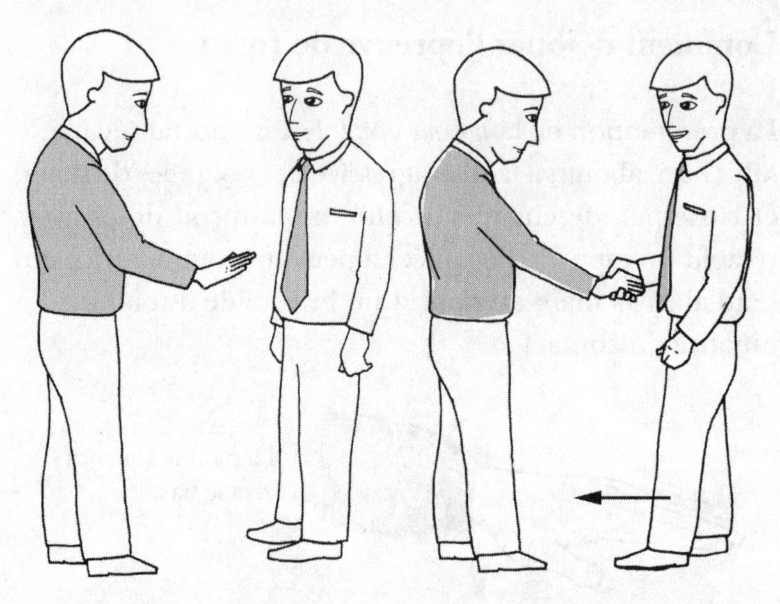

Le dominateur attaque. Avancez le pied gauche.

Avancez ensuite le pied droit pour pénétrer dans l'espace personnel de votre interlocuteur. Enfin, ramenez la jambe gauche contre la jambe droite (voir le dessin ci-dessus) et serrez-lui la main. Cette manœuvre vous permet de redresser sa paume à la verticale, et même de la retourner en position de soumission. Le fait d'avoir envahi son territoire personnel équivaut à remporter un bras de fer, et vous reprenez le contrôle de la relation.

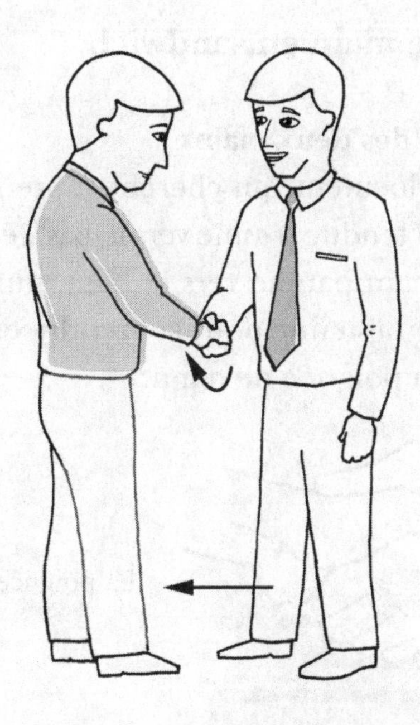

Avancez le pied droit vers lui et retournez
la paume de sa main.

Analysez votre propre façon de serrer la main, et notez si c'est le pied droit ou gauche que vous avancez en premier. Le fait que nous soyons une majorité à commencer par le pied droit constitue un handicap pour résister à la poignée de main d'un individu dominateur. Il faut donc en pareil cas s'entraîner à démarrer du pied gauche.

La poignée de main en sandwich

2. La technique des deux mains

Quand un interlocuteur qui cherche à prendre le dessus présente la main tendue paume vers le bas, répondez en lui tendant votre main paume vers le haut, puis posez votre main gauche sur la sienne pour la prendre en sandwich et « verrouiller » la poignée de main.

La poignée à deux mains.

Cette manœuvre vous permet de reprendre le pouvoir d'une manière beaucoup plus simple qu'avec celle du pas vers la droite – en particulier si vous êtes une femme. Si toutefois vous sentez que « l'attaquant-paume-vers-le-bas » tente consciemment de vous intimider, et ce de manière répétée, saisissez-lui le dos de la main avant de la secouer (voir dessin ci-dessous). Cette méthode, qui peut s'avérer blessante, n'est à utiliser qu'en dernier ressort.

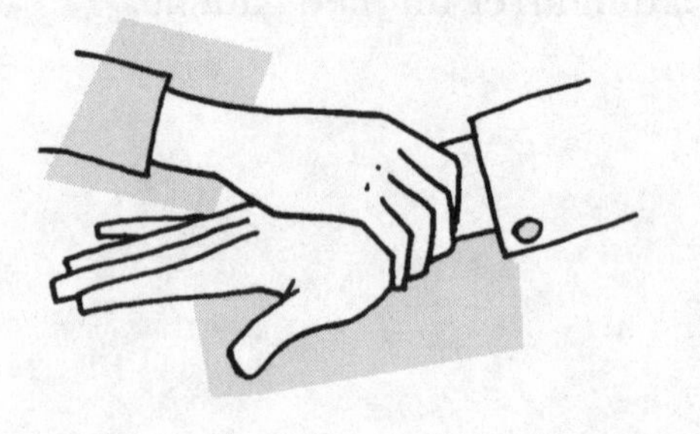

Le dernier recours.

Le poisson froid

Personne n'aime recevoir une poignée de main qui donne l'impression qu'on vous tend cinq sardines froides et visqueuses. Lorsqu'on est intimidé par une personne étrangère, le sang cesse d'irriguer les cellules du derme des mains et des pieds, au profit des muscles des bras et des jambes – à cause du réflexe de lutte ou de fuite. Les mains se refroidissent et se mettent à transpirer, et leur contact ressemble à celui d'un poisson froid et collant. Essuyez-vous les mains avec votre mouchoir avant de serrer la main des personnes qui vous intimident, si vous ne voulez pas leur faire une impression désastreuse. Ou imaginez que vous vous réchauffez les mains près d'un feu de bois. Le seul effet de sensation virtuelle peut réchauffer de trois à quatre degrés la température de vos paumes.

À gauche de la photo

Lorsque deux chefs d'État se serrent la main devant les photographes, ils s'efforcent de paraître aussi grands et élégants l'un que l'autre. En fait, c'est celui qui se trouve à gauche de la photo qui semble avoir le dessus, parce que cette situation lui permet de présenter sa main droite en situation dominante.

Cette supériorité est flagrante sur la photo montrant John Kennedy et Richard Nixon avant leur débat télévisé de 1960. Si le public de l'époque ignorait encore les secrets du langage corporel, John Kennedy semble en avoir eu l'intuition précoce. Il s'arrangeait souvent pour apparaître à gauche sur ce genre de photo, de façon à montrer le dos de sa main faisant écran à la paume de son interlocuteur.

Comment s'assurer *la haute main* – JFK se place à gauche pour faire paraître Nixon à son désavantage.

Le célèbre débat télévisé qui suivit la photo illustra à merveille le pouvoir du langage du corps. D'après les sondages, la majorité de ceux qui l'avaient écouté à la radio estimaient que Nixon avait eu le dessus, tandis que les téléspectateurs donnaient pour la plupart Kennedy gagnant. Preuve que le langage corporel convaincant de John Kennedy contribua à lui assurer la victoire aux élections présidentielles.

À gauche sur le cliché, Bill Clinton s'assure une position de domination sur Tony Blair.

Les trois hommes d'État apparaissant à droite de la photo sont soumis à une poignée de main dominatrice.

Entre hommes et femmes

Malgré la forte présence des femmes dans la vie professionnelle, les poignées de main entre les deux sexes sont encore souvent sources de maladresses et d'embarras. La plupart des hommes racontent que c'est leur père qui leur a appris à serrer la main, alors que très peu de femmes se rappellent qu'on le leur ait enseigné. Ces différences acquises engendrent parfois des situations inconfortables, où l'homme est le premier à tendre la main à la femme – qui ne la voit pas, car elle a tendance à regarder d'abord son visage. Il se sent alors maladroit et retire sa main en espérant qu'elle ne le remarquera pas. C'est à ce moment-là qu'elle lui tend la sienne – et c'est à elle de ne plus savoir quoi faire de sa main suspendue dans le vide. L'homme renouvelle alors son geste initial et les salutations se terminent dans un méli-mélo de doigts qui se croisent maladroitement.

La première rencontre entre homme et femme peut être gâchée par une poignée de main hésitante.

Si vous êtes entraîné dans cette valse hésitation, saisissez en souriant la main qu'on vous tend de votre main gauche et placez-la dans votre paume droite en disant : « Et si on recommençait ? » Votre crédibilité montera en flèche, car vous montrerez ainsi que la rencontre vous tient suffisamment à cœur pour mériter une poignée de main réussie.

Si vous êtes une femme, une bonne stratégie consiste à tendre la main le plus tôt possible à vos collègues et confrères pour éviter de les déstabiliser.

La poignée à deux mains

Grande favorite des relations d'affaires, elle se donne les yeux dans les yeux, accompagnée d'un sourire franc et rassurant, en répétant à voix haute le nom de la personne qui se présente.

La poignée à deux mains.

En doublant la surface du contact physique, l'instigateur du geste prend le contrôle du destinataire en lui enserrant la main droite des deux siennes. Si on appelle parfois cette manœuvre la « poignée de main de l'homme politique », c'est que celui qui la donne « en rajoute » pour donner l'impression qu'il est honnête et fiable. Imposée à quelqu'un qu'on rencontre pour la première fois, elle peut provoquer l'effet inverse et lui donner des soupçons sur vos intentions. La poignée à deux mains est une étreinte en réduction, elle n'est donc acceptable que dans des circonstances très familières.

« Je ne sais pas qui vous êtes, mais vous êtes aussi sympathique que mémorable… »

Le geste d'autodéfense qui consiste à lever le bras droit devant soi est un signal corporel inné chez quatre-vingt-dix pour cent des êtres humains. La *poignée à deux mains*, qui vient contrecarrer ce geste, ne doit jamais intervenir en l'absence d'un lien personnel. On n'y recourt que lorsque l'attachement affectif existe déjà, par exemple lorsqu'on retrouve un vieil ami. Comme il ne peut alors être question d'autodéfense, la chaleur de la poignée de main est ressentie comme authentique.

Yasser Arafat impose une poignée à deux mains à Tony Blair, dont les lèvres pincées montrent qu'il ne se laisse pas impressionner.

Les poignées de main dominatrices

L'objectif d'une poignée de main est de manifester la sincérité, la confiance ou l'authenticité d'un sentiment envers le destinataire. Il convient de préciser deux aspects significatifs. Premièrement, la main gauche sert à traduire la profondeur du sentiment de son instigateur – qu'on mesure à la hauteur du bras sur lequel il pose la main. Comme il s'agit de simuler une étreinte, l'emplacement de la main gauche joue le rôle du thermomètre de l'intimité. Plus la main monte le long du bras, plus l'affectif est fortement marqué par celui qui cherche à la fois à communiquer une émotion et à contrôler le mouvement de son interlocuteur.

La *prise de coude* traduit, par exemple, plus d'intimité et d'autorité que la *prise de poignet*, mais moins que la *prise de biceps.*

La prise de poignet.

La prise de coude.

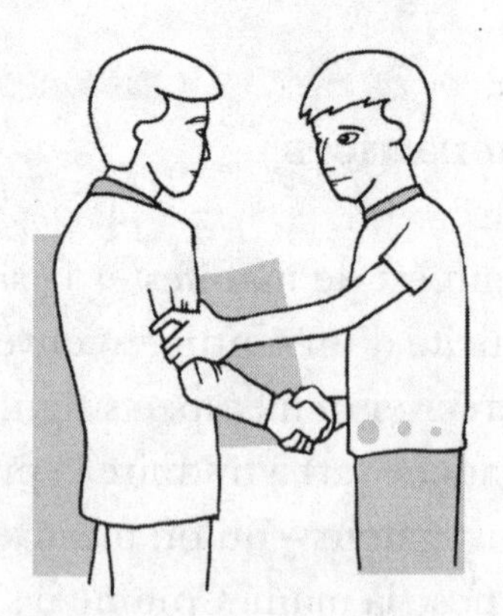

La prise de biceps.

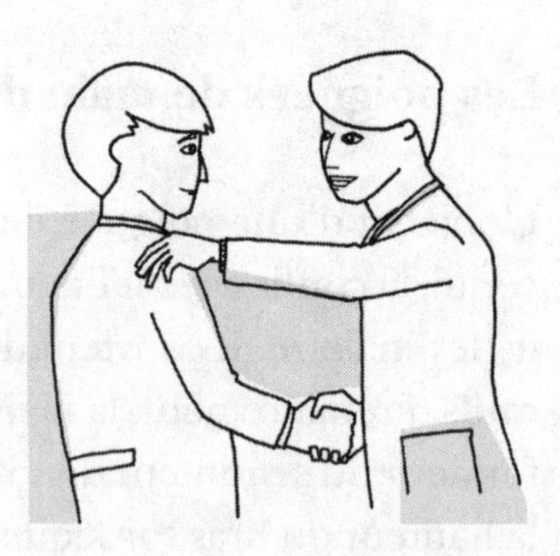

La prise d'épaule.

Le deuxième élément significatif, c'est que la main gauche de l'instigateur opère une intrusion dans l'espace personnel du destinataire. Les prises de poignet et de coude sont généralement acceptables lorsque les deux protagonistes se sentent proches l'un de l'autre – et dans ce cas, la main gauche de l'un ne pénètre que dans la périphérie de la zone intime de l'autre. La prise de biceps et la prise d'épaule sont le signe d'une plus grande intimité et peuvent être suivies d'une étreinte (voir le chapitre 9 sur le territoire personnel). Si le sentiment d'intimité n'est pas partagé, ou si l'instigateur n'a pas de bonnes raisons pour recourir à la poignée à deux mains, son interlocuteur se méfiera probablement des intentions révélées par ce geste. En résumé, à moins d'un lien personnel étroit, ne serrez pas la main d'un individu avec les deux vôtres. Et si c'est une personne étrangère qui agit ainsi, analysez ses intentions cachées.

N'utilisez la poignée à deux mains qu'avec les personnes qui vous sont très proches.

Les hommes politiques serrent volontiers à deux mains celles de leurs électeurs, comme les hommes d'affaires celles de leurs clients, sans se rendre compte qu'ils courent au suicide politique ou commercial s'ils venaient à perdre leur confiance.

Le jeu de pouvoir Bush/Blair

Pendant la guerre de 2003 en Irak, George Bush et Tony Blair offraient aux médias l'image d'un front uni, fondé sur « l'unité et l'égalité ». Mais si on se livre à une analyse minutieuse des photos de leurs apparitions en public, l'épreuve de force du Président américain apparaît limpide.

Mieux vêtu et mieux armé pour le combat,
George Bush a la *haute main* sur Tony Blair.

Sur la photo ci-dessus, George Bush impose à Tony Blair une poignée de main dominatrice. En position de force à gauche, vêtu comme un général en campagne, il s'impose à son allié britannique, qui ressemble à un écolier saluant son professeur. Les deux pieds fermement plantés au sol, Bush plaque la main dans le dos de Blair, en un autre geste dominateur évident. Le Président américain est un habitué de la place de gauche sur les photos, qui lui permet d'être perçu comme celui qui mène la danse.

Comment contrer l'attaque

Si vous êtes contraint de figurer sur la droite d'une photo, tendez le bras très tôt en approchant de la personne à qui vous allez serrer la main, pour la contraindre à vous faire face. Votre poignée de main paraîtra ainsi équitable. Chaque fois que vous êtes filmé ou photographié en situation de poignée de main, efforcez-vous de vous placer à droite de l'autre, pour apparaître à gauche sur la photo. En dernier ressort, vous pourrez toujours vous défendre par une poignée à deux mains.

Huit poignées de main catastrophiques

Voici huit types de poignées de main à prohiber de votre gestuelle, en raison du très faible taux de sympathie qu'elles induisent chez ceux qui les reçoivent.

1. Le poisson mouillé

Effet de sympathie : 1/10

La main en *poisson mouillé* qui vous glisse entre les doigts est une sensation fort déplaisante, surtout si elle est froide. Une main molle et flasque est systématiquement assimilée à une personnalité faible, essentiellement à cause de la facilité avec laquelle on peut en retourner la paume. Celui qui la reçoit traduit ce geste comme un refus de s'impliquer dans la rencontre. Il faut toutefois faire la part des aspects culturels ou physiologiques : elle correspond à la norme dans certains pays d'Asie et d'Afrique, où les poignées de main énergiques sont considérées comme agressives. Quant aux 5 % de personnes qui souffrent d'hyperhydrose, un trait génétique se traduisant par une transpiration chronique, qu'elles pensent à s'essuyer les mains avant de s'exposer à ce genre de situation.

Le poisson mouillé.

Les paumes des mains comportent plus de glandes sudoripares que toutes les autres parties du corps, ce qui explique qu'elles sont facilement moites. Curieusement, les auteurs de ces poignées de main humides et collantes en sont rarement conscients. Il peut s'avérer prudent de demander à vos amis ce qu'ils pensent des vôtres, avant de vous aventurer à les distribuer avec largesse dans vos relations d'affaires.

2. L'étau

Effet de sympathie : 4/10

Mode de salutation courant chez les hommes d'affaires, qui révèle un désir de domination dès le début d'un entretien. On commence par présenter la paume de la main tournée vers le bas et on serre une première fois la main de l'autre en la faisant descendre. On enchaîne ensuite avec deux ou trois autres pressions tellement fermes qu'elles peuvent bloquer la circulation du sang dans la main de la personne qu'on salue. On y recourt évidemment pour remettre l'autre à sa place, mais aussi lorsqu'on se sent inférieur et qu'on redoute sa domination.

L'étau.

3. Le casse-noisettes

Effet de sympathie : 0/10

Cousin germain de l'étau, le *casse-noisettes* est probablement la poignée de main que l'on redoute le plus. Elle laisse en effet un souvenir indélébile dans l'esprit et les doigts de sa victime – et n'impressionne que son auteur.

C'est la signature d'une personne hyperagressive qui cherche à démoraliser d'emblée celui qu'il considère comme son adversaire, en tentant de lui réduire les phalanges en compote. Les femmes qui risquent ce genre de rencontre trouveront sage de ne pas porter de bagues à la main droite, si elles ne veulent pas commencer l'entretien avec les doigts en sang.

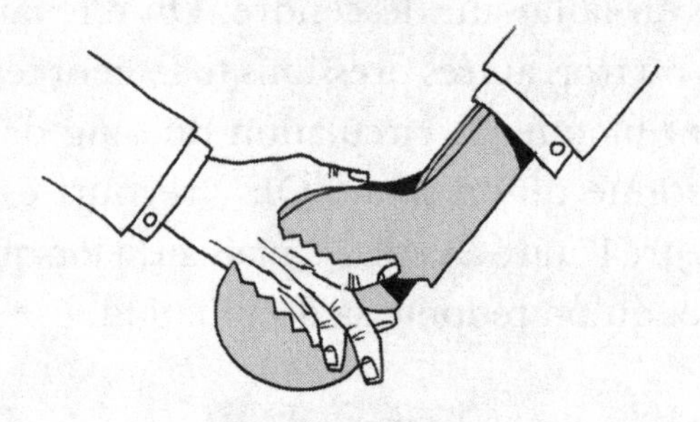

Le casse-noisettes.

4. Le pince-doigts

Effet de sympathie : 2/10

Fréquente lors des premières rencontres entre hommes et femmes, la poignée de main en *pince-doigts* est à demi avortée, et elle aboutit à ne serrer que le bout des doigts de l'autre. Malgré l'enthousiasme apparent de celui qui la donne, cette poignée de main ratée révèle un manque de confiance en soi et n'a pour objectif que de maintenir l'autre à distance. Le pince-doigts peut aussi résulter d'un trop grand écart physique entre les deux protagonistes. Si la zone d'intimité de l'un est de 60 cm, alors que celle de l'autre est de 90 cm, ce dernier recule au moment de la rencontre, empêchant ainsi les deux paumes de se rejoindre.

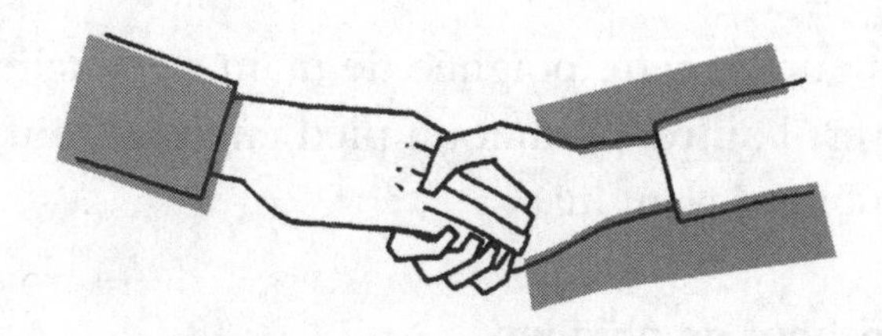

Le pince-doigts.

S'il vous arrive de recevoir cette poignée de main tronquée, saisissez la main droite de votre interlocuteur dans votre main gauche et dites en souriant : « Si on recommençait à zéro ? » Vous y gagnez en crédibilité, car vous montrez à l'autre que cette rencontre compte pour vous.

5. Le coup de bélier

Effet de sympathie : 3/10

Comme la poussée de la *paume vers le bas*, le *coup de bélier* donné par un bras raide et tendu est le propre des personnes agressives, qui cherchent avant tout à maintenir l'autre à distance, hors de leur espace intime. Elle est familière aux habitants des campagnes reculées, où la population a des besoins d'espace supérieurs et cherche instinctivement à protéger son territoire.

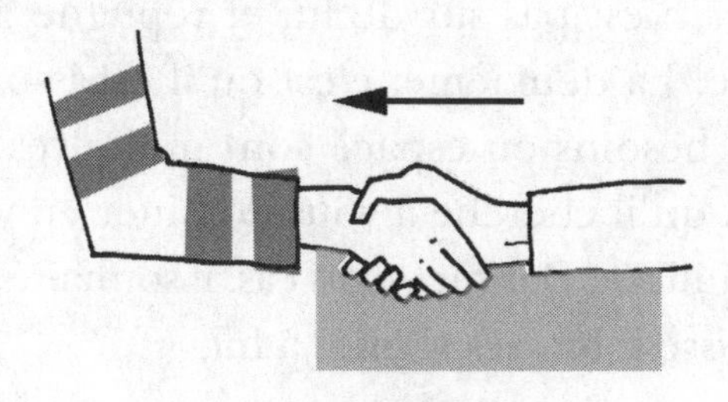

Le coup de bélier.

L'instigateur de cette poignée de main se penche même parfois vers l'autre, ou met un pied en avant tout en lançant son bras devant lui.

6. L'arracheur de poignet

Effet de sympathie : 3/10
Un des gestes habituels de l'attaquant, qui vous tire les larmes des yeux, quand il ne déchire pas les ligaments de votre poignet. Le bras plié, il s'empare de la paume de son interlocuteur et la tire à toute force vers lui. Il lui fait ainsi perdre l'équilibre et garantit un départ loupé à la relation qui va s'établir entre eux.

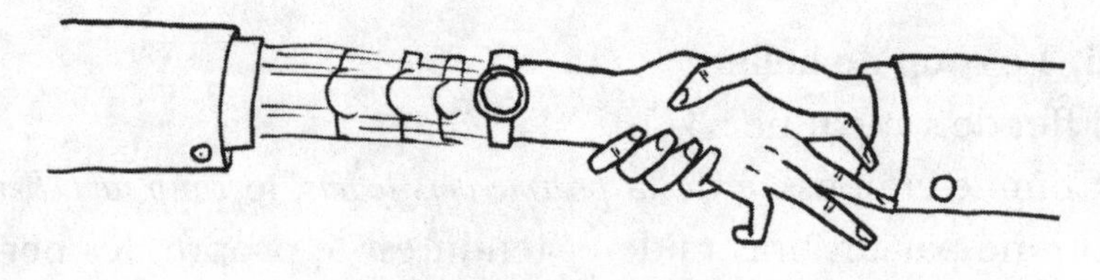

L'arracheur de poignet.

Cette façon d'attirer l'autre de force sur son propre territoire peut avoir trois significations. La première, c'est que l'instigateur n'est pas sûr de lui et répugne à quitter sa zone intime. La deuxième, c'est qu'il est issu d'une culture où les besoins en espace sont moindres. Et la troisième, c'est qu'il cherche à vous dominer en vous faisant perdre l'équilibre. Dans les trois cas, il souhaite que la relation s'établisse selon ses termes à lui.

7. Le shaker à cocktail

Effet de sympathie : 4/10

C'est une poignée de main à forte connotation rurale. Son instigateur saisit la main de celui qu'il rencontre et s'engage dans une série de secousses verticales énergiques et rythmées. Si on peut en supporter jusqu'à six ou sept, il arrive qu'elles se prolongent de manière incontrôlable.

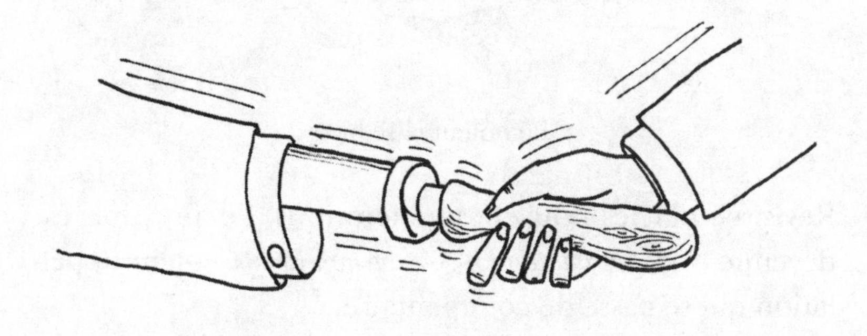

Le shaker à cocktail.

Il peut arriver que les secousses s'interrompent, mais la poigne vigoureuse retient encore l'autre main prisonnière. Beaucoup de victimes de cette étreinte interminable, impressionnées par le contact physique, n'osent pas se dégager.

8. La hollandaise bio

Effet de sympathie : 2/10

Originaire des Pays-Bas, cette poignée de main est une version végétarienne du *poisson mouillé*, plus raide et moins moite. Les Néerlandais l'appellent « geeft'n hand als bosje worteljes », ce qui signifie « la poignée de main en botte de carottes ».

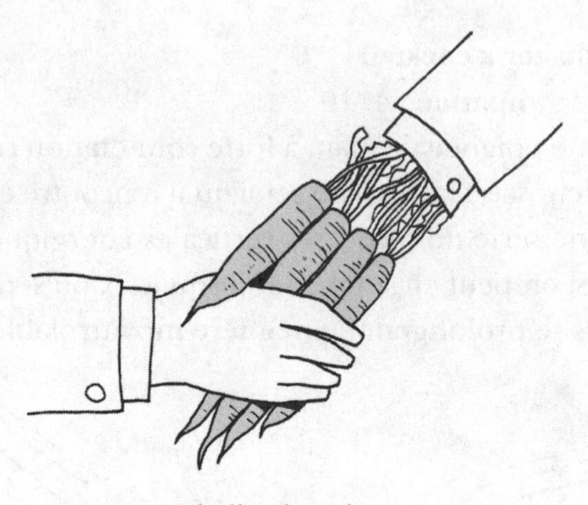

La hollandaise bio.

Revisitée par les nouvelles générations, l'expression est devenue *de slappe vaatdoek* – *« le torchon trempé »* – une appellation qui se passe de commentaire.

La poignée de main Rabin-Arafat

La photo ci-dessous montre le Premier ministre israélien Yitzhak Rabin et le président de l'Autorité palestinienne Yasser Arafat, lors de leur célèbre poignée de main de 1993 à la Maison-Blanche. On y trouve l'illustration de plusieurs attitudes psychiques intéressantes. Le personnage clé de la scène est en fait le Président Bill Clinton, en position centrale et surélevée, paumes et bras largement ouverts, comme un dieu qui préside au bonheur des peuples. Son sourire en demi-lune à langue apparente est un signe de pudeur émotionnelle, qu'elle soit feinte ou sincère.

Yitzhak Rabin à gauche résiste avec le bras raidi
à la tentative de Yasser Arafat de l'attirer vers lui.

Les protagonistes du premier plan ont les pieds fermement plantés au sol et cherchent à faire sortir l'autre de son territoire. Yitzhak Rabin s'octroie la position dominante, à gauche et, se penchant vers Arafat, lui impose un *coup de bélier* pour le contraindre à sortir de son espace intime. Le président palestinien reste droit comme un i, et tente de réagir en attirant vers lui son homologue.

En résumé

Peu de gens sont conscients de l'importance la première poignée de main pour la suite de la relation. Prenez le temps de vous entraîner à plusieurs genres de poignées de main auprès de vos amis et de vos collègues. La maîtrise que vous apprendrez vite s'avérera toujours positive.

Chapitre 3

LA MAGIE DU RIRE ET DES SOURIRES

Qu'est-ce qui rend ce dessin irrésistible ?

Robert parcourut la salle des yeux. Son regard rencontra celui d'une jolie brunette, qui semblait lui sourire. Prompt à la détente, il traversa la pièce à sa rencontre et amorça la conversation. La fille n'avait pas l'air bavarde, mais comme elle souriait toujours, il ne se laissa pas démonter. Une de ses amies passa derrière lui d'un pas nonchalant et lui glissa à l'oreille : « Laisse tomber, Robert… Elle te prend pour un pauvre type. » Il resta abasourdi. La petite brune souriait toujours ! Comme beaucoup d'hommes, Robert ignorait la signification négative du sourire féminin quand les lèvres serrées cachent les dents.

On entend souvent les grands-mères conseiller à leurs petits-enfants de « dire bonjour à la dame » avec un grand sourire qui « montre les quenottes ». Elles savent intuitivement quelle impression positive en découlera chez la dame en question.

Les premières études scientifiques sur le sourire datent du milieu du XIXe siècle. Un médecin français, le docteur Guillaume Duchenne, qui utilisait les têtes des guillotinés pour étudier le fonctionnement des muscles faciaux, parvint ainsi à distinguer le sourire de plaisir des sourires volontaires. En stimulant par courant alternatif un seul faisceau musculaire à la fois, il isola les deux muscles responsables du sourire : les muscles *zygomatiques* (le grand et le petit) – qui traversent la pommette jusqu'aux commissures des lèvres – et l'*orbiculaire des paupières* qui tire les yeux vers l'arrière et rétrécissent leur ouverture, ce qui provoque la formation des rides en patte d'oie. De leur côté, les zygomatiques font remonter les pommettes et élargissent la bouche, qui découvre les dents. La distinction entre les deux types de muscles est importante car, si les zygomatiques peuvent être activés consciemment (ce qui signifie qu'on peut simuler un sourire) les orbiculaires des paupières n'agissent qu'involontairement – leur mouvement révèle donc l'authenticité d'un sourire. Ce sont donc l'apparition des rides en patte d'oie qu'il faut guetter pour décider si le sourire est feint ou sincère.

Un sourire spontané se détecte à l'apparition de petites rides sur les bords externes des yeux ; les simulateurs, eux, ne sourient qu'avec la bouche.

La personne qui ne sourit qu'avec les lèvres cherche à paraître aimable ou docile.

Lequel de ces deux sourires est feint ?
Le sourire feint ne tire que sur la bouche,
tandis que le sourire de plaisir tire aussi sur les yeux.

Deux psychologues américains ont mis au point un système de normes – le FACS (Facial Action Coding System) – qui permet de distinguer scientifiquement le sourire naturel du sourire volontaire. Le premier est automatique – c'est-à-dire déclenché par une commande cérébrale inconsciente. Lorsque l'on ressent du plaisir, c'est la zone du cerveau traitant les émotions qui provoque, par transmission musculaire, l'élargissement de la bouche, le rehaussement des pommettes, le plissement des yeux et un léger abaissement des sourcils.

Les photographes anglo-saxons demandent souvent à leurs modèles de dire « cheese », mot dont la prononciation tire sur les muscles zygomatiques. Il en résulte un sourire artificiel.

Quant aux petites rides sur les côtés des yeux, il arrive qu'on puisse les provoquer en simulant un sourire intense, qui donne l'impression que les yeux se contractent. Mais il reste un autre signal impossible à simuler, celui-là : quand le sourire est spontané, la partie charnue située entre le sourcil et la paupière s'abaisse ainsi que l'extrémité du sourcil.

Le sourire est un signal de soumission

Le rire et le sourire sont universellement reconnus comme des signaux de joie. Si nous crions en naissant, nous commençons à sourire à cinq semaines, et à rire entre le quatrième et le cinquième mois. Les bébés sentent très vite que leurs pleurs attirent l'attention – et que leur sourire attendrit les adultes. Mais des recherches récentes sur les chimpanzés, nos cousins primates les plus proches, ont mis au jour la signification primitive du sourire, celle qui est fondamentale.

Pour manifester leur agressivité, les grands singes dénudent les dents du bas, signifiant ainsi qu'ils peuvent mordre. Les humains ne font pas autre chose lorsqu'ils avancent ou abaissent leur lèvre inférieure, dont la fonction principale est de protéger les dents du bas. Les chimpanzés disposent de deux types de sourire. Le premier, joint à une expression conciliante, sert à marquer la soumission envers le dominant du groupe. Il s'agit de la « grimace de peur » : la mâchoire inférieure tombe et découvre les dents, les coins de la bouche sont tirés vers l'arrière et vers le bas. C'est ce sourire qui ressemble à celui des humains.

Le second type de sourire est la « grimace de jeu », qui découvre les dents, tire sur les coins de la bouche et relève ceux des yeux, en s'accompagnant de couinements qui rappellent un peu le rire humain. Chez les primates, ces deux types de sourire sont des signes de soumission. Le premier signifie : « Je ne suis pas une menace parce que, comme tu le vois, c'est moi qui ai peur de toi », et le second : « Je ne suis pas une menace parce que, comme tu le vois, je ne suis qu'un enfant espiègle. »

La « grimace de peur » du primate (à gauche),
et la « grimace de jeu » (à droite).

Dans la grimace de peur, les zygomatiques du chimpanzé tirent les coins de sa bouche à l'horizontale ou vers le bas, et les muscles orbiculaires des yeux restent immobiles. On trouve le même sourire nerveux chez l'être humain, lorsqu'il manque de se faire renverser par un autobus en traversant la rue. C'est la peur qui lui tire les lèvres quand il s'exclame : « Eh bien ! J'ai failli me faire tuer ! »

Chez les humains, le sourire remplit la même fonction que chez les primates. Il montre à l'autre qu'on n'est pas agressif et qu'on veut instaurer un rapport cordial. Les gens qui ne sourient pas – comme Vladimir Poutine, James Cagney, Clint Eastwood, Margaret Thatcher ou Charles Bronson – et qui paraissent agressifs ou bougons – sont tout simplement des personnes dominatrices qui refusent de manifester la moindre docilité.

Joyeux et soumis, ou prêt à vous mettre en pièces ?

Pourquoi le sourire est contagieux

Une caractéristique étonnante du sourire, c'est que dès qu'on le reçoit, on le renvoie – même lorsque les deux gestes faciaux sont feints.

Une expérience menée par le professeur Ulf Dimberg, de l'Université d'Uppsala (Suède), a révélé que le cerveau inconscient exerce un contrôle direct sur les muscles faciaux. Grâce à un équipement enregistrant les signaux électriques des fibres musculaires, il a mesuré l'activité des muscles faciaux de 120 individus volontaires, auxquels on montrait des photos de visages joyeux ou fâchés. On leur demandait de réagir alternativement à chaque photo par un sourire, un froncement des sourcils ou rien. Il arrivait parfois que l'expression qu'on leur imposait ne correspondait pas à ce qu'ils voyaient – il fallait accueillir un sourire par un froncement des sourcils, et inversement. Les résultats ont prouvé que les individus ne contrôlaient pas totalement leurs muscles faciaux. S'il était facile de froncer les sourcils devant un visage fâché, il s'avérait beaucoup plus difficile de lui renvoyer un sourire. Et malgré leurs efforts pour maîtriser leurs réactions naturelles, les muscles de leurs visages mimaient par réflexe l'expression de ceux qu'on leur montrait.

Ces découvertes prouvent la nécessité d'intégrer le sourire dans le répertoire de votre langage corporel. Même s'il est forcé, il reste communicatif et influe directement sur les réactions et les attitudes des autres à votre égard.

Il est scientifiquement prouvé que plus vous souriez, plus vous déclenchez chez les autres des réactions favorables.

En plus de trente années passées à étudier les processus de vente, nous avons pu vérifier qu'un sourire envoyé au bon moment, par exemple au stade initial d'une négociation – quand les participants se jaugent mutuellement – déclenche une réaction positive qui entraîne de meilleurs résultats commerciaux.

Comment un sourire peut jouer des tours au cerveau

Il semble que la capacité à décoder les sourires soit associée dans le cerveau aux réflexes instinctifs de survie. Ce signal, qui marquait avant tout la soumission, permettait à la femme et à l'homme primitifs de décider si l'étranger qui s'approchait d'eux était agressif ou amical. Ceux qui échouaient dans ce décryptage périssaient.

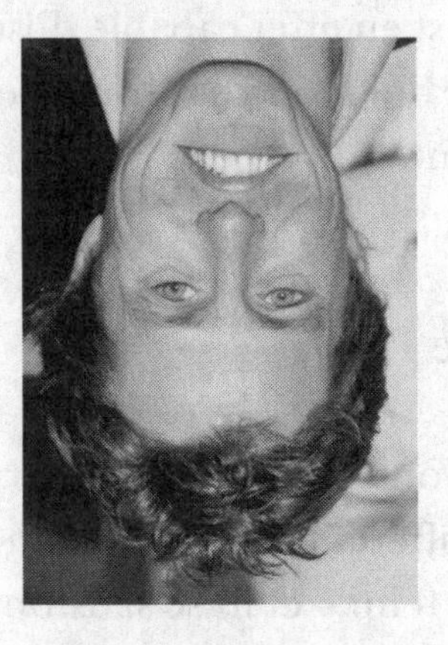

Reconnaissez-vous cet acteur ?

Vous identifierez probablement sans difficulté l'acteur Hugh Grant sur cette photo. La majorité des personnes à qui on demande de décrire les émotions exprimées par ce visage inversé mentionnent la joie et la décontraction, alors que si on la redresse, le point de vue est totalement opposé.

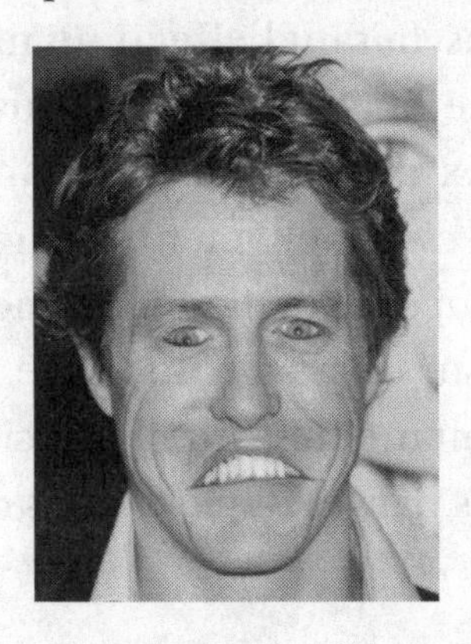

Sur la même photo, nous avons renversé les yeux et la bouche de l'acteur – et le résultat est désastreux. Vous constaterez toutefois que, même à l'envers, vous identifiez son sourire. Le cerveau est en effet capable d'isoler un sourire du reste du visage, ce qui montre la force de l'effet qu'il opère sur le subconscient.

Le faux sourire

Comme nous l'avons montré, la plupart des gens ne sont pas capables de différencier consciemment un sourire sincère d'un sourire feint – et ils se satisfont de sa seule apparition sur un visage. Ce signal est tellement *désarmant* qu'on le considère comme une spécialité des simulateurs, menteurs et escrocs. Or les recherches de Paul Ekman ont montré que plus on ment, moins on sourit – et c'est surtout vrai pour les hommes. Probablement parce qu'on craint d'être facilement démasqué. Un sourire menteur vient plus facilement qu'un véritable sourire de plaisir, et il dure en général plus longtemps, faisant l'effet d'un masque de théâtre.

D'autre part, le faux sourire est souvent asymétrique. En effet, le cortex droit, spécialisé dans les expressions faciales, transmet essentiellement ses signaux au côté gauche du corps ce qui explique que les émotions feintes sont plus prononcées sur la gauche du visage. En revanche, lors d'un sourire spontané, les muscles faciaux sont symétriquement sollicités par les deux moitiés du cerveau.

Le sourire mensonger est souvent plus accentué
à gauche de la bouche.

Les rares sourires des trafiquants

En 1986, l'administration des Douanes australiennes nous a confié la mise au point d'un programme destiné à réduire le volume des drogues illégales et des marchandises de contrebande qui pénétraient dans le pays. Ses directeurs pensaient que les trafiquants avaient tendance à sourire exagérément quand ils passaient la douane, en raison de la tension qu'ils ressentaient. Nous avons filmé des individus auxquels nous demandions de sourire lorsqu'ils mentaient – et les résultats de l'analyse ont prouvé le contraire : quelle que soit leur culture d'origine, les vrais « menteurs » souriaient peu, voire pas du tout. À l'inverse, ceux qui disaient la vérité souriaient plus fréquemment. Le signal du sourire étant profondément lié à l'expression de la soumission, les « innocents » tentaient d'apaiser leurs accusateurs, tandis que les menteurs professionnels réduisaient tous les signaux de leur langage corporel. C'est le même phénomène qui se produit lorsqu'une voiture de police s'arrête près de la vôtre à un feu rouge : même si vous n'avez commis aucune infraction au code de la route, vous esquissez un sourire, ce qui montre à quel point ce signal peut être artificiel. D'où l'importance du contexte pour distinguer le vrai du faux.

Cinq sourires types

Nous analysons ici cinq sourires que vous avez des chances de rencontrer tous les jours :

1. Le sourire pincé

Les deux lèvres s'étirent en ligne droite vers le bas des joues, sans découvrir les dents. C'est le message de la rétention d'une information ou d'un secret qu'on refuse de livrer. Une grande spécialité féminine, qui cherche à cacher une animosité, et que les autres femmes décodent comme un signal de rejet, alors que les hommes n'y voient que du feu.

Le sourire pincé, qui dénote le refus de livrer un secret.

Par exemple, une femme peut dire à une autre, en parlant d'une troisième : « Elle est très compétente, et elle sait ce qu'elle veut », et faire suivre sa déclaration d'un sourire pincé, qui traduit son opinion véritable : « C'est une vraie chipie ! » On voit le même *sourire pincé* sur le visage d'hommes d'affaires qui ont réussi, lorsqu'ils posent pour les magazines – et qui transmet le message : « Je dois ma réussite à un secret – bien malin, qui le devinera ! » Lors de ces interviews, ils parlent abondamment des recettes du succès, mais sans jamais livrer la leur. Une exception, Richard Branson, qui arbore toujours un large sourire triomphant et ne demande qu'à expliquer les raisons de sa réussite, parce qu'il sait pertinemment qu'elle est difficile à imiter.

Les sourires pincés de Tony et Sherry Blair
à l'annonce de leur dernier enfant.

2. Le sourire oblique

C'est un sourire où les deux côtés de la bouche indiquent des émotions contradictoires. Sur le dessin A ci-dessous, le cerveau droit relève le sourcil, les zygomatiques et la joue gauches en forme de sourire, tandis que le cerveau gauche les abaisse à droite, un signal de mauvaise humeur. Si vous placez un miroir devant la partie centrale du visage, chaque moitié sera doublée, et vous obtiendrez deux expressions opposées, mais cohérentes. En réfléchissant la moitié droite, vous verrez le dessin B (sourire forcé), et en réfléchissant la moitié gauche, vous obtiendrez le dessin C (visage fâché).

Le *sourire oblique* ne se rencontre que dans les civilisations occidentales. Il ne peut être que délibéré et son message est unique : celui du sarcasme.

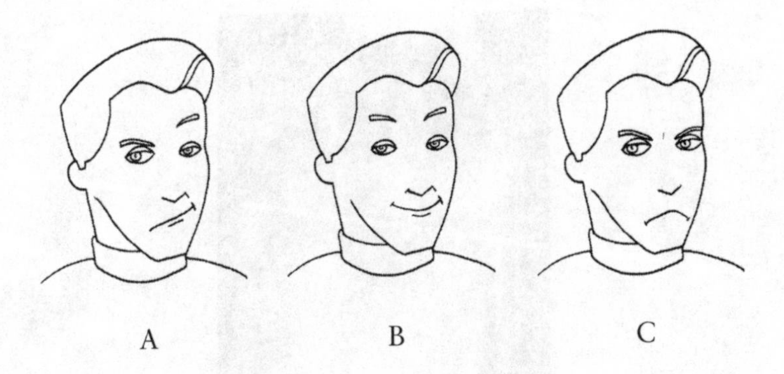

3. Le sourire à mâchoire tombante

Un sourire acquis par entraînement, où la personne se contente d'abaisser sa mâchoire inférieure pour faire croire qu'elle rit ou qu'elle s'amuse. Le *Joker* de Batman, Hugh Grant et Bill Clinton y excellent, pour déclencher le plaisir et la joie de leur auditoire ou pour séduire les électeurs.

Le sourire à mâchoire tombante,
accompagné d'un relèvement factice des sourcils.

Un sourire à mâchoire tombante, signe d'un amusement feint.

4. Le sourire avec regard en coin

Baissez la tête, levez les yeux en coin et faites un sourire pincé – vous vous donnez l'air juvénile, espiègle et mystérieux. C'est le sourire de sainte nitouche que les hommes adorent chez une femme, car il fait appel à leurs sentiments paternels et à leur instinct de protection masculin. C'était l'un des favoris de la princesse Diana, qui lui gagnait les cœurs du public partout dans le monde. Experte hors pair dans l'art de la séduction, elle savait s'attirer la sympathie de la foule.

Le regard en biais qui accompagnait le sourire de Lady Di plaisait autant aux hommes qu'aux femmes.

Devant le sourire de la princesse, les hommes se sentaient protecteurs et les femmes voulaient l'imiter. Rien d'étonnant à ce qu'il figure au répertoire des signaux de la séduction féminine, car il peut être interprété par : « Tu viens ? » Le prince William, qui y recourt fréquemment, s'assure ainsi la sympathie du peuple britannique, en y ajoutant l'évocation émouvante de sa mère.

5. Le sourire Bush

Le Président américain affiche perpétuellement un petit sourire satisfait. D'après une étude de Ray Birdwhistell, les classes moyennes américaines les plus souriantes se trouvent dans les États du Sud : à Atlanta, Louisville, Memphis, Nashville et un peu partout au Texas – dont est issu Bush. Un Texan qui ne sourit pas peut passer pour désagréable, alors qu'un New-Yorkais souriant peut s'entendre poser la question : « Mais qu'est-ce qu'il y a de si drôle ? » Jimmy Carter aussi venait du Sud, et son sourire perpétuel inquiétait les Nordistes, qui se demandaient ce qu'il leur cachait.

Souriez constamment. Tout le monde se demandera ce que vous mijotez.

Pourquoi le rire est le meilleur des médicaments

Une personne qui rit souvent s'attire des amis, soigne sa forme physique et prolonge son espérance de vie. Le rire agit positivement sur tous les organes du corps. La respiration s'accélère, stimulant le diaphragme, le cou, l'estomac, le visage et les épaules. Le taux d'oxygène du sang grimpe activant la circulation et dilatant les capillaires – ce qui explique pourquoi on rougit. Le rire ralentit également le rythme cardiaque, il tonifie les artères, stimule l'appétit et brûle des calories.

Le neurologue Henri Rubenstein a découvert qu'une minute entière de rire est suivie d'un état de relaxation qui dure 45 minutes. De son côté, le professeur William Fry, de l'Université de Stanford, a établi qu'après une centaine d'éclats de rire les tissus étaient autant oxygénés qu'après une séance de dix minutes de rameur d'appartement. Une bonne récréation est un élixir de longue vie.

Plus on vieillit, plus on prend la vie au sérieux.
Un adulte rit en moyenne 15 fois pas jour,
contre 400 fois pour un enfant de moins de six ans.

Prendre le rire au sérieux

Les études montrent que le rire, même lorsqu'il n'est pas particulièrement joyeux, déclenche une activité électrique cérébrale dans la zone préfrontale de l'hémisphère gauche appelée « zone du bien-être ». Dans l'une de ses nombreuses études sur le rire, Richard Davidson, professeur de psychologie et de psychiatrie à l'Université du Wisconsin, a enregistré les électroencéphalogrammes des sujets de son étude auxquels il projetait des films comiques. Leurs zones de bien-être s'activaient dès qu'ils souriaient. Le chercheur a prouvé que les sourires et le rire provoqués délibérément orientent l'activité cérébrale vers la joie spontanée.

Quant au professeur Arnie Cann, psychologue à l'Université de Caroline du Nord, il a découvert que l'humour pouvait neutraliser le stress, à la suite d'expériences menées sur des sujets qui montraient les premiers signes d'une dépression. Le chercheur a constitué deux groupes, auxquels il a projeté des films sur une période de trois semaines. Les patients qui avaient regardé des films comiques ont connu une plus nette amélioration de leurs symptômes que ceux qui avaient regardé des films « sérieux ». Il a également prouvé que les personnes qui souffrent d'ulcères à l'estomac froncent plus souvent les sourcils que la moyenne. Chaque fois que vous vous surprenez en train de froncer les sourcils, frottez-vous le front pour vous déshabituer de cette grimace.

Pourquoi le rire, comme la parole, est le propre de l'homme

C'est Robert Provine, professeur de psychologie à l'Université de Baltimore, qui a étudié la différence entre le rire humain et celui des autres primates. Le rire des chimpanzés ressemble à un halètement, libérant un unique son entre l'expiration et l'inspiration. C'est ce rapport entre la respiration et la vocalisation qui leur rend la parole impossible. Lorsque l'homme a commencé à se tenir debout, la partie supérieure de son corps s'est libérée de sa fonction de soutien, ce qui lui a permis de mieux respirer. Le résultat, c'est que les humains peuvent fractionner leur expiration et la moduler pour parler et rire. C'est donc à la station debout que nous devons ce vaste éventail de sons, dont les chimpanzés sont privés. Même s'ils avaient des concepts, ils seraient physiquement incapables de les traduire par des sons.

Comment on guérit par l'humour

Le rire stimule les endorphines, ces analgésiques et euphorisants naturels qui soulagent le stress et soignent le corps. Quand le journaliste américain Norman Cousins a appris qu'il était atteint d'une spondylarthrite ankylosante – une maladie chronique dégénérative incurable qui le condamnait à d'atroces souffrances – il a pris une chambre d'hôtel et a loué tous les films comiques qu'il a pu trouver. Il les a regardés en boucle, en riant aussi fort qu'il le pouvait. Après six mois de cette automédication hilarante, les médecins ont découvert avec stupéfaction qu'il était totalement guéri – la maladie avait disparu ! Le livre publié par ce miraculé du rire, *Comment je me suis guéri par le rire*, a marqué le point de départ de recherches à grande échelle sur les endorphines – les substances libérées par le cerveau sous l'effet du rire – dont l'action analgésique est proche de celles de la morphine et de l'héroïne, et qui renforcent également les défenses immunitaires. On comprend pourquoi les personnes d'humeur joyeuse sont rarement malades, et pourquoi les grincheux ont toujours l'air indisposés.

Pleurer de rire

Le rire et les larmes sont étroitement liés, psychologiquement comme physiologiquement. Rappelez-vous la dernière fois que quelqu'un vous a fait vous tordre de rire, au point de ne plus pouvoir vous arrêter. Qu'avez-vous ressenti ensuite ? Des frissons délicieux dans tout le corps ? Votre cerveau avait libéré des endorphines, et vous ressentiez une euphorie naturelle, pas si éloignée de celle que procure la drogue aux toxicomanes. Les gens qui ont du mal à supporter les difficultés de la vie se tournent volontiers vers la drogue ou l'alcool pour y trouver les sensations que provoquent les endorphines. L'alcool libère les inhibitions, on rit plus facilement, et le cerveau produit des endorphines. Ce qui explique pourquoi les gens « bien dans leur peau » ont l'alcool gai, et les autres ont l'alcool triste ou violent.

Certains boivent ou se droguent pour accéder aux sensations que les gens heureux éprouvent naturellement.

Selon les chercheurs, l'une des raisons de l'attirance pour les visages souriants et rieurs est qu'ils agissent sur le système neurovégétatif. La vue d'un sourire déclenche le sourire, ce qui libère des endorphines. Inversement, lorsqu'on est entouré de personnes tristes ou déprimées, on a tendance à reproduire leurs expressions et à sombrer dans la morosité.

Il est mauvais pour la santé de travailler dans un environnement triste.

Le mécanisme des histoires drôles

Les histoires drôles reposent sur le principe de la chute, qui est souvent pénible ou catastrophique pour le héros. En réalité, la fin inattendue « effraie » notre cerveau, et les sons émis par le rire ressemblent à ceux du chimpanzé qui avertit son groupe d'un danger imminent. Même si nous savons consciemment qu'il ne s'agit pas d'un fait réel, le rire nous anesthésie par la libération des endorphines. S'il s'agissait d'un événement réel, nous nous mettrions probablement à pleurer, ce qui les libérerait aussi. Les larmes sont souvent une prolongation du rire, ce qui explique pourquoi, sous le coup d'une forte émotion comme l'annonce d'un décès, la personne qui refuse d'accepter la nouvelle commence quelquefois par rire. Dès que la réalité s'installe, elle fond en larmes.

C'est le cri d'alarme des primates
qui est à l'origine du rire humain.

La salle du rire

Il s'agit d'un concept lancé dans les années 1980 dans un certain nombre d'hôpitaux américains. Se fondant sur l'expérience de Norman Cousins et sur les recherches du Dr Patch Adams, certains établissements ont réservé une salle au rire : elle était garnie de livres, disques et films comiques, et des comiques et des clowns s'y produisaient régulièrement. Les patients y passaient entre 30 et 60 minutes par jour. Le résultat fut impressionnant : amélioration spectaculaire de la santé des patients, réduction de la durée de leur hospitalisation et des doses d'analgésiques, malades plus faciles à gérer. Les médecins avaient pris le rire au sérieux.

Pour vivre vieux, rions chaque jour un peu.

Rire et sourire : des liens affectifs

Robert Provine a découvert que le rire a trente fois plus de chances de se produire en public que dans la solitude – qui incite moins à rire qu'à monologuer – et qu'il n'est pas tant lié aux blagues et aux histoires drôles (15 %) qu'à la construction des relations sociales. Les participants à son étude ont été filmés en train de regarder un clip vidéo humoristique dans trois situations différentes : seuls, en compagnie d'un étranger du même sexe, en compagnie d'un ami du même sexe.

Les blagues et les histoires drôles ne provoquent que 15 % des rires, qui sont, pour l'essentiel dus aux liens affectifs.

Même s'ils étaient d'accord sur les qualités comiques du clip, les participants ne s'étaient pas tous autant amusés, et la fréquence et la durée des rires étaient de beaucoup supérieures chez ceux qui n'étaient pas seuls. Plus l'on est entouré, plus on rit – et plus on rit longtemps.

L'humour vendeur

Selon Karen Machleit, professeur de marketing à l'Université de Cincinnati, les publicités humoristiques contribuent plus efficacement à l'augmentation des ventes – la touche d'humour prédisposant le consommateur à accepter les arguments développés. La présence d'une célébrité accroît par ailleurs la crédibilité de la publicité.

La bouche tombante chronique

La mimique opposée au sourire est celle qui affaisse les deux commissures des lèvres. C'est la *bouche tombante*, l'expression typique de la personne triste, déprimée, fâchée ou tendue, qui risque de se figer si ces émotions négatives perdurent toute une vie. Et le visage, en vieillissant, ressemble à celui d'un bouledogue.

Des études ont montré que nous avons tendance à ne pas nous approcher de ces personnes, à moins les regarder en face, et à les éviter lorsqu'elles s'avancent vers nous. Si vous vous apercevez que cette grimace s'est glissée insidieusement dans votre répertoire de signaux corporels, entraînez-vous à sourire le plus souvent possible. Ces exercices vous éviteront le faciès de bouledogue, tout en finissant par vous imposer une humeur joyeuse. Vous ne ferez plus peur aux enfants et on arrêtera de vous traiter de vieux.

La bouche tombante peut devenir une expression permanente. On s'écarte instinctivement des personnes qui l'affichent.

Conseils en sourire à l'usage des femmes

Les recherches de Marvin Hecht et Marianne La Frace, de l'Université de Boston, ont révélé que les personnes de tempérament docile sourient plus que d'habitude dès qu'elles se trouvent en présence d'individus hautains ou dominateurs – tant dans les rapports neutres qu'amicaux – alors que les personnalités dominatrices ne leur sourient que lorsque l'atmosphère est amicale.

Ces chercheurs ont également prouvé que les femmes sourient plus que les hommes en situation professionnelle, ce qui peut les faire paraître faibles ou soumises. Certains prétendent que cette différence de sourire entre les deux sexes provient de ce que les femmes ont toujours été maintenues dans des rôles subalternes par les hommes. Or d'autres recherches montrent que, dès l'âge de huit semaines, les filles sont beaucoup plus souriantes que les garçons, ce qui laisse penser qu'il s'agirait d'un signal corporel inné et non acquis. Une explication plausible serait que le sourire féminin résulte du partage initial des tâches entre les sexes, la femme ayant toujours tenu un rôle pacificateur et nourricier. Certes, elle peut être aussi autoritaire qu'un homme, mais ses sourires plus fréquents atténuent cette impression.

Si la femme sourit plus que l'homme,
c'est probablement que c'est inscrit dans son cerveau.

Pour le Dr Nancy Henley, psychosociologue, le sourire de la femme est « son emblème d'apaisement », qui l'aide souvent à calmer un homme plus fort qu'elle. Au cours d'une autre expérience, on a montré aux 257 participants quinze photos de femmes au visage souriant, neutre ou triste, en leur demandant d'évaluer leur charme respectif. Les femmes au visage triste ont recueilli les plus mauvais scores. Un visage féminin sévère est considéré comme un signe de mécontentement, tandis que la même expression chez un homme révèle un caractère dominateur. Les leçons à tirer de ces expériences, sont que, dans les rapports professionnels, les femmes ont intérêt à se montrer souriantes envers les hommes dominateurs, et en tout cas à leur renvoyer leurs sourires. Quant aux hommes, s'ils veulent être plus convaincants auprès des femmes, il leur suffit de sourire dans tous les contextes.

Le rire et l'amour

Selon une étude, dans les débuts d'une relation amoureuse, c'est aussi la femme qui sourit et qui rit le plus. Dans un tel contexte, le rire est un moyen de savoir si le couple a des chances d'établir une relation affective. Pour simplifier, plus l'homme fait rire une femme, plus elle le trouve attirant, parce que ce pouvoir de faire rire est perçu par les femmes comme la caractéristique d'une personnalité affirmée, et qu'elles préfèrent les mâles dominants qui, eux, sont attirés par les femmes soumises.

Les études montrent que les femmes sont attirées par les hommes qui les font rire, et que les hommes sont attirés par les femmes qu'ils font rire.

Voilà pourquoi le sens de l'humour est une des premières qualités que les femmes recherchent chez un homme. Quand elles disent : « Il est tellement drôle – nous avons passé toute la soirée à rire », elles veulent dire que ce sont elles qui ont ri toute la soirée, et que lui a passé son temps à les faire rire.

Quand un homme dit d'une femme qu'elle a le sens de l'humour, cela ne signifie pas qu'elle le fait rire, mais que c'est lui qui la fait rire.

Plus profondément, les hommes ont compris le charme de l'humour et, quand ils se retrouvent entre hommes, ils rivalisent de plaisanteries pour se mettre en valeur. Ils sont d'ailleurs nombreux à ne pas apprécier qu'un autre les surpasse dans ce domaine, particulièrement en présence des femmes. Ils ont tendance à penser que le type qui fait rire toutes les femmes n'est finalement pas très drôle. Ils devraient pourtant savoir que les femmes préfèrent les hommes qui ont le sens de l'humour. Heureusement, c'est un talent qui peut s'acquérir.

Comment la femme voit l'homme : la photo de gauche correspond à sa perception de l'homme qui ne la fait pas rire. Celle de droite montre comment elle le voit quand il la fait rire.

En résumé

Les personnes auxquelles vous souriez vous rendront presque toujours votre sourire, ce qui déclenchera automatiquement des sentiments positifs chez elles comme chez vous. Les études montrent que si on prend l'habitude de sourire et de rire souvent, les rencontres sont plus faciles, plus durables et plus heureuses, et que les rapports humains s'améliorent considérablement.

On a par ailleurs prouvé que le rire et le sourire renforcent le système immunitaire, protègent le corps des maladies et prolongent la durée de la vie. L'humour aide à convaincre, à enseigner, à se faire des amis. L'humour guérit.

CHAPITRE 4

LES SIGNAUX DES BRAS

Les mains croisées devant l'entrejambe rassurent les hommes qui se sentent menacés.

La barrière des bras

On apprend très tôt à trouver des barrières pour se protéger. Les tout jeunes enfants se réfugient derrière les meubles ou dans les jupes de leur mère dès qu'ils se sentent en danger. En grandissant, la stratégie se développe et, vers l'âge de six ans, on serre les bras sur la poitrine devant une menace. Et si l'adolescent desserre légèrement les bras, il ajoute à ce geste celui des jambes croisées.

La posture de défense évolue chez l'adulte, qui s'efforce de la rendre moins évidente. Il replie un ou les deux bras en travers de la poitrine, comme pour se barricader inconsciemment contre les agressions ou les situations indésirables. Les bras symétriquement croisés sur les régions du cœur et des poumons cherchent à protéger deux organes vitaux – et il est probable qu'il s'agisse d'un geste inné. Les singes recourent à la même posture pour se défendre d'une agression frontale. Une chose est certaine : en cas d'attitude négative, craintive ou défensive, l'être humain a tendance à croiser fermement les bras sur la poitrine, indiquant ainsi qu'il se sent menacé.

L'effet néfaste des bras croisés

Une étude américaine sur les *bras croisés* a donné des résultats quelque peu négatifs sur cette posture. Un premier groupe d'étudiants volontaires assistait à une série de conférences, au cours desquelles on leur demandait de ne croiser ni les jambes ni les bras, et de maintenir une position assise confortable et décontractée. Après chaque séance, on soumettait les participants à un test de connaissances et de mémorisation du sujet traité, et on les invitait à donner leurs impressions sur le conférencier. Un deuxième groupe recevait l'instruction de garder les bras croisés. À l'issue des tests, le déficit dans l'acquisition des connaissance était de 38 % pour le second groupe, par rapport au premier, et ces « bras croisés » se montraient plus critiques sur les conférences comme sur le conférencier.

Quand vous croisez les bras, votre esprit est moins ouvert.

Une expérience similaire, menée en 1989 avec 1 500 congressistes, a donné des résultats pratiquement identiques. Nos tests révèlent en effet que les personnes qui écoutaient la conférence en croisant les bras écoutaient moins bien les conférenciers et qu'elles exprimaient envers lui un jugement plus critique. Les chaises des salles de congrès et de formation devraient être équipées d'accoudoirs, pour inciter l'auditoire à ne pas croiser les bras.

Je me sens plus à l'aise comme cela

Certains prétendent qu'ils croisent souvent les bras parce qu'ils trouvent la position confortable. Tous les gestes sont confortables quand ils sont cohérents avec l'attitude psychique, et le croisement des bras l'est très certainement quand on est tendu ou craintif. On ne croise pas les bras quand on s'amuse avec des amis – le geste ne serait pas confortable.

Souvenez-vous qu'en langage corporel, le sens d'un message ne tient pas seulement à celui qui l'envoie, mais aussi à celui qui le reçoit. Si vous vous sentez à l'aise les bras croisés, le dos et la nuque raide, ce n'est pas le cas de votre entourage. La leçon à retenir est simple : évitez de croiser les bras, sauf quand vous avez l'intention de signaler que vous n'êtes pas d'accord ou que vous refusez de participer à une conversation.

Vous trouvez peut-être confortable de croiser les bras, mais les autres en déduiront que vous n'êtes pas d'un abord facile.

Les différences de genre

Les hommes ont tendance à tourner les bras vers l'intérieur, et les femmes vers l'extérieur : une différence ancienne, qui permettait aux premiers de lancer un objet avec plus de précision et aux secondes de former une base plus large et plus stable pour porter leurs bébés. Détail intéressant, les femmes ont tendance à faire pivoter leurs bras vers l'extérieur devant les hommes qui les attirent, et à les croiser sur la poitrine devant ceux qu'elles trouvent agressifs ou déplaisants.

Les bras tournés vers l'intérieur permettent aux hommes de lancer avec précision, tandis que le mouvement inverse aide les femmes à porter leur enfant.

Les bras croisés sur la poitrine

Le geste des *bras croisés sur la poitrine* indique une tentative de protection contre une situation déplaisante. Cette posture connaît de nombreuses variantes et nous ne décrirons ici que les plus courantes. Celle des bras croisés en travers de la poitrine est universelle et traduit presque partout dans le monde une attitude défensive ou négative. On la rencontre souvent parmi des gens qui ne se connaissent pas : dans les réunions publiques, les files d'attente, les ascenseurs – et dans tous les lieux et situations propices au sentiment d'insécurité ou d'incertitude.

Les bras croisés sur la poitrine : il ne sort pas de sa coquille
et vous ne voulez pas y entrer.

Nous avons assisté un jour à une réunion de notre conseil municipal, au cours de laquelle on discutait de l'abattage d'arbres par des promoteurs immobiliers. Ils étaient assis d'un côté de la salle et leurs opposants « écolos» de l'autre. À l'ouverture de la séance, environ la moitié des participants croisaient les bras. Quand les promoteurs s'adressaient au public, la posture montait à 90 % chez les « écolos ». Et quand ces derniers prenaient la parole, la quasi-totalité des promoteurs croisaient les bras. Cette anecdote illustre à quel point la posture des bras croisés est synonyme d'un désaccord. Nombreux sont les conférenciers qui communiquent mal parce qu'ils ne remarquent pas cette gestuelle chez leurs auditeurs – et qu'il conviendrait de briser la glace d'urgence, pour leur faire adopter une posture plus détendue, qui les rendra plus réceptifs.

Quand votre interlocuteur se met à croiser les bras, vous pouvez raisonnablement présumer qu'il n'est pas d'accord avec ce que vous venez de dire. Il est peut-être inutile de développer vos arguments même s'il vous dit qu'il les approuve. Le langage du corps est plus sincère que les paroles.

Tant qu'on ne décroise pas les bras, on maintient une attitude négative.

Il faut alors essayer de trouver la raison de son geste, avant de vous efforcer de le persuader. Car si c'est l'état d'esprit qui provoque le geste, le maintien de ce dernier fait perdurer l'attitude psychique.

Comment abattre la barrière

Un moyen simple mais efficace de forcer quelqu'un à décroiser les bras consiste à lui donner quelque chose à faire ou à tenir dans la main. Un stylo, un livre ou un prospectus, un échantillon ou des notes à prendre, pour l'obliger à se pencher vers l'avant. Le mouvement l'aidera à ouvrir son corps, et donc son esprit. Vous pouvez aussi vous pencher vers lui en ouvrant les paumes des mains, et lui dire : « Il me semble que vous vous posez une question… Puis-je y répondre ? » Puis asseyez-vous ou reculez, pour signifier que c'est à son tour de parler. Vos paumes ouvertes sont là pour prouver que vous souhaitez qu'il soit sincère, puisque vous l'êtes vous-même.

« Pourquoi m'avez-vous donné tous ces crayons, ces stylos et ces prospectus ? » demanda le client, les bras chargés. « J'y viendrai tout à l'heure », répondit le vendeur.

Le croisement de bras renforcé

La posture des *bras-croisés-poings-serrés* ajoute l'hostilité à l'autodéfense. Si elle s'accompagne d'un sourire pincé, sur des dents serrées, et d'un visage qui rougit, cette posture globale peut annoncer une agression verbale ou même physique. Il convient alors de se montrer conciliant pour tenter de découvrir – quand ce n'est pas évident – ce qui a pu la déclencher.

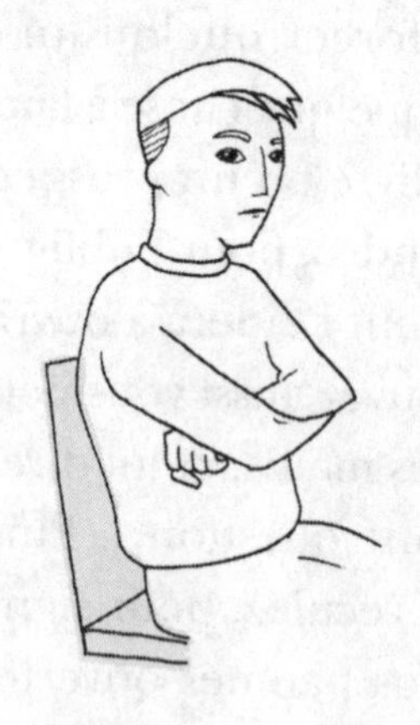

Bras-croisés-poings-serrés : attitude hostile.

Les bras croisés en autoétreinte

Le geste qui consiste à tenir dans chaque main le haut du bras opposé est une façon de rassembler ses forces pour éviter les agressions de face. La personne se réconforte en se prenant dans ses propres bras. Il arrive que les mains soient tellement serrées que la circulation sanguine se bloque – on voit alors blanchir les articulations des doigts. On rencontre souvent ce geste de *double prise de bras* dans les salles d'attente des médecins et des dentistes, et avant le décollage chez les gens qui prennent l'avion pour la première fois. Il dénote une attitude de crainte ou de méfiance.

La double prise de bras : insécurité ou refus de faire confiance.

Dans la salle d'audience d'un tribunal, le plaignant adoptera volontiers la posture des bras-croisés-poings-serrés, et le prévenu celle de la double prise de bras.

Bras croisés et relations hiérarchiques

Le statut social peut exercer une influence sur le croisement des bras. La personne qui occupe une position plus élevée marquera sa supériorité en ne les croisant *pas*, comme pour dire : « Je n'ai pas peur et je me présente à découvert et vulnérable. » Imaginons, par exemple, que lors d'une soirée d'entreprise, on présente le directeur général aux employés récemment embauchés. Il commence par leur serrer la main avec la paume vers le bas, puis il recule d'un mètre environ, les bras ballants, ou les mains croisées derrière le dos – comme le prince Philip d'Édimbourg, ou encore avec une main dans la poche en signe de non-implication. Il croise rarement les bras, pour éviter de montrer la moindre trace de nervosité.

Inversement, après avoir serré la main du directeur, les nouveaux employés adopteront des postures plus ou moins complètes de croisement de bras, exprimant ainsi qu'ils sont intimidés. Tout comme leur patron, ils se sentiront à l'aise dans leur geste, et les postures respectives refléteront clairement les relations hiérarchiques. Mais que se passera-t-il lorsqu'on présentera le patron à un nouveau jeune cadre dynamique et plein d'avenir, doué du même sentiment de supériorité que lui, et qui s'emploie même à le lui signifier ? Ils échangeront une poignée de main dominatrice, à la suite de quoi le jeune cadre croisera peut-être les bras, avec les deux pouces dressés.

Bras croisés, pouces en l'air :
sur la défensive, mais pas intimidé.

Le jeune cadre montre par ce geste qu'il est décontracté et qu'il maîtrise la situation. Ses pouces dressés soulignent sa confiance en lui, tandis que ses bras croisés le protègent.

Une personne soumise qui se sent sur la défensive adopte une position assise parfaitement symétrique – où le côté droit du corps reproduit exactement la posture du côté gauche. Ses muscles sont tendus, prêts à réagir à une agression. Tandis que, dans le même contexte négatif, la personne dominatrice s'assied en posture asymétrique.

Les bras posés sur les accoudoirs d'un fauteuil traduisent une attitude de force et d'autorité, tandis qu'une personne mal à l'aise ou déprimée garde les bras serrés contre elle – un geste à éviter si vous ne voulez pas vous afficher comme vaincu d'avance.

Décoder les pouces dressés

Lorsque apparaît, chez un client que vous tentez de convaincre, le signal *bras-croisés-pouces-dressés* associé à d'autres gestes positifs, vous pouvez sans crainte lui demander de s'engager. Si en revanche il affiche la posture *bras-croisés-poings-serrés* à la fin de votre présentation, et que son visage reste figé, vous risquez de vous attirer une réponse négative, et mieux vaudrait lui demander s'il a des objections à exprimer. Il est difficile, sans paraître agressif, de faire changer d'avis un client qui a répondu « non » à une proposition. La lecture de son langage corporel permet de connaître sa décision avant qu'il l'exprime en paroles, ce qui vous laisse le temps de changer de stratégie avant qu'il soit trop tard.

Quand vous lisez un « non » avant qu'il soit prononcé, vous avez le temps d'essayer une autre approche.

Les hommes armés ont rarement recours au geste des bras croisés, parce que leur arme leur assure une protection suffisante. Les policiers, par exemple, croisent rarement les bras, sauf quand ils montent la garde – ils serrent alors aussi les poings pour transmettre clairement le message du passage interdit.

L'autoétreinte

Quand nous étions enfants, nos parents ou nos nourrices nous serraient dans leurs bras pour nous détendre ou nous consoler. Il nous arrive encore, à l'âge adulte, de tenter de recréer cette sensation rassurante dans les situations de stress. Plutôt que de croiser les bras, ce qui manifesterait clairement qu'elles ont peur, les femmes préfèrent souvent une version plus subtile – un *croisement partiel des bras* – où c'est un seul bras qui longe la taille par-devant, et qui empoigne l'autre pour former une barrière, ce qui donne l'impression qu'elle s'étreint elle-même. On rencontre souvent la barrière partielle d'un bras lors de réunions, chez une personne étrangère à un groupe ou qui manque de confiance en elle. La femme qui affiche régulièrement ce geste dira volontiers qu'elle se sent « bien comme cela ».

Elle s'étreint comme le faisait sa mère quand elle était petite.

Les hommes recourent à une autre barrière partielle, qui consiste à *se tenir soi-même par la main* : un geste qu'on remarque fréquemment chez ceux qui se trouvent face à une foule avant de recevoir un prix ou de faire un discours. Également appelé *posture cache-braguette,* ce geste opère un effet rassurant chez celui qui protège ainsi ses « bijoux de famille », prévenant les conséquences d'un mauvais coup frontal.

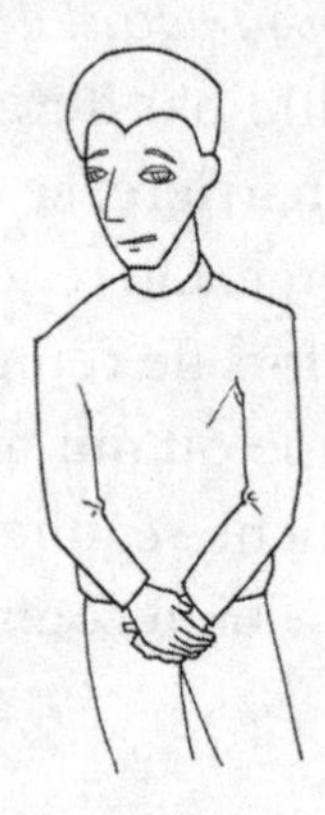

La posture cache-braguette.

Cette posture traduit le découragement, et la vulnérabilité, tout en donnant l'impression que quelqu'un vous donne la main. Adolf Hitler tenait souvent les mains de cette façon, peut-être pour masquer l'insuffisance sexuelle qu'il ressentait parce qu'il n'avait qu'un testicule.

Il n'est pas impossible que l'évolution de l'homme ait raccourci ses bras pour lui permettre ce geste protecteur, car il rappelle celui de nos cousins primates les plus proches, qui croisent les mains à la hauteur des genoux.

Les êtres humains cachent volontiers les endroits de leur corps qu'ils estiment les plus faibles ou les plus vulnérables.

Comment les célébrités trahissent leur insécurité

Les personnes qui paraissent en public – hommes politiques, membres des familles royales, vedettes du cinéma et de la télévision – ne souhaitent en général pas qu'on puisse déceler leur stress ou leur insécurité. Elles cherchent à renvoyer une image de décontraction et de maîtrise de soi, mais leur anxiété ou leur appréhension transparaît sous des formes déguisées de croisement des bras. Les deux bras traversent la poitrine en direction l'un de l'autre, mais ne se croisent pas. Une main s'accroche au sac tenu par l'autre, au bracelet ou à la montre de l'autre poignet, à tout objet appartenant à l'autre bras. Ici aussi, le geste de la barrière renforce le sentiment de sécurité.

Les gens célèbres sont aussi stressés que nous en public.

On voit souvent les hommes jouer avec leurs boutons de manchettes en traversant une grande pièce ou une salle de bal sous les feux de la rampe. *L'ajustement des boutons de manchettes* est l'un des gestes favoris du prince Charles d'Angleterre, quand il traverse un espace libre en public.

Le prince Charles ajustant ses boutons de manchettes, et révélant son insécurité.

On pourrait penser qu'après plus d'un demi-siècle de vie publique, le prince de Galles se serait aguerri aux expositions et aux contacts avec la foule. Mais il prouve par ce croisement partiel des bras qu'il est aussi stressé que monsieur Tout-Le-Monde.

On verra souvent des hommes timides faire tourner leur bracelet de montre, vérifier le contenu de leur portefeuille, joindre ou se frotter les mains, jouer avec leurs boutons de manchettes ou se livrer à tout autre geste permettant de faire barrière avec leurs bras. Les hommes d'affaires insécurisés adorent serrer un classeur ou un porte-documents devant eux quand ils traversent une pièce. Pour l'observateur entraîné, ces gestes ne trahissent rien d'autre qu'une tentative de déguiser une gêne en public. On peut les étudier à loisir quand ils sont appelés à traverser une salle de bal ou à marcher devant des spectateurs lors d'une remise de prix ou de décoration.

Les femmes sont plus habiles à déguiser le geste de la barrière des bras, car elles peuvent se raccrocher à leur sac à main. On voit souvent la princesse Anne d'Angleterre tenir un bouquet de fleurs, et sa royale mère associe volontiers la barrière du sac à main à celle du bouquet. Il y a peu de chances pour que son sac renferme un bâton de rouge à lèvres, de la poudre, une carte de crédit ou un billet de théâtre mais, même vide, il lui sert de couverture de sécurité – et comme moyen de transmettre des messages à ses accompagnateurs. Ils en ont recensé douze différents, par lesquels elle indique qu'elle veut s'arrêter, s'en aller ou qu'on la débarrasse de quelqu'un qui l'ennuie.

Le sac à main fait office de barrière.

Une façon très subtile de se protéger dans une soirée consiste à tenir son verre des deux mains. La barrière passe presque inaperçue. Tout le monde y recourt, le plus souvent inconsciemment.

Elle s'accroche à son bouquet de fleurs pour masquer sa gêne.

La barrière de la tasse de café

Pendant une négociation, proposer un café à son interlocuteur est un moyen très efficace d'évaluer l'état d'esprit dans lequel il se trouve. L'endroit où il repose sa tasse après avoir bu la première gorgée est en effet révélateur de son degré de conviction ou de réceptivité. En cas d'hésitation ou de refus, un droitier posera sa tasse du côté gauche du corps, se réfugiant ainsi derrière la barrière de son bras droit. Si en revanche son attitude est réceptive ou favorable, il la posera sur la droite, en gardant ainsi les bras ouverts.

La barrière du bras dit « non ».

Elle s'ouvre à vos idées.

Le pouvoir du toucher

Serrer la main de quelqu'un tout en le touchant de la main gauche peut exercer un effet de persuasion très puissant.

Des chercheurs de l'Université du Minnesota ont mené une expérience qu'ils ont appelée le « test de la cabine téléphonique ». Ils ont déposé une pièce de monnaie sur la tablette intérieure d'une cabine et se sont cachés derrière un arbre en guettant les « clients ». Chaque fois qu'un passant entrait dans la cabine et prenait la pièce, l'un des chercheurs l'y rejoignait et demandait : « Vous n'avez pas vu la pièce que j'ai laissée sur la tablette ? J'ai un autre coup de fil à passer. » Seuls 23 % des usagers ont restitué la pièce qu'ils avaient prise.

Ils répétèrent l'expérience mais, en posant la même question, ils lui touchaient légèrement le coude de la main pendant deux à trois secondes. Cette fois, 68 % des sujets reconnurent qu'ils avaient pris la pièce de monnaie, en proposant des explications embarrassées, du genre : « Je me demandais qui l'avait laissée là… »

En posant légèrement la main sur le coude de votre interlocuteur, vous avez trois fois plus de chances d'obtenir gain de cause.

La réussite de cette tactique tient à trois raisons. La première, c'est que le coude est éloigné des parties intimes et appartient au territoire d'interaction sociale. La deuxième, c'est que le contact physique avec un étranger est inhabituel presque partout dans le monde ; il crée donc une forte impression. Enfin, la main posée sur le coude pendant quelques secondes établit un lien de confiance momentané entre deux personnes.

Nous avons reproduit l'expérience de la cabine téléphonique pour une émission de télévision et nous avons constaté que le taux de retour de la pièce de monnaie variait en fonction des origines culturelles des participants. Les différences enregistrées correspondaient à la fréquence normale du contact physique dans une civilisation donnée. Par exemple, la main sur le coude a poussé 72 % des Australiens à rendre la pièce, 70 % des Anglais, 50 % des Français et seulement 22 % des Italiens. Le contact physique était plus efficace quand il était éloigné de la norme culturelle du participant. Nous avons également enregistré les fréquences de contact physique chez les gens assis aux terrasses des cafés dans plusieurs pays : nous en avons compté 220 par heure à Rome, 142 à Paris, 25 à Sydney, 4 à New York, et zéro à Londres. Ce qui explique pourquoi les Anglo-Saxons sont plus facilement influencés quand on leur pose la main sur le coude.

Si vous avez des origines allemandes ou britanniques, vous êtes plus sensible aux contacts physiques venant d'un inconnu.

Cette expérience nous a également permis de constater que les hommes sont en général moins enclins à toucher les autres hommes que les femmes le font entre elles. Par ailleurs, si on touche la personne inconnue au-dessus ou au-dessous du coude, les résultats ne sont pas aussi positifs que ceux du contact direct sur le coude – ils sont parfois même carrément négatifs. Les contacts prolongés au-delà de trois secondes ont été en général mal perçus, poussant le destinataire du geste à fixer d'un regard méfiant la main qui le touchait.

Touchez-leur aussi la main

Une autre expérience a été effectuée avec des bibliothécaires auxquels on demandait d'effleurer la main des lecteurs en leur remettant un livre. On interrogeait ensuite les clients qui sortaient de la bibliothèque sur la qualité des services offerts par la bibliothèque. Ceux dont on avait touché la main donnaient des réponses plus favorables que les autres, et se souvenaient mieux du nom du bibliothécaire.

Quand un inconnu se présente et que vous lui serrez la main, tendez le bras gauche et touchez-lui légèrement la main ou le coude. Répétez son nom pour montrer que vous l'avez bien entendu/compris et observez sa réaction. Il sera gratifié de l'importance que vous lui accordez – et de votre côté, vous mémoriserez mieux son nom, pour l'avoir prononcé à voix haute.

En touchant – discrètement – la main ou le coude de vos interlocuteurs, vous captez leur attention, vous renforcez l'impact de votre question ou de votre commentaire. Ils vous perçoivent favorablement et se souviennent mieux de vous.

En résumé

Tous les croisements de bras, quels qu'ils soient, sont perçus de manière négative, et le message qu'ils transmettent dessert autant leur auteur que leur destinataire. C'est une posture dont il convient de se déshabituer car, même si vous croisez les bras parce que vous avez mal au dos, sachez que les autres interpréteront inconsciemment ce signal comme celui d'une fermeture à leurs idées. Les chapitres qui suivent devraient vous aider à projeter une image plus ouverte et plus positive de vous-même.

CHAPITRE 5

DIFFÉRENCES CULTURELLES

Que signifie ce geste pour un Allemand,
un Britannique ou un Américain ?

Imaginez que vous êtes en train de visiter une maison avec l'intention de l'acheter. Vous ouvrez la porte de la salle de bains et y découvrez une femme nue dans sa baignoire. Comment pensez-vous qu'elle va réagir ? Si elle est américaine ou britannique, elle se couvrira la poitrine d'un bras et le sexe avec la main opposée. Si c'est une Suédoise, elle ne cachera que son sexe. Une musulmane cachera son visage, tandis qu'une native de Sumatra couvrira ses genoux, et une habitante des îles Samoa ne masquera que son nombril.

Devant une pizza italienne

Nous écrivons ce chapitre à Venise, où nous participons à une conférence sur les différences culturelles. S'il s'agissait de notre premier voyage en Italie, nous serions encore sous le choc de notre contact avec les rues de ce pays. Tous les piétons du monde marchent sur le trottoir ou du côté du trottoir correspondant à l'habitude de conduite automobile. Ce qui veut dire que si vous êtes britannique, australien, néo-zélandais ou sud-africain, vous marchez sur le côté gauche du trottoir. Et dans les pays où l'on conduit à droite, vous entrez constamment en collision sur les trottoirs avec les autochtones qui, pour vous croiser, font un pas vers la droite tandis que vous vous écartez sur la gauche. Le port de lunettes de soleil est une cause aggravante de ce type d'incidents, car elles empêchent de lire dans le regard de l'autre la direction qu'il vise. Il reste toutefois que ces surprises représentent de bonnes occasions de rencontrer des étrangers intéressants.

Autre sujet d'étonnement avec les Italiens : vous allez leur serrer la main pour leur dire au revoir, et ils vous embrassent sur les deux joues.

Comme j'allais partir, l'Italien m'embrassa sur les deux joues.
J'étais en train de lacer mes chaussures.
WOODY ALLEN

Lorsque vous êtes en conversation avec un Italien, il a tendance à empiéter sur votre espace personnel, à vous toucher, vous saisir ou vous empoigner, à vous couper la parole, à vous crier après et à se mettre en colère à tout propos. Ces bizarreries latines font en fait partie de la communication normale entre amis. Dans deux cultures différentes, les gestes et les comportements peuvent avoir des significations diamétralement opposées.

Le test des gestes culturels

Que connaissez-vous des différents langages corporels qu'on utilise dans le monde ? Levez la main et faites le signe du chiffre 5. Et maintenant, celui du chiffre 2. Les Anglo-Saxons sont 96 % à lever l'index et le majeur tandis que 94 % des Européens continentaux lèvent le pouce et l'index. Lorsqu'ils comptent sur leurs doigts, ils commencent en effet par le pouce, alors que les Anglo-Saxons marquent le chiffre 1 avec l'index, le 2 avec le majeur et ainsi de suite, en finissant par le pouce pour le chiffre 5.

Regardez maintenant les signes de la main ci-dessous et notez le nombre de significations que vous leur attribuez. Puis consultez la grille de réponse en bas de page. Comptez un point par réponse correcte et déduisez un point pour chaque réponse fausse.

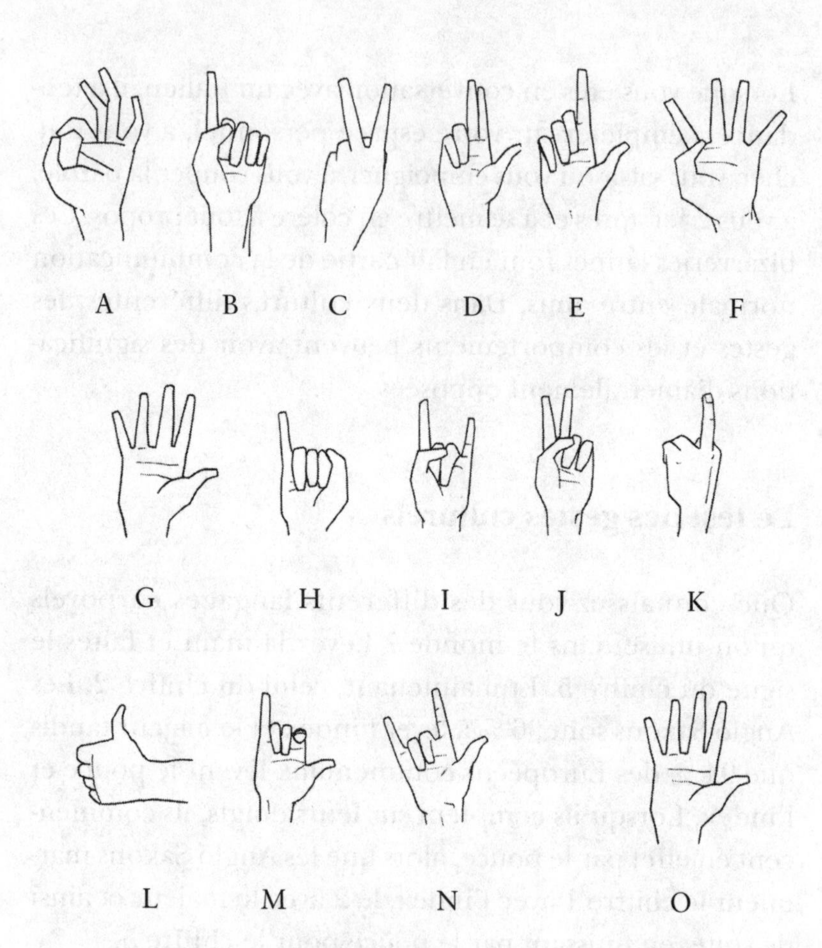

A. **Pays anglo-saxons** : OK
Pays méditerranéens, Russie, Brésil, Turquie : Signal d'un orifice : insulte sexuelle ; homosexuel
Tunisie, France, Belgique : Zéro ; nul
Japon : Argent : pièce de monnaie

B. **Pays anglo-saxons** : Un ; « pardon ! » ; « que Dieu m'en soit témoin ! » ; « non ! » (à un enfant)

C. **Grande-Bretagne, Nouvelle-Zélande, Malte** : « Va te faire f… ! »
États-Unis : Deux
Allemagne : Victoire
France : Paix
Rome antique : Jules César commandant cinq bières

D. **Europe** : Trois
Pays catholiques : Geste de bénédiction

E. **Europe** : Deux
Grande-Bretagne, Australie, Nouvelle-Zélande : Un
États-Unis : « Garçon ! »
Japon : Insulte

F. **Europe** : Quatre
Japon : Insulte

G. **Europe** : Cinq
Partout : « Arrêtez ! »
Grèce et Turquie : « Va au diable ! »

H. **Pays méditerranéens** : Petit pénis
Bali : Mauvais
Japon : Femme
Amérique du Sud : Très mince
France : « Tu n'arriveras pas à me gruger ! »

I. **Pays méditerranéens** : « Ta femme te trompe »
Malte et Italie : Protection contre le mauvais œil (à l'horizontale)
Amérique du Sud : Protection contre la malchance (en rotation)
États-Unis : Logo de l'Université du Texas et de l'équipe de football Texas Longhorn

J. **Grèce** : « Va au diable ! »
Pays anglo-saxons : Deux

K. **Rome antique** : « Va te faire f… ! »
États-Unis : « Ferme-la ! » ; « Va te faire voir ! »

L. **Australie** : « Ferme-la ! » (vers le haut)
Très répandu : Auto-stop ; « bien ! » ; OK
Grèce : « Va te faire f… ! » (vers l'avant)
Japon : Homme ; cinq

M. **Hawaii** : « Calme-toi ! »
Pays-Bas : « Tu veux boire quelque chose ? »

N. **États-Unis** : « Je t'aime »

O. **Pays anglo-saxons** : Dix ; « je me rends ! »
Grèce : « Va te faire f… ! » – deux fois !
Très répandu : « Je dis la vérité »

Quel est votre score ?

Plus de 30 points : Vous avez voyagé, vous êtes cultivé, large d'esprit, et vous vous entendez avec tout le monde, quelle que soit votre origine. Les gens vous aiment.

De 15 à 30 points : Vous êtes conscient que tout le monde ne se comporte pas comme vous et, avec un peu d'entraînement, vous pourrez améliorer votre capacité de compréhension.

Moins de 15 points : Vous avez tendance à croire que tout le monde pense comme vous. On devrait vous refuser l'usage d'un passeport, car vous ne vous rendez pas compte que la planète est faite de différences. Vous êtes probablement américain.

Nous devenons tous américains

La large diffusion des films et des émissions de télévision américaines est en train de former une génération mondiale de jeunes qui possèdent une culture et un langage génériques américains. En Australie par exemple, le signe des *deux doigts dressés* correspond, pour les plus de 60 ans, à une injure d'origine britannique, alors que pour les adolescents, ce geste signifie le chiffre 2, et c'est le majeur dressé des Américains qui symbolise l'insulte. Dans la plupart des pays, on reconnaît « OK » dans le signe de l'anneau formé avec le pouce et l'index, même quand il n'est pas couramment utilisé par la population. Les jeunes téléspectateurs du monde entier portent des casquettes de base-ball tournées vers l'arrière et crient : « *Hasta la vista, baby !* », même s'ils ne comprennent pas l'espagnol.

Les émissions de télévision américaines sont la première cause de l'effacement des différences culturelles du langage corporel.

Le mot « toilet » disparaît lentement de la langue anglaise, en raison de la réticence pudibonde que montrent à le prononcer les descendants des pionniers américains, qui vivaient dans des cabanes en rondins. Ils préfèrent demander qu'on leur indique où est la « salle de bains » qui, en Europe, comporte rarement un W.-C. ; ou encore le « petit coin » et s'étonnent qu'on les conduise dans un cagibi ; ou encore les « lavabos », mais avec le risque qu'on leur indique un cabinet de toilette muni d'un lavabo et d'un miroir ; ils multiplient les autres expressions pudiques, comme « pipi-room », qui évoque une école maternelle, ou « aire de repos », un terme réservé aux autoroutes. Quant à ceux qui demandent à faire un « brin de toilette », ils ne réussissent pas plus à atteindre leur objectif.

Les bases culturelles sont presque partout les mêmes

Comme nous l'avons vu dans le chapitre 3, les expressions faciales et les sourires ont des significations quasiment universelles. Paul Ekman en a fait l'expérience : il a montré à des personnes de 21 cultures différentes des photos de visages exprimant joie, colère, peur, tristesse, dégoût et surprise et la majorité des participants ont décodé la même émotion. Ils étaient unanimes pour les expressions de joie, de tristesse et de dégoût ; les sujets de 20 pays s'accordaient à reconnaître la surprise, ceux de 19 pays identifiaient la peur et ceux de 18 pays reconnaissaient la colère. La seule exception significative venait des Japonais, pour qui le visage où les autres lisaient la peur exprimait la surprise.

Ekman s'est rendu en Nouvelle-Guinée pour y étudier les cultures des ethnies fore et des Dani de l'Irian de l'Ouest, qui sont restées très longtemps isolées du reste du monde. Il y enregistra les mêmes résultats, à une seule expression près : comme les Japonais, ces populations ne distinguaient pas la peur de la surprise.

Il a également filmé en Nouvelle-Guinée les visages d'autochtones auxquels il demandait d'exprimer toutes ces émotions de base, pour les montrer ensuite à des Américains – qui les ont identifiées correctement – prouvant ainsi l'universalité des expressions faciales et du sourire.

Nous nous sommes jusqu'alors intéressés au langage corporel commun à la plupart des pays du monde. En abordant maintenant les différences culturelles, notons que les plus importantes sont liées aux distances d'interaction, aux échanges de regards, à la fréquence du toucher et aux gestes insultants. Les régions où l'on trouve le plus grand nombre de signaux locaux singuliers sont les pays arabes, le Japon et une partie de l'Asie. Ne pouvant prétendre traiter un sujet aussi vaste que celui des disparités du langage corporel en un seul chapitre, nous nous contenterons d'évoquer les plus fondamentales – celles que vous avez des chances de remarquer quand vous voyagez à l'étranger.

Les différences de salutations

La diversité des poignées de main provoque parfois des situations embarrassantes ou comiques. Les collègues de bureau britanniques, australiens, néo-zélandais, allemands et américains se serrent en général la main lorsqu'ils se rencontrent, et lorsqu'ils se quittent. Mais dans la plupart des pays européens, on répète ce geste plusieurs fois par jour – et on a même observé des Français qui consacraient trente minutes quotidiennes à cet exercice. Les Indiens, les Asiatiques et les Arabes continuent souvent à vous tenir la main après vous l'avoir serrée. Les Allemands et les Français la secouent fermement une à deux fois, pour la garder ensuite un court instant. Les Anglais le font de trois à cinq fois, et les Américains jusqu'à sept fois. Ces variations donnent lieu à des scènes hautement comiques dans les conférences internationales, où elles se déploient librement, à la grande surprise des congressistes. L'Américain interprète comme une marque de distance la secousse unique de l'Allemand – lequel se demande de son côté si son homologue croit tenir dans les mains un panier à salade.

Pour ce qui est du baiser sur les joues, les Scandinaves se contentent d'un seul et les Français en préfèrent souvent quatre, tandis que les Danois, les Belges et les Arabes sont adeptes du triplé. Les Australiens, les Néo-Zélandais et les Américains ont bien du mal à s'y retrouver, et bien des nez se cognent dans leurs tentatives maladroites de bise unique. Quant aux Britanniques, quand ils ne reculent pas pour éviter ce genre d'effusion, ils vous surprennent par un joli doublé. Dans son livre *Un regard depuis le sommet*, Sir Edmund Hillary raconte qu'en arrivant au sommet de l'Everest, il s'est tourné vers son sherpa Tenzing Norgay pour le congratuler d'une poignée de main. Norgay bondit alors vers lui pour l'embrasser sur les deux joues et le serrer dans ses bras – les félicitations à la tibétaine.

Quand deux cultures se rencontrent

Quand les Italiens parlent, ils gardent les mains levées, ce qui signifie qu'ils tiennent à garder la parole. Lorsque un Italien touche les bras de son interlocuteur, ce n'est pas par affection, mais pour l'empêcher de l'interrompre. Pour ce faire, il faut saisir à deux mains celles du bavard, et les baisser de force. Aux yeux d'un Italien, les Allemands et les Britanniques qui discutent ont l'air paralysés. Ils sont en tout cas souvent découragés quand ils cherchent à prendre la parole dans une conversation entre Italiens et Français. Il n'est pas rare qu'ils ne parviennent pas à placer un mot, plantés au garde-à-vous entre les Français qui parlent avec les avant-bras et la tête et leurs voisins transalpins qui parlent avec leur corps entier.

Quand il s'agit de conclure une affaire à l'étranger, les vêtements élégants, les excellentes références et la qualité de la proposition seront vite éclipsés par un petit geste innocent qui fera tout capoter. Dans les 42 pays où nous avons mené nos recherches, les résultats montrent que ce sont les Américains qui sont les moins sensibles aux différences culturelles – suivis de près par les Britanniques. Quand on sait que 86 % des Américains n'ont pas de passeport, on comprend aisément qu'ils soient les plus ignorants en matière d'us et coutumes du langage corporel mondial – George W. Bush lui-même a dû faire la demande d'un passeport après son élection, pour pouvoir voyager à l'étranger. Quant aux Britanniques globe-trotters, leur problème tient à ce qu'ils aimeraient retrouver leur langage corporel dans tous les pays où ils se rendent, ainsi que leur langue et leur *fish and chips*. Or si la plupart des peuples ne demandent pas aux visiteurs étrangers d'apprendre leur gestuelle, ils considèrent néanmoins comme une marque de respect qu'on prenne le temps d'en apprendre et d'en pratiquer certains codes.

Le flegme britannique

Ce qu'on appelle le « flegme britannique » est le pincement de lèvres qui permet aux Anglais de contrôler les expressions de leur visage pour ne pas trahir leurs émotions. Lorsque le prince Philip d'Édimbourg, le prince Charles et ses deux fils Harry et William suivaient à pied le cercueil de la princesse Diana en 1997, nombreux sont les étrangers qui ont pu interpréter leurs visages figés comme le signe d'une froideur émotionnelle.

Le roi Henry VIII d'Angleterre était célèbre pour cette expression. Lorsqu'il pinçait ainsi les lèvres en posant pour un portrait, sa bouche – déjà petite – semblait encore rétrécie. La petite bouche devint un signe de supériorité pour les Anglais du XVIe siècle – et ceux de notre époque pincent encore souvent les lèvres lorsqu'ils se sentent intimidés devant leurs inférieurs. Cette mimique est souvent accompagnée d'un plissement des yeux.

Le rétrécissement de la bouche – signal de supériorité sociale – popularisé par Henry VIII, et qu'on observe encore chez les Britanniques et les Américains.

L'exception japonaise

Le Japon, où les contacts corporels sont considérés comme impolis, n'a pas encore adopté poignées de main, baisers sur la joue et embrassades. Les Japonais s'inclinent devant ceux qu'ils rencontrent pour la première fois – celui dont le statut social est le moins élevé plongeant alors le plus bas. Ils commencent par échanger leurs cartes de visite, ce qui permet à chacun d'évaluer le statut social de l'autre, et de décider de la juste inclinaison de sa courbette.

Quand vous êtes au Japon, assurez-vous que vos chaussures sont impeccablement cirées. Elles seront inspectées par tous les Japonais à qui vous direz bonjour.

Les Japonais ont une façon d'écouter qui fait appel à un vaste répertoire de sourires, de signes de tête et de petits bruits polis, sans équivalent dans aucune autre culture. Contrairement à une erreur d'interprétation fréquente chez les Occidentaux, leur objectif n'est pas de marquer un assentiment, mais de vous laisser parler. Le *hochement de tête* est un équivalent universel du « oui », sauf en Bulgarie où il signifie « non », et au Japon où il manifeste une écoute polie. Quand un Japonais n'est pas d'accord avec vous, il répondra quand même « oui » – *hai* dans sa langue – pour vous inciter à continuer de parler. Cela ne signifie pas « Je suis d'accord », mais « Je vous ai entendu ». Et si vous lui demandez : « Vous n'êtes pas d'accord ? », il hochera la tête en répondant « Oui » – alors qu'il vous désapprouve – parce que pour lui, cela signifie : « Vous avez raison, je ne suis pas d'accord. »

Il est très important de sauver la face dans ce pays, et ses habitants ont mis au point une série d'expressions garde-fou, destinées à éviter que la relation ne vire à l'aigre. L'étranger doit donc éviter de dire « non » et de poser des questions entraînant une réponse négative. Vous entendrez des formules telles que « C'est très difficile », ou « Nous allons étudier sérieusement la question », qui signifient en réalité « Laissez tomber et rentrez chez vous ».

Ces cochons qui se mouchent

Les Occidentaux et les Européens enrhumés utilisent un mouchoir – en tissu ou en papier – alors que les Asiatiques et les Japonais crachent ou reniflent. Chacune de ces méthodes paraît dégoûtante à ceux qui n'y sont pas habitués. Cette différence culturelle spectaculaire est le résultat direct des épidémies de tuberculose dans l'Occident du siècle dernier – le Sida de l'époque, pratiquement incurable. Si bien que les gouvernements recommandaient aux populations de se moucher pour éviter sa propagation. C'est ce qui explique l'aversion des Occidentaux pour les crachats.

Si on se mouche de nos jours, c'est à cause des épidémies de tuberculose du passé.

Si les ravages de la tuberculose avaient touché l'Asie, les Orientaux éprouveraient la même répulsion pour les gens qui crachent. Mais ce qui les dégoûte, ce sont nos mouchoirs, que nous remettons après usage dans notre poche, notre sac ou même notre manche de chemise ! Voilà pourquoi ils n'apprécient guère le mouchoir plié qui dépasse de la poche de poitrine des Anglais – l'équivalent pour eux d'un morceau de papier hygiénique prêt à l'usage. Cracher leur semble plus hygiénique – à juste titre. Nombre de réunions d'affaires entre Asiatiques et Occidentaux peuvent aboutir au fiasco quand les participants sont enrhumés. Ne vous offusquez donc pas de voir un Japonais cracher – et ne vous mouchez jamais en public au Japon.

Trois gestes transculturels courants

Examinons les différentes manières dont s'interprètent trois signaux de la main très répandus dans le monde : l'*anneau*, le *pouce dressé* et le *signe en V*.

1. L'anneau

Ce geste d'approbation a été popularisé aux États-Unis au début du XIXe siècle grâce à l'engouement des journaux américains pour les initiales remplaçant les expressions courantes. Les avis sont partagés sur la signification originelle du « OK » : il s'agirait pour certains d'une abréviation de « all correct » – parfois mal orthographié en « oll korrect » – et pour d'autres de la signification inverse du K.-O. (*knock-out*).

« OK » pour les pays anglophones, « argent » pour les Japonais, « zéro » pour les Français et les Belges, et une insulte pour les Turcs et les Brésiliens.

Selon une autre théorie, les initiales « OK » signifieraient « Old Kinderhook », le slogan de campagne du Président Van Buren, natif de Kinderhook. Quelle que soit l'origine de ces initiales, l'anneau formé par le pouce et l'index correspond évidemment à la lettre « O ». Le sens de « OK » attribué au signal de l'anneau est commun à tous les pays anglophones – la télévision et le cinéma américains sont d'ailleurs en train de le répandre rapidement dans le monde entier. Mais ce même geste peut avoir d'autres significations dans certains pays. En France et en Belgique, par exemple, il signifie « zéro » ou « rien ». Le serveur d'un restaurant parisien nous a un jour proposé une table en nous demandant « OK pour celle-ci ? ». Nous lui avons renvoyé le signal de l'anneau – et il nous a répondu : « Si elle ne vous convient pas, nous allons vous en donner une autre… » Il avait compris que nous la trouvions « nulle ».

L'Anglo-Saxon qui envoie le signe de l'anneau à une Française dont il trouve la cuisine délicieuse risque fort de recevoir le plat dans la figure.

Au Japon, l'anneau formé avec le pouce et l'index signifie « argent », et le signal « OK » envoyé par un homme d'affaires anglo-saxon peut y être interprété comme une demande de pot-de-vin. Dans certains pays méditerranéens, il sert à indiquer un orifice, et suggère souvent l'idée d'homosexualité. Un Grec auquel vous croyez adresser un « OK » satisfait comprendra que vous le traitez d'homosexuel. Quant aux Turcs, ils y liront une insulte approchant l'idée de « trou du c… ». Peu répandu dans les pays arabes, ce signal y est synonyme d'une menace ou d'une obscénité.

Dans les années cinquante, le futur Président Richard Nixon s'est rendu en Amérique latine pour tenter de détendre les relations qui se dégradaient avec les États-Unis. Le signal « OK » qu'il crut adresser à la foule depuis la passerelle de son avion fut accueilli par des huées et des sifflements. Les badauds rassemblés avaient lu dans son geste un message voisin de « Vous n'êtes qu'une bande de trous du c… ! »

Quand vous voyagez à l'étranger, il sera prudent de demander aux habitants de vous montrer les signaux insultants de leur pays, si vous voulez éviter ce genre de désagrément.

2. Le pouce dressé

Dans les pays fortement influencés par la culture britannique – comme les États-Unis, l'Australie, la Nouvelle-Zélande, l'Afrique du Sud et Singapour – le signal du *pouce dressé* peut avoir trois significations : c'est le geste utilisé par les auto-stoppeurs, et c'est aussi un synonyme de « OK ». Enfin, quand le pouce est énergiquement projeté vers le haut, il signifie « Va te faire f… ! » ou « Ferme-la ! ». Dans certains pays comme la Grèce, il symbolise essentiellement ce type d'insulte.

Évitez l'auto-stop en Grèce.

Comme nous l'avons déjà dit, quand les Européens comptent sur leurs doigts, c'est le pouce qui marque le « 1 », alors que c'est l'index qui remplit cette fonction dans les pays anglophones – le pouce étant réservé au chiffre « 5 ».

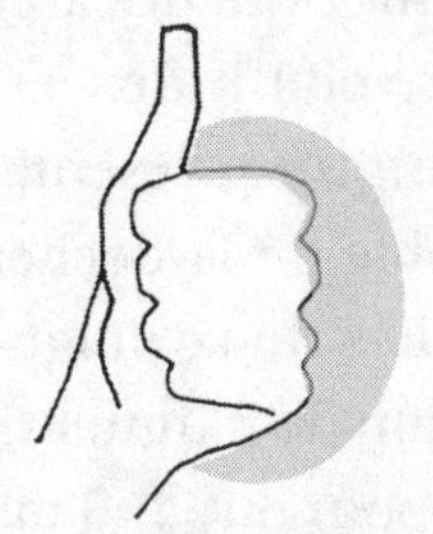

Ce geste peut signifier « 1 », « 5 », « Très bien », « Va te faire f… ! » ou « Ferme-la », selon le pays qu'on habite.

En raison de sa force physique, le pouce symbolise le pouvoir, et on le laisse souvent dépasser de sa poche, de son gilet ou du revers de sa veste. Combiné avec d'autres gestes, le pouce dressé sert à marquer la supériorité et l'autorité.

3. Le signal en V

On le rencontre en Grande-Bretagne, en Australie et en Nouvelle-Zélande, où il est synonyme de « Va te faire f... ! ». Pendant la Deuxième Guerre mondiale, Winston Churchill lui a donné une signification différente, en retournant la paume vers l'extérieur – le V de la victoire. Pour signifier une insulte obscène, il faut présenter le dos de la main au destinataire.

Un Américain voit le chiffre « 2 » dans ce signal, un Allemand y lit le signe de la victoire, et un Britannique l'interprète comme « Va te faire mettre ! ».

Ce geste trouve son origine dans celui des archers anglais qui lançaient leurs flèches avec l'index et le majeur. L'amputation de ces deux doigts représentait, pour un archer fait prisonnier, le comble de la déchéance – plus redoutable que l'exécution. Les deux doigts dressés en « V » sont vite devenus une façon de narguer l'ennemi sur un champ de bataille, comme pour dire : « J'ai encore mes deux doigts pour vous tirer dessus. »

En Allemagne pourtant, ce signal avec le dos de la main est encore associé au V de la victoire. Si bien qu'un Anglais qui croit insulter ainsi un Allemand pourra lui laisser penser qu'il vient de remporter un prix. Dans certains pays d'Europe, le V à deux doigts est aussi synonyme du chiffre « 2 », et l'insulte d'un anglophone adressée aux barmans risque d'y être interprétée comme une commande de deux boissons.

Toucher ou ne pas toucher ?

Quand on vous touche en vous parlant, comment réagissez-vous ? Tout dépend de votre culture. Les Français et les Italiens sont très friands de ces contacts physiques – tandis que les Britanniques ne les supportent que sur un terrain de sport et devant un large public. Ces embrassades, devenues traditionnelles chez les sportifs anglais, australiens et néo-zélandais ont été copiées sur les habitudes de l'Europe continentale et de l'Amérique du Sud, où l'on se serre dans les bras en se couvrant de baisers dès qu'on a marqué un but – avec prolongations dans les vestiaires. Après quoi, et en toutes autres circonstances, c'est la politique du « bas les pattes ! » qui reprend le dessus chez les Anglo-Saxons.

Les Britanniques ne se touchent que sur les terrains de sport quand ils ont marqué un but. Ils s'empoignent, se serrent dans les bras les uns des autres et se couvrent mutuellement de baisers. Essayez d'en faire autant dans un pub – vous serez surpris du résultat.

Après avoir étudié les habitudes de contacts physiques entre interlocuteurs de divers pays, le Dr Ken Cooper en a enregistré 180 à l'heure à Porto Rico, 110 à Paris, 2 en Floride et 0 à Londres.

Nous vous proposons ci-dessous deux listes établies à partir de nos propres recherches et de notre expérience professionnelle. Vous y trouverez les pays où le contact physique est admis ou fréquent dans la conversation, ainsi que ceux où il n'est pas admis.

Ne me touchez pas	**Touchez-moi**
Allemagne	Inde
Japon	Turquie
Angleterre	France
États-Unis	Italie
Canada	Espagne
Australie	Grèce
Europe du Nord	Moyen-Orient
Portugal	Une partie de l'Asie
Estonie	Russie
Nouvelle-Zélande	

Comment choquer à l'étranger

Les Américains sont les grands champions des gaffes interculturelles. Étant très peu nombreux à franchir leurs frontières, ils ont tendance à croire que le reste du monde pense comme eux et cherche à leur ressembler. Voici ci-dessous une photo de George Bush en train de faire le signal de l'équipe de football *Texas Longhorn*, dont il est un fervent supporter, et où l'index et l'auriculaire dressés représentent les cornes du taureau *longhorn*. Ce geste est reconnaissable par une majorité d'Américains.

Le signal des footballeurs texans est en Italie une offense passible de prison.

En Italie, ce signal indique à un homme que sa femme le trompe ; il porte d'ailleurs l'appellation de « signal du cocu ». En 1985, cinq Américains ont été arrêtés à Rome pour avoir entamé devant le Vatican une danse jubilatoire accompagnée de ce geste en apprenant la victoire de l'équipe Longhorn. Il ne semble pas que le pape ait été impressionné.

En résumé

Les affaires se concluent entre personnes qui se sentent à l'aise et le respect des bonnes manières joue en cela un rôle aussi important que celui de la sincérité. Quand vous arrivez dans un pays étranger, réduisez vos gestes au strict minimum, avant d'avoir observé le code en vigueur. Le cinéma étranger est une véritable mine d'infos en la matière. Louez des films en V.O. et commencez par les regarder sans le son, et sans lire les sous-titres. Essayez de deviner ce qui s'y passe avant de vérifier vos intuitions avec un visionnage normal.

Si vous n'êtes pas certain de respecter la politesse traditionnelle à l'étranger, demandez des instructions aux autochtones.

Les erreurs d'interprétation gestuelle pouvant donner lieu à des situations très gênantes, renseignez-vous sur l'origine de vos interlocuteurs avant de tirer des conclusions hâtives sur leur langage corporel.

Si vous voyagez souvent à l'étranger, nous vous recommandons la lecture du livre de Roger Axtell, *Le Pouvoir des gestes* (Inter Éditions, 1993), qui analyse plus de 70 000 signaux corporels et coutumes mondiales et conseille sur les relations d'affaires dans la plupart des pays de la planète.

CHAPITRE 6

LE LANGAGE DES MAINS ET DES DOIGTS

Napoléon dans son bureau, par Jacques Louis David, 1812 – montrant l'empereur des Français dans sa pose favorite. Souffrait-il d'un ulcère à l'estomac ou se caressait-il le nombril ?

La main humaine comporte 27 os – y compris huit petits os en forme de galets qui forment le poignet, et qui sont étroitement reliés par un réseau de ligaments et de petits muscles actionnant les articulations. Les scientifiques ont établi qu'il existe plus de connexions nerveuses entre le cerveau et la main qu'avec toute autre partie du corps. Nos gestes sont donc les meilleurs reflets des états émotionnels que nous traversons. Et comme nous tenons souvent les mains devant nous, leurs signaux sont très visibles. Nous avons tous une position des mains favorite.

Dès qu'on pense par exemple à Napoléon, on se le représente avec la main droite glissée dans son gilet, certains proposant même des explications d'un goût plus ou moins douteux sur sa célèbre posture : il souffrait d'un ulcère à l'estomac, d'une maladie de peau, d'un cancer du sein, sa main droite était difforme, il remontait sa montre de gousset, il cherchait un sachet parfumé qu'il respirait régulièrement... La véritable raison, c'est qu'en 1738, bien avant la naissance du futur empereur, un certain François Nivelon avait publié un traité de maintien à l'usage de la noblesse, où il décrivait cette posture comme une « position répandue chez les hommes bien élevés, dont la mâle assurance est tempérée par la modestie ». Lorsque David montra le tableau terminé à Napoléon, celui-ci déclara : « Mon cher David, vous m'avez compris », ce qui montre bien que la posture était destinée à transmettre une image. On voit sur d'autres tableaux que cette posture n'était pas habituelle chez Napoléon – qui ne posa d'ailleurs pas pour le tableau peint par David. Le geste de la main dans le gilet est une création de l'artiste, qui avait bien compris l'impression d'autorité que dégagerait la posture.

Napoléon mesurait 1,64 m, mais les gens qui regardent ce tableau évaluent sa taille à plus de 1,80 m.

Les mains qui parlent

Pendant des milliers d'années, c'est le statut social qui déterminait la préséance en matière de prise de parole. Plus un homme exerçait de pouvoir et d'autorité, plus les autres devaient se taire quand il parlait. On trouve dans l'histoire romaine des exemples de sujets exécutés pour avoir coupé la parole à Jules César. La liberté de parole règne aujourd'hui dans la plupart des sociétés, où chacun a le droit d'exprimer une opinion. Les citoyens américains, britanniques et australiens sont autorisés à interrompre leur Président ou leur Premier ministre, ou même à le siffler – comme Tony Blair a pu le constater à ses dépens lors d'un débat télévisé sur la guerre en Irak. Dans de nombreux pays, ce sont les mains qui remplissent le rôle de « ponctuation » dans la prise de parole. Le geste de la *main levée* est hérité des Italiens et des Français – les grands maîtres du langage manuel. Il est toutefois rarement utilisé en Grande-Bretagne, où les gestes de la main en appoint du discours restent mal vus.

En Italie, la prise de parole obéit à une règle extrêmement simple : c'est celui qui lève les mains qui parle. Ceux qui l'écoutent ont les bras ballants ou les mains derrière le dos. Quand on veut prendre son tour, l'astuce consiste donc à se servir de sa main, soit en la levant, soit en touchant le bras de celui qui parle pour lui baisser la main et le faire taire. Beaucoup de gens tiennent pour très amicales et intimes les conversations des Italiens qui se touchent beaucoup en se parlant, alors que ces contacts ne sont destinés qu'à interrompre l'interlocuteur.

Si vous attachez les mains d'un Italien derrière son dos, vous le rendez muet.

La main de la préférence

Quand on observe quelqu'un qui résume les deux points de vue d'un débat ou d'une discussion, il suffit parfois de regarder ses mains pour savoir où va sa préférence. Il se sert toujours de la même paume ouverte – celle de la main droite pour les droitiers – pour rappeler les idées qu'il partage, et réserve l'autre aux arguments opposés.

Les mains aide-mémoire

Les gestes de la main accompagnant les paroles renforcent l'impact de la communication. Ils captent l'attention de ceux qui écoutent et les aident à mémoriser ce qui est dit. Geoffrey Beattie et Nina McLoughlin, de l'Université de Manchester, ont dirigé une étude où l'on racontait à deux groupes de participants des histoires de personnages de dessins animés – comme *Roger Rabbit* ou *Titi et Grosminet.* Le narrateur du premier groupe accompagnait son récit de nombreux gestes des mains – tourniquets quand les héros couraient, mouvements ondulants pour illustrer le souffle d'un séchoir à cheveux, large écartement des paumes pour évoquer un chanteur d'opéra ventru. Un deuxième groupe entendait les mêmes histoires de la bouche d'un narrateur aux mains immobiles. Dix minutes après, ceux qui avaient entendu les histoires avec gestes avaient mémorisé nettement plus de détails (environ un tiers) que ceux du deuxième groupe.

Le frottement des paumes

Une amie est récemment passée nous voir pour parler d'un prochain séjour aux sports d'hiver où elle devait nous accompagner. Pendant la conversation, elle s'est confortablement assise dans un fauteuil, un large sourire aux lèvres, et s'est énergiquement frotté les mains l'une contre l'autre, en s'exclamant : « J'ai tellement hâte ! » Son *frottement de mains à paumes levées* disait silencieusement qu'elle s'attendait à des vacances très réussies.

L'expression d'une attente positive.

Comme on fait rouler les dés entre les mains dans la perspective de gagner la partie, l'animateur de l'émission de télévision se frotte les paumes pour annoncer : « Et voici l'invité que nous attendons tous… » Le responsable commercial fait le même geste quand il déclare en entrant dans le bureau de son patron : « On vient de recevoir une grosse commande ! » Mais le serveur de restaurant qui s'approche de votre table à la fin du repas et se frotte les mains en vous demandant : « Prendrez-vous encore quelque chose ? » vous transmet un autre message silencieux – celui de l'attente d'un bon pourboire.

Dans un dialogue, c'est la rapidité du frottement des paumes qui révèle si c'est le locuteur ou l'interlocuteur qui sera le bénéficiaire des avantages attendus. Imaginons par exemple que vous voulez acheter une maison et que vous vous rendez chez un agent immobilier. Une fois que vous avez énuméré vos souhaits, il se frottera les mains rapidement en déclarant : « J'ai exactement ce que vous cherchez ! » Il vous signale ainsi qu'il pense que c'est *vous* qui allez profiter d'une bonne affaire. Que diriez-vous s'il se frottait les mains très *lentement*, en vous disant la même chose ? Il vous paraîtrait retors et sournois et vous comprendriez qu'il s'attend à tirer un gros profit de la transaction.

À la vitesse de son frottement de mains, vous devinez si c'est à vous ou à lui-même que votre interlocuteur promet une bonne affaire.

Les commerciaux apprennent à décrire leurs produits et leurs services en se frottant les mains avec vivacité, pour éviter de placer leurs clients sur la défensive. Quand c'est le client qui fait le même geste en disant : « Voyons ce que vous avez à proposer ! », il signifie par là qu'il attend de vous un produit ou un service intéressant, et qu'il est prêt à l'acheter.

« J'ai une bonne affaire pour vous ! »

N'oubliez jamais le contexte : quelqu'un qui se frotte les mains avec énergie en attendant le bus en plein hiver n'a pas d'autre intention que de les réchauffer.

Le frottement du pouce contre l'index

On frotte la pulpe du pouce contre celle de l'index quand il s'agit d'argent – comme si on caressait une pièce de monnaie. On voit souvent les camelots faire ce geste pour vanter les réductions dont ils vont faire profiter les passants, et nous l'utilisons tous pour évoquer la cherté d'un produit, ou la perspective d'un profit financier.

« Il y a beaucoup d'argent à la clé. »

Ce signal est fortement déconseillé aux professionnels qui s'adressent à leurs clients, en raison de sa connotation de cupidité.

Les mains serrées l'une dans l'autre

À première vue, ce geste peut être interprété comme un signe de confiance, d'autant qu'il est souvent associé à un sourire. Nous avons un jour observé un commercial en train de raconter comment il avait échoué dans la conclusion d'un contrat. En avançant dans son récit, il adopta la posture des *mains serrées l'une dans l'autre,* avec une telle force que ses articulations blanchissaient et que ses doigts paraissaient soudés. Il trahissait ainsi son anxiété. Lors de ses apparitions assises en public, la reine Élisabeth d'Angleterre serre souvent ainsi les mains sur ses genoux.

Même accompagnées d'un sourire, les mains serrées
l'une dans l'autre à la verticale sont un signe de contrariété.

Nierenberg et Calero, conseillers en négociation, ont eux aussi décelé dans cette posture un signal de contrariété chez leurs clients, qui cherchent à cacher leur anxiété – parce qu'ils sentent qu'ils n'arrivent pas à convaincre leur interlocuteur, ou qu'ils sont en train de perdre du terrain.

On peut serrer ainsi les deux mains dans quatre positions différentes : à hauteur du visage, sur les genoux, les coudes posés sur une table, ou devant l'entrejambe quand on est debout.

La main empoignant l'autre en position centrale.

La main empoignant l'autre en position basse.

Nous avons découvert qu'il existe une corrélation entre le degré de contrariété et le niveau du corps où se placent les mains croisées. Les rapports seront plus difficiles avec les personnes qui croisent les mains en position haute ou centrale qu'avec celles qui les placent plus bas (voir les dessins ci-dessus). Comme pour tous les gestes fermés, il vous faudra tenter de les leur faire ouvrir : en leur offrant quelque chose à boire, ou en leur tendant un papier. Cette posture révèle la même attitude que celle des bras croisés.

Les mains en clocher

S'il est vrai qu'il faut toujours observer les postures partielles dans le cadre de la posture globale et du contexte de la situation, celle des doigts qui se touchent pour former un *clocher* constitue une exception à la règle, car elle apparaît souvent isolément. Le bout des doigts d'une main s'appuie contre celui des doigts de l'autre, comme pour mimer le clocher d'une église. Pression et relâchement alternent parfois, comme le font les pattes d'une araignée posée sur une vitre.

Notre expérience nous a permis de constater que ce geste est utilisé par les individus pleins d'assurance. On le rencontre fréquemment chez un supérieur hiérarchique qui donne des conseils ou des instructions à un subordonné. Il est très courant chez les cadres supérieurs, les avocats et les chefs d'entreprise. D'une manière générale, le signal du *clocher* traduit la confiance en soi.

Il est sûr d'avoir la bonne réponse.

Le clocher se rétrécit parfois en flèche ou en signe de prière. Il vaut mieux l'éviter quand on cherche à gagner la confiance d'un interlocuteur, qui risque d'y voir une attitude suffisante ou arrogante.

Jacques Chirac et Gerry Adams adoptent parfois des postures ecclésiastiques.

Si, en revanche, vous cherchez à paraître sûr de vous et à avoir réponse à tout, le geste du clocher convient parfaitement.

Comment le clocher peut vous faire gagner

Imaginez cette scène : vous êtes en pleine partie d'échecs et c'est à votre tour de jouer. Vous tendez la main vers l'échiquier et vous la posez sur un pion pour indiquer que vous allez le déplacer. Vous constatez alors que votre adversaire s'adosse sur sa chaise en joignant les doigts en clocher. Il est en train de vous dire – sans prononcer un seul mot – que votre projet l'arrange bien. Le mieux est donc de vous abstenir de jouer ce coup-là. Votre main se pose sur un autre pion, et vous voyez votre adversaire croiser les bras ou serrer son poing dans l'autre main – vous signalant ainsi que votre décision lui pose un problème. Vous savez maintenant quel pion déplacer.

Le geste du clocher existe en deux versions : le *clocher vertical*, qu'on voit souvent chez celui qui exprime une idée ou une opinion, ou qui tient à garder la parole – et le *clocher horizontal*, que l'on observe plutôt chez celui qui écoute.

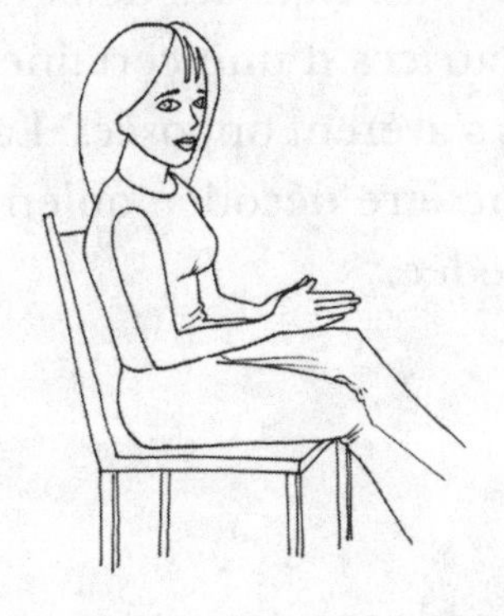

Le clocher horizontal.

On observe en général chez les femmes plus de gestes horizontaux que verticaux. Quant au clocher vertical associé à un léger renversement de la tête il confère à son auteur une allure hautaine ou prétentieuse.

Bien qu'il s'agisse d'un geste positif, le clocher peut aussi être lié à une attitude négative – il faut alors savoir l'interpréter. Supposons par exemple que vous êtes en train d'exposer une idée à quelqu'un qui vient de vous envoyer plusieurs signaux positifs – ouverture des paumes, tête relevée, inclinaison du buste vers l'avant, hochements de tête, etc. Votre exposé touche à sa fin et vous voyez votre interlocuteur mettre ses mains en clocher.

Comme ce signal fait suite à d'autres gestes positifs, et qu'il apparaît au moment où vous montrez à votre interlocuteur que vous tenez la solution de son problème, il va probablement vous donner le feu vert. Si en revanche le clocher intervient après une série de gestes négatifs – jambes ou bras croisés, regard détourné, mains portées au visage – votre interlocuteur signifie son intention de refuser votre idée ou de se débarrasser de vous. Dans les deux cas, les mains en clocher sont révélatrices d'une certaine assurance, mais les conséquences s'avèrent opposées. La position du clocher ne peut donc être décodée qu'en fonction des gestes qui l'ont précédée.

En bref

Placées presque toujours en évidence devant le corps, les mains trahissent nos émotions et nos états d'esprit. Si certains signaux corporels sont difficiles à apprendre, ceux des mains sont les plus faciles à répéter et à assimiler. On peut donc les contrôler facilement en situation d'interaction. Si vous apprenez aussi à les interpréter, vous éprouverez plus d'assurance et de confiance en vous.

La tête sur un plateau

Encore un geste positif, associé à la séduction, et qu'on rencontre souvent chez les femmes qui cherchent à attirer l'attention d'un homme. La femme posera volontiers une main au-dessus de l'autre, comme pour l'offrir sur un plateau à l'admiration de celui qu'elle veut séduire.

La tête sur un plateau – elle offre son visage à contempler.

Ce signal est fortement recommandé dans tous les cas où vous cherchez à flatter.

Les mains jointes derrière le dos

On voit souvent le duc d'Édimbourg et les autres membres masculins de la famille royale d'Angleterre marcher la tête haute, le menton relevé, une main tenant l'autre derrière le dos. Cette posture est très répandue chez les princes et les hommes d'État, les policiers en patrouille, les officiers, les directeurs d'école qui arpentent les cours de récréation, et chez tous ceux qui représentent une autorité.

Cette posture est associée au sentiment de supériorité, à la confiance en soi, et au pouvoir. La personne expose au public les parties les plus vulnérables de son corps – gorge, cœur, estomac, entrejambe – un signal subconscient d'invulnérabilité. Notre expérience montre que lorsqu'on se trouve en forte situation de stress – avant d'être interviewé par un journaliste, ou dans la salle d'attente du dentiste par exemple – cette posture ramène peu à peu la confiance et l'autorité, selon le principe de causalité.

Vu de dos et de face, le geste de supériorité.

La *main serrant le poignet* trahit une contrariété ou une volonté de maîtrise de soi. La main retient le bras comme pour l'empêcher de frapper.

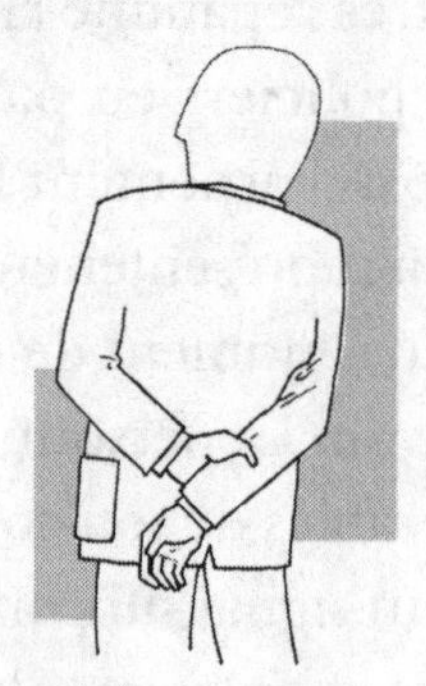

La main serrant l'avant-bras.

Plus la main remonte le long du bras, plus elle révèle de contrariété ou de colère. Le personnage du dessin ci-dessous fait plus d'efforts pour se contrôler que celui du dessin précédent. Sa main empoigne le haut du bras opposé, comme pour se dire « Ressaisis-toi ! ».

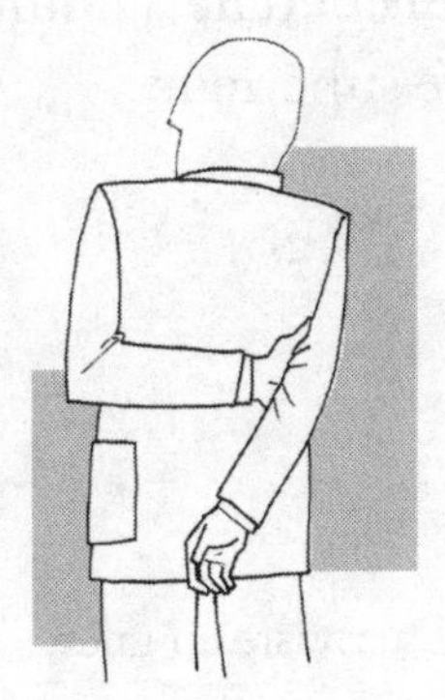

La main serrant le haut du bras.

On constate souvent ces deux postures chez les deux parties opposées avant un jugement, chez quelqu'un qui attend le médecin ou chez un commercial avant un rendez-vous avec un client. Elles trahissent la nervosité ou une agitation qui se contient. Si vous vous surprenez dans cette position, joignez vos mains derrière le dos et vous sentirez revenir progressivement confiance et maîtrise de soi.

Tous pouces dehors

Comme nous l'avons déjà vu, les pouces manifestent la supériorité. Pour les spécialistes des lignes de la main, ils symbolisent l'ego et la force de caractère. S'agissant de langage corporel, les signaux qu'ils envoient sont liés à l'affirmation de soi. Les pouces servent à exprimer l'assurance, la volonté de domination et parfois l'agressivité. Ils font partie des signaux secondaires et participent en général d'une posture globale. Le pouce sorti est un signal positif, souvent utilisé par l'homme qui cherche à donner l'image de quelqu'un de « cool » ou de supérieur.

L'arriviste en gilet.

Les hommes sortent volontiers leurs pouces devant les femmes qui les attirent. On observe aussi ce geste chez ceux qui se hissent sur la pointe des pieds pour se grandir.

Les pouces sortis de la poche

Ce geste est courant chez les hommes et les femmes au fort sentiment de supériorité.

Les pouces apparents sont parfois l'indice flagrant d'un message verbal en contradiction avec la pensée réelle. Lors d'un procès d'assises, l'avocat qui se tourne vers le jury en disant : « mesdames, messieurs les jurés, à mon humble avis… » – tout en renversant légèrement la tête en arrière pour les regarder de haut, et en glissant la main sous sa robe, le pouce en dehors – risque fort d'être ressenti comme hypocrite et pontifiant.

La fausse modestie de l'avocat.

Pour prouver sa modestie, cet avocat aurait tout intérêt à s'avancer vers le jury en lui présentant ses paumes ouvertes – comme sa robe – et à s'incliner vers l'avant pour paraître plus petit qu'eux.

« Vous me semblez être un homme intelligent et honnête », déclara l'avocat d'un ton suffisant. « Je vous retournerais bien le compliment… », répondit le témoin « …mais j'ai prêté serment ».

On laisse volontiers ressortir les pouces des poches arrière de son pantalon pour essayer de masquer une attitude dominatrice. Les femmes n'ont adopté ce geste que dans les années soixante, lorsque le port du pantalon s'est généralisé pour elles et qu'elles ont commencé à affirmer leur rôle dans la société.

Les pouces sortis des poches révèlent une attitude confiante et autoritaire.

Une autre posture globale courante est celle des *bras-croisés-pouces-dressés.* Ici, le signal est double : il trahit une attitude défensive ou négative (celle des bras croisés), à laquelle s'ajoute celle de la supériorité (celle des pouces sortis). Le sujet remue souvent les pouces, et se dresse de temps à autre sur la pointe des pieds s'il est debout.

Il se replie sur lui-même tout en affichant sa supériorité.

Le pouce sert aussi à exprimer le ridicule ou le manque de respect quand on le pointe en direction d'un tiers. Le mari qui se penche vers son copain en montrant ainsi sa femme du pouce et qui dit : « Elle est toujours sur mon dos ! » risque de s'attirer une scène de ménage pour l'avoir ridiculisée en public. Les femmes détestent en général ce geste – surtout chez un homme. Elles n'y recourent que pour désigner une personne qui leur déplaît.

« Elle est toujours sur mon dos ! »

En résumé

Il y a des milliers d'années que le pouce sert à marquer le pouvoir et l'autorité. Il était signe de vie ou de mort pour les gladiateurs de l'Empire romain, selon qu'il était pointé vers le haut ou vers le bas. De nos jours, tout le monde en décode intuitivement la signification chez les autres. Vous saurez maintenant comment l'utiliser.

Chapitre 7

LES SIGNAUX D'ÉVALUATION ET DE TROMPERIE

Comment décoder les auto-contacts au visage

Bill Clinton face au Grand Jury – À votre avis, que pense-t-il ?

Que se passerait-il si vous étiez toujours franc et sincère avec votre entourage ? Si vous disiez à ceux qui vous entourent les *mots exacts* qui vous passent par la tête, comment réagiraient-ils ? Imaginez par exemple que vous disiez :

À votre patron : *« Salut, chef – espèce de glandeur incompétent ! »*

À une cliente (vous êtes un homme) : *« Merci pour votre fidélité, et permettez-moi d'ajouter que vous avez de splendides nibards ! »*

À votre voisin (vous êtes une femme) : *« Merci de m'avoir aidée à décharger la voiture. Vous avez un beau petit cul bien ferme, mais quel est le plouc qui vous coupe les cheveux ? »*

À votre belle-mère : *« Quelle corvée de vous revoir, vieille chouette fouineuse et pot de colle ! »*

Quand une femme vous demande : « Est-ce que cette robe me grossit ? », que répondez-vous ? Si vous êtes un homme prudent, vous lui répondrez que cette tenue lui va à ravir, alors que vous pensez peut-être : « Ce n'est pas la robe qui te grossit, ce sont tous les gâteaux et toutes les glaces que tu manges ! »

Si vous disiez leurs quatre vérités à tous les gens que vous voyez, vous finiriez par vous retrouver tout seul, et peut-être même à l'hôpital ou en prison. Il est des mensonges nécessaires – ce sont ceux qui huilent les rouages de nos rapports avec les autres, et qui nous permettent d'entretenir avec eux des relations harmonieuses ou amicales. On les appelle les *pieux mensonges,* parce qu'ils ont pour objectif le bien-être d'autrui. Des études ont montré qu'on apprécie plus les habitués de ces courtoisies hypocrites que les personnes trop franches – même si on est conscient qu'elles ne sont pas sincères. C'est le *mensonge malveillant* qui est mal considéré, parce qu'il exprime une volonté délibérée de tromper autrui pour en tirer un bénéfice personnel.

Les recherches sur le mensonge

Lorsque quelqu'un ment, les indices les moins fiables sont ceux qu'il maîtrise facilement – comme par exemple ses paroles, qu'il peut avoir répétées à l'avance. Et les plus fiables sont les gestes et les signaux qu'il émet automatiquement – et qu'il contrôle mal. Ces signaux ont plus de chances d'apparaître au moment même du mensonge, et sont chargés d'une grande force émotionnelle.

Robert Feldman, de l'Université de Amherst, Massachusetts, a étudié 121 couples pendant des conversations avec une tierce personne. Le premier tiers des participants avait reçu l'instruction de paraître sympathique, le deuxième de se faire valoir, et le troisième de se comporter naturellement. On leur projetait ensuite un enregistrement vidéo de leurs conversations en leur demandant de reconnaître tous leurs mensonges – petits ou gros. Il s'agissait parfois de pieux mensonges – ils devaient affirmer qu'ils aimaient bien une personne qu'en fait ils n'aimaient pas. Mais il y en avait d'autres, beaucoup plus énormes : l'un d'eux avait même prétendu être la vedette d'un groupe de rock. Feldman calcula que 62 % des participants avaient proféré en moyenne deux à trois mensonges toutes les dix minutes. James Patterson, l'auteur de *Le jour où l'Amérique a dit la vérité*, a interrogé deux mille Américains, pour découvrir que 91 % d'entre eux mentaient régulièrement, au travail comme chez eux.

La meilleure politique est de toujours dire la vérité, sauf si vous êtes un menteur exceptionnellement doué.
J.K. JEROME

Comment peut-on savoir si quelqu'un ment, s'il élude une question ou s'il est tout simplement en train de réfléchir ? Le décryptage des signes de tromperie, de tergiversation et d'évaluation est peut-être le domaine du langage corporel le plus important à connaître. Ce chapitre vous apprendra à détecter les signaux corporels qui trahissent l'hypocrisie ou le jugement critique, à commencer par les indices du mensonge et de la tromperie.

La politique de l'autruche

« Je n'entends rien, je ne vois rien, je ne dis rien », disent chacun des malins petits singes qui symbolisent un vieux dicton chinois. Ne pas entendre le mal, ne pas le voir et ne pas le dire, pour qu'il vous épargne. Leurs gestes enfantins de la *main au visage* sont les gestes élémentaires de la tromperie. Quand nous voyons, proférons ou entendons des propos mensongers ou trompeurs, nous avons tendance à nous couvrir les yeux, la bouche ou les oreilles avec les mains.

« Je ne vois rien, je n'entends rien, je ne dis rien. » –
La politique du « Pas vu pas pris ».

Quand on apprend une affreuse nouvelle, ou quand on assiste à un horrible accident, on se couvre parfois le visage des deux mains, en geste symbolique de refus de voir ou d'entendre. On a vu des centaines de téléspectateurs ou d'auditeurs de la radio faire ce geste le 11 septembre 2001.

Comme nous l'avons déjà vu, les enfants se couvrent la bouche quand ils mentent, comme pour tenter d'arrêter les mots qui en sortent. Et quand ils ne veulent pas entendre les réprimandes de leurs parents, ils se couvrent les oreilles. Ces gestes sont plus furtifs et moins évidents chez l'adulte, mais on y recourt encore quand on ment, quand on cache la vérité, ou quand on est témoin d'une tromperie.

Ces gestes sont aussi des manifestations de doute, d'incertitude ou d'exagération. Lors d'un jeu de rôle organisé pour une étude sur la gestuelle, Desmond Morris avait demandé à un certain nombre d'infirmières de mentir à leurs patients sur leur santé. Celles qui mentaient ont porté leurs mains à leur visage plus souvent que les autres. Autre signe de mensonge, les hommes comme les femmes avalent plus souvent leur salive, mais ce signal est plus visible chez les premiers, qui ont une pomme d'Adam plus développée que leurs compagnes.

« Je n'ai jamais eu de rapports sexuels avec cette femme », affirma ce célèbre politicien en avalant sa salive et en se caressant le nez.

Comme nous l'avons expliqué dans l'introduction, ces signaux corporels seront décrits et étudiés isolément, bien qu'ils n'apparaissent en général pas ainsi. Ils font partie d'une posture globale plus large, et on doit toujours les envisager comme des mots à l'intérieur d'une phrase – c'est-à-dire les relier les uns aux autres, ainsi qu'au contexte de la situation. Ce n'est pas parce qu'une personne porte la main à son visage qu'elle est forcément en train de mentir. Cela peut, en revanche, indiquer qu'elle cache une information, et c'est l'observation attentive de ses autres gestes qui permettra de confirmer ou d'infirmer ces soupçons.

S'il n'y a pas de mouvement, de geste ni de mimique qui puisse garantir qu'on est témoin d'un mensonge, il existe plusieurs postures globales que vous pouvez apprendre à reconnaître – et dont le « décryptage » vous évitera de vous laisser berner.

La vérité se lit sur le visage

Le visage est la partie du corps la plus employée pour le camouflage des mensonges. Sourires, clignements d'yeux et hochements de tête sont autant d'entreprises de dissimulation, malheureusement contredites par d'autres signaux corporels – qui eux ne mentent pas – et c'est le manque de cohérence entre ces mimiques et les autres gestes qui trahit le menteur. Le visage est le livre ouvert de nos émotions et de nos états d'esprit, mais nous en avons rarement conscience.

Les incohérences fugitives des expressions faciales sont révélatrices de conflits d'émotions.

Quand quelqu'un essaie de masquer un mensonge, ou quand une idée subite lui passe par la tête, un signal fugitif se lit souvent sur son visage. On interprète habituellement comme une démangeaison le geste rapide d'un grattement de nez, et comme un signe d'intérêt la main posée sur la joue. Or, quand on observe ces signaux dans leur contexte, ils peuvent révéler des attitudes totalement différentes. Nous avons un jour filmé un homme qui nous racontait qu'il s'entendait très bien avec sa belle-mère. Chaque fois qu'il prononçait son nom, le côté gauche de son visage se relevait en rictus. Ce tic ne durait qu'une fraction de seconde, mais il en disait long sur ses sentiments réels.

Les femmes mentent mieux, c'est vrai

Dans *Pourquoi les hommes mentent et les femmes pleurent* (Éditions First) nous avons montré que les femmes sont plus douées que les hommes quand il s'agit de lire les émotions, et qu'elles sont donc plus efficaces qu'eux dans la manipulation par le mensonge. C'est une caractéristique que l'on trouve déjà chez les nourrissons de sexe féminin qui se mettent à crier par empathie avec leurs homologues masculins quand ceux-ci pleurent, ou qui poussent des cris dès qu'elles fondent en larmes. Sanjida O'Connell, l'auteur de *Mindreading (La télépathie)*, a étudié pendant cinq mois les différentes façons de mentir, et en a conclu que les femmes sont nettement plus adroites que les hommes dans cet exercice. Elles sont capables d'élaborer des mensonges beaucoup plus compliqués que leurs compagnons – qui dépassent rarement le « J'ai raté mon bus » ou « La batterie de mon mobile était à plat, je n'ai pas pu t'appeler ». La chercheuse a également découvert que plus une personne est attirante physiquement, plus on a tendance à la croire – ce qui explique pourquoi John Kennedy et Bill Clinton ont si bien réussi à faire avaler leurs mensonges.

Pourquoi mentir est difficile

Comme nous l'avons dit dans le chapitre 3, la plupart des gens croient que les menteurs ont tendance à multiplier les sourires, mais les recherches ont prouvé le contraire – ils sourient moins que d'ordinaire. Ce qui se passe lors d'un mensonge, c'est que le cerveau subconscient agit automatiquement, sans tenir compte du discours verbal, et le langage corporel trahit la tromperie. Voilà pourquoi les menteurs occasionnels sont facilement démasqués malgré leurs paroles convaincantes. Leur corps émet des signaux contradictoires, on éprouve la nette impression qu'ils ne disent pas la vérité. Les menteurs professionnels, comme les hommes politiques, les avocats, les acteurs ou les animateurs télé ont tellement peaufiné leur gestuelle qu'il est parfois difficile de déceler leurs mensonges. Ils réussissent à faire avaler n'importe quoi.

Ils ont pour cela deux méthodes à leur disposition : la première consiste à s'entraîner aux gestes qui « respirent » la sincérité – ce qui exige une longue pratique – et à les rôder sur un grand nombre de mensonges. La deuxième technique suppose une réduction de leur gestuelle et donc de l'émission de signaux négatifs – retenue qui n'est pas non plus d'une maîtrise aisée !

Les menteurs peuvent s'entraîner à devenir convaincants – comme les comédiens.

Essayez de mentir délibérément en regardant votre interlocuteur dans les yeux et en vous efforçant de ne faire aucun geste. Même si les mouvements de votre corps sont consciemment réprimés, vous ne pourrez pas empêcher la transmission des microsignaux du mensonge : légère contraction des muscles faciaux, dilatation et contraction des pupilles, transpiration, rougissement, clignements des yeux – qui peuvent passer de dix à cinquante par minute. Des films passés au ralenti ont montré que ces micro-indices de la tromperie apparaissent pendant une fraction de seconde, et que seuls les spécialistes ou les personnes très perspicaces sont capables de les lire.

Pour qu'un mensonge « passe », il faut que le corps du menteur soit absent ou caché. Quand ils interrogent un suspect, les policiers l'assoient sur une chaise placée au milieu d'un espace vide, sous un fort éclairage direct, ce qui leur permet de lire facilement ses signaux corporels. Il est plus facile de mentir quand on est assis derrière un bureau ou derrière une cloison – la situation idéale étant évidemment celle de la conversation téléphonique.

Les huit gestes courants des menteurs

1. La main sur la bouche

C'est le cerveau subconscient qui pousse la main à couvrir la bouche, comme pour l'empêcher de prononcer les mots trompeurs. Qu'il ne s'agisse que de quelques doigts ou du poing fermé, la signification est la même.

Certains essaient de masquer ce réflexe en toussant. On voit souvent ce geste chez les acteurs incarnant des gangsters ou des criminels en train de discuter avec des complices ou quand ils sont interrogés par la police – c'est ainsi qu'ils signalent aux spectateurs qu'ils sont en train de mentir.

La main sur la bouche.

Si votre interlocuteur recourt à ce geste en parlant, cela peut indiquer qu'il ment. S'il se couvre la bouche pendant que vous parlez, il pense peut-être que c'est vous qui mentez, ou que vous lui cachez quelque chose. Il est très déstabilisant pour un conférencier de remarquer ce signal chez les membres de son auditoire. Il faudrait alors qu'il interrompe son exposé pour demander : « Avez-vous des questions à poser ? » ou « Je vois que certains d'entre vous ne sont pas d'accord ». En laissant son public formuler ses objections, il se donnerait aussi l'occasion de préciser sa pensée. Le procédé s'avère aussi efficace que lorsqu'il s'agit d'abattre la barrière des bras croisés.

Le geste de la *main sur la bouche* peut paraître aussi inoffensif que le signe *« chut ! »*, fréquemment utilisé par les parents pour faire taire leurs enfants, où l'index se place devant la bouche à la verticale. Dans une conversation en face à face, ce geste signifie l'interdiction d'exprimer ce qu'on ressent. C'est le signal d'alerte que son auteur vous cache quelque chose.

Si vos parents vous adressaient ce signal quand vous étiez enfant, il y a de grandes chances qu'il fasse partie de votre répertoire gestuel.

2. La main sur le nez

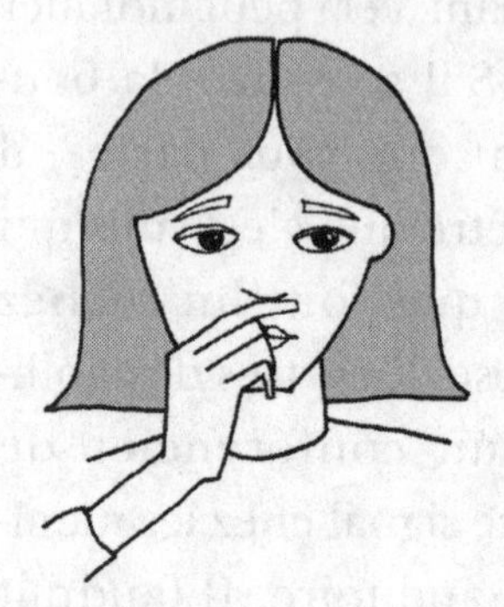

La main sur le nez.

Le geste qui consiste à porter la *main sur le nez* peut se décomposer en plusieurs contacts furtifs. Ceux des femmes sont plus courts et plus rapides que ceux des hommes – peut-être parce qu'elles ne veulent pas abîmer leur maquillage.

N'oubliez pas que le sujet peut tout simplement être enrhumé ou victime d'une allergie. Les auto-contacts sur le nez ne signalent le mensonge ou la tromperie que s'ils s'inscrivent dans un ensemble de gestes cohérents, et que la situation se prête à cette interprétation.

Le neurologue Alan Hirsch et le psychiatre Charles Wolf ont analysé le témoignage de Bill Clinton devant le Grand Jury sur ses relations avec Monica Lewinsky. Ils ont découvert que, lorsque Clinton était sincère, il se touchait rarement le nez. Mais quand il mentait, il fronçait les sourcils pendant une fraction de seconde avant de porter la main à son nez – un geste répété toutes les quatre minutes, et qu'il a esquissé à 26 reprises. Chaque fois que ses réponses étaient honnêtes, ce geste n'apparaissait pas. Je vous laisse en tirer les conclusions qui s'imposent !

« Je n'ai pas eu de relations sexuelles avec cette femme. »

Certaines études réalisées à l'aide de la technique de l'imagerie médicale ont révélé que le pénis des menteurs trahissait aussi leurs mensonges en gonflant sous l'effet de la tension. Une vérification à laquelle le Grand Jury de Bill Clinton pouvait difficilement procéder.

3. Votre nez vous démange ?

Quand on se frotte ou qu'on se gratte le nez pour soulager une démangeaison, c'est en général avec beaucoup plus de fermeté que l'attouchement furtif du monsieur qui ment. Et il s'agit le plus souvent d'un geste isolé, sans aucun lien avec le langage verbal du sujet. Comme celui de la *main sur la bouche*, ce geste peut indiquer chez celui qui écoute qu'il met en doute la véracité des propos de celui qui parle.

4. Le frottement des yeux

« Je ne vois rien », dit le deuxième petit singe. Un enfant se cache les yeux des deux mains quand il refuse de regarder ce qu'il trouve désagréable. Dans la même situation, un adulte a tendance à se frotter les yeux. Le geste du *frottement des yeux* révèle que le cerveau tente de bloquer une image trompeuse, douteuse ou déplaisante, ou la vue de la personne à qui on est en train de mentir. Les hommes ont tendance à se frotter énergiquement les paupières supérieures et, si leur mensonge est particulièrement grossier, ils détournent carrément le regard. Les femmes préfèrent en général caresser leur paupière inférieure sans fermer l'œil – soit parce qu'elles ont appris à éviter les gestes violents, soit pour protéger leur maquillage. Elles aussi détournent volontiers les yeux de la personne qui les écoute.

Un signal associé au frottement des yeux est celui des dents serrées et du faux sourire. Le sujet « parle entre ses dents », comme le font souvent les acteurs de cinéma pour simuler l'hypocrisie – ou les Anglais qui ont tendance à exprimer ce qu'ils pensent sous une forme atténuée.

5. La main à l'oreille

Imaginez que vous dites à quelqu'un : « Cela ne coûte que trois cents euros », et qu'il vous réponde « Ça m'a l'air d'être une bonne affaire » en détournant les yeux et en portant la main à l'oreille. C'est le symbole typique du « Je

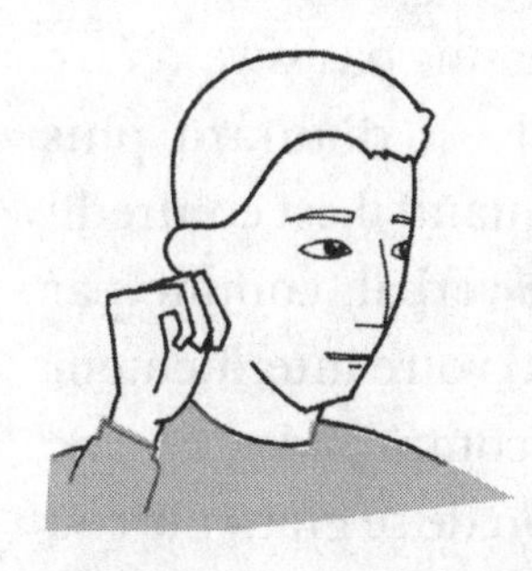

n'entends rien », où la main tire sur le lobe de l'oreille ou la recouvre complètement, comme pour empêcher les mots trompeurs d'y pénétrer – la version adulte de l'enfant qui se bouche les deux oreilles pour ne pas entendre les réprimandes de ses parents. Le signal de la *main à l'oreille* a plusieurs variantes : celle du coton-tige – où le bout de l'auriculaire fouille le conduit auditif – celle du pincement du lobe, ou encore celle qui consiste à rabattre le pavillon sur l'orifice du conduit auditif.

La main à l'oreille peut aussi signaler qu'on en a assez entendu et qu'on souhaite prendre la parole. Comme pour la main sur le nez, il peut également s'agir d'une manifestation d'anxiété : on voit souvent le prince Charles d'Angleterre se caresser le nez et l'oreille en entrant dans une salle comble ou en marchant devant une foule. Nous n'avons retrouvé ces gestes dans aucune séquence filmée, sur aucune photo le montrant à l'abri dans sa voiture.

Notons que les Italiens recourent volontairement à ce geste à l'endroit d'un homme efféminé ou homosexuel.

6. Le grattement du cou

C'est habituellement l'index droit – celui de la main qui écrit – qui gratte le cou sous le lobe de l'oreille. D'après nos observations, ce geste est répété en moyenne cinq fois – rarement plus, rarement moins. Ce geste est un signal de doute, d'incertitude et il est caractéristique de la personne qui

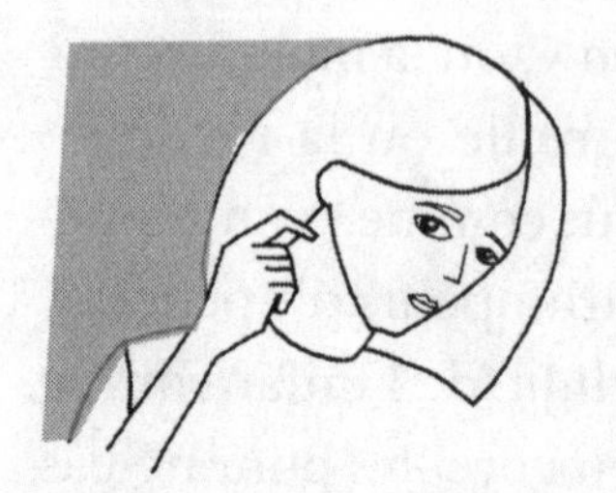

pense : « Je ne suis pas sûre d'être d'accord. » Il est d'autant plus remarquable quand il est contredit par le langage verbal, comme par exemple quand votre interlocuteur vous assure « comprendre ce que vous ressentez » alors même que sa façon de se gratter le cou vous signifie l'inverse.

7. Écarter son col de chemise

Desmond Morris a été l'un des premiers à découvrir que le mensonge provoque une sensation de picotement dans les tissus délicats de la peau du visage et du cou, qu'on éprouve le besoin de gratter. C'est ce qui explique que le doute ou l'incertitude pousse à écarter l'encolure de sa chemise ou de son pull, mais que ce geste révèle aussi le malaise du « menteur » qui craint d'avoir été démasqué. La montée de la tension artérielle entraîne en effet une transpiration au niveau du cou du menteur qui devine qu'on ne le croit pas.

Le même phénomène se produit chez le sujet en proie à la colère ou à une contrariété, et qui écarte son col pour laisser l'air circuler. Quand vous voyez quelqu'un faire ce geste, demandez-lui « Pouvez-vous répéter, s'il vous plaît ? » ou « Soyez gentil de préciser votre pensée ». S'il s'agit d'un mensonge, vous en aurez vite le cœur net.

8. Les doigts dans la bouche

Tentative inconsciente de retrouver la sécurité du bébé qui tète sa mère, ce geste apparaît fréquemment chez les personnes tendues qui cherchent à se réconforter. Pour se rassurer, le jeune enfant suçait son pouce ou un morceau de tissu pour remplacer le sein maternel. L'adulte met les *doigts dans la bouche*, se caresse les lèvres, mâche du chewing-gum, fume des cigarettes, des cigares ou la pipe, suce son stylo ou ses lunettes.

Besoin de se rassurer.

Si la plupart des gestes de la main sur la bouche sont associés au mensonge ou à l'hypocrisie, celui des doigts dans la bouche signale un besoin de réconfort.

Les gestes d'évaluation et de tergiversation

On dit souvent qu'un bon orateur est celui qui sent instinctivement s'il intéresse ou non son auditoire, et qui sait s'arrêter avant de le lasser. Un bon vendeur connaît les sujets qu'il est épineux d'aborder et sait deviner les intérêts de son client. Il existe heureusement des indicateurs fiables du désintérêt d'un auditoire qui permettent à l'orateur de réagir à temps. Il s'agit de deux types d'indices gestuels : la *main-sur-la-joue* et la *main-au-menton.*

L'ennui

Quand vous voyez la personne qui vous écoute se soutenir la tête avec la main, c'est un signal que l'ennui s'installe et qu'elle cherche à s'empêcher de tomber de sommeil – le niveau de son ennui étant proportionnel à la fermeté du support manuel. Cela commence en général par un pouce sous le menton.

La main soutient la tête pour l'empêcher de tomber de sommeil.

La tête reposant complètement sur la main traduit un désintérêt total, et le signal ultime de l'ennui, c'est évidemment quand, dans cette position, de sonores ronflements commencent à se faire entendre.

Les doigts qui pianotent sur la table et les pieds qui tapent le plancher sont souvent interprétés comme des signes d'ennui, alors qu'ils sont en réalité une manifestation d'impatience. Si vous êtes en train de parler devant un groupe et que l'un de vos auditeurs émet ces tac-tac-tac si agaçants, proposez-lui de prendre la parole, pour éviter l'effet de contagion sur les autres auditeurs.

« Est-ce que vous parlez en dormant ? » demanda l'orateur.
« Non, c'est vous qui parlez quand je dors. »

Les gestes d'évaluation

L'attitude d'évaluation positive se traduit par une main fermée posée sur le menton ou la joue, avec l'index pointé vers le haut. Quand l'intérêt du sujet commence à retomber, mais qu'il ne veut pas le montrer, la paume de la main s'ouvre sous le menton pour le soutenir. Ne confondez pas ces deux attitudes.

Évaluation positive (intérêt) – La tête se tient droite et la main se pose sur le menton.

On voit souvent les cadres d'une entreprise adopter cette posture en écoutant un discours interminable de leur PDG. Leur ennui commence à percer dès que leur main commence à soutenir leur tête et, si l'orateur est perspicace, il saura y lire un intérêt flatteur et simulé.

Pensées négatives.

L'index qui monte le long de la joue et le pouce qui se place sous le menton trahissent un jugement critique ou négatif envers l'orateur ou le sujet qu'il développe. Si le phénomène s'accentue, l'index vient parfois frotter l'œil ou tirer sur la paupière.

Pour ne pas interpréter – à tort – ce geste comme un signe d'intérêt, c'est le pouce sous le menton qu'il faut surveiller, car c'est lui qui traduit l'esprit critique. Comme toute posture globale renforce l'attitude psychique, plus ce geste dure et plus il est révélateur du jugement négatif. L'orateur doit alors intervenir rapidement – en mettant fin à son discours ou en adressant un signal à l'auteur du geste. Le seul fait de lui tendre quelque chose lui fera changer de posture – et souvent aussi d'état d'esprit.

Le Penseur de Rodin illustre une attitude d'évaluation et de réflexion, mais la posture du corps ajoute celle de l'abattement.

Entretien avec un menteur

Nous avons un jour reçu en entretien un étranger qui avait posé sa candidature pour un poste dans notre société.

Il a gardé les bras et les jambes croisées pendant toute la conversation, a multiplié les gestes d'évaluation critique, ouvrant très rarement les paumes des mains, et détournant très fréquemment le regard. Il était visiblement préoccupé, mais au début de l'entretien, nous n'avions pas suffisamment d'informations pour décoder ses postures négatives avec certitude. Nous lui avons alors posé des questions sur ses emplois précédents et sur son pays d'origine – auxquelles il a répondu avec force frottements des yeux et du nez, toujours en détournant les yeux. Nous avons décidé de ne pas l'embaucher, estimant que son langage corporel était trop contraire à son discours. Mais comme nous étions intrigués par l'abondance de gestes suggérant des mensonges, nous avons vérifié ses références à l'étranger – et découvert que certains des renseignements qu'il nous avait fournis étaient faux. Il pensait probablement qu'un employeur étranger ne se donnerait pas cette peine. Si nous n'avions pas su décrypter ses gestes et ses mimiques, nous aurions probablement commis l'erreur de l'embaucher.

Les caresses du menton

La prochaine fois que vous aurez l'occasion de faire une présentation devant un groupe de personnes, observez-les attentivement. Vous remarquerez probablement plusieurs mains qui se posent sur les visages en posture d'évaluation. À la fin de votre exposé, si vous demandez à votre auditoire quelles sont ses questions et ses suggestions, les gestes d'évaluation laisseront la place aux *caresses du menton.* C'est le signal du passage à la décision.

1. Le moment de la décision.

2. Version féminine de la caresse du menton.

Observez alors les gestes qui suivront, pour y lire les réactions positives ou négatives. Ne parlez plus, contentez-vous de scruter les postures. Si les caresses du menton sont suivies de croisements de bras et de jambes, associés à l'appui sur le dossier de la chaise, il y a fort à parier que la réponse sera « non ». Il sera encore temps d'insister sur les avantages de votre proposition avant que l'expression orale d'un « non » ne vienne compromettre la réussite de votre projet.

Postures globales d'hésitation

Après la phase d'évaluation, on verra souvent le sujet enlever ses lunettes et en porter une branche à la bouche au lieu de se caresser le menton. Le fumeur tirera une bouffée de sa cigarette. Quand vous demandez à quelqu'un de prendre une décision et qu'il se met à sucer ou mordiller un doigt ou son crayon, c'est signe qu'il hésite et qu'il faut le rassurer. Tous ces gestes permettent de retarder la décision – comme si l'on cherchait à gagner du temps avant de répondre.

Il arrive que les gestes de l'ennui, de l'évaluation et de la décision se combinent, et que chacun d'eux traduise une des facettes de l'attitude de la personne.

Sur le dessin ci-dessous, le geste d'évaluation est descendu jusqu'au menton. La personne est en train d'évaluer une proposition et d'en tirer les conclusions.

Combinaison des signaux d'évaluation et de prise de décision.

Lorsqu'une personne commence à se désintéresser de ce qu'elle écoute, sa tête repose sur sa main. Sur le dessin qui suit, le pouce se glisse sous le menton.

Combinaison des signaux d'ennui, d'évaluation et de prise de décision.

Arnold Schwarzenegger enfonce son clou sous le regard réfléchi du présentateur de l'émission.

Frottements et claques sur la tête

Quand les anglophones disent de quelqu'un qu'il est « casse-pieds », ils utilisent l'expression « c'est une vraie douleur dans le cou » – une référence à l'action des micromuscles qui érigent les poils – ceux qui provoquent « la chair de poule » – en cas de menace ou de colère, comme chez le chien et le chat confrontés à un animal hostile. Cette réaction provoque chez l'homme des picotements dans la nuque en cas de peur ou de contrariété – ce qui le pousse à la frotter pour soulager cette sensation.

Le frottement de la nuque.

Supposons par exemple que vous ayez demandé à quelqu'un de vous rendre un petit service et qu'il ait oublié de le faire. Quand vous lui en reparlez, il se tapote le front ou le cou de la main – comme s'il battait sa coulpe. Se frapper la tête est effectivement un signe d'oubli, mais il vous faudra vérifier qu'il s'agit bien du front et non de la nuque. Si c'est le front, cela signifie qu'il n'est pas gêné d'avoir oublié. Mais s'il se tapote ou se frotte la nuque, il vous envoie clairement le message que vous le mettez en difficulté et que vous lui « cassez les pieds ».

Gerard Nierenberg, du *Negotiation Institute* de New York, a découvert que les gens qui se frottent régulièrement la nuque ont tendance à se montrer négatifs ou critiques, alors que ceux qui se frottent le front quand ils ont fait une erreur sont plus ouverts et plus souples.

Il se punit en se frappant le front.

Décoder la signification des gestes de la main suppose un long apprentissage et un affinement de vos facultés d'observation. Tous les signaux décrits dans ce chapitre trahissent sans doute une attitude plus ou moins négative. Reste à la définir avec exactitude : doute, hypocrisie, hésitation, exagération, appréhension, contrariété, ou mensonge éhonté : quelle piste privilégier ? Le talent consiste à identifier le sens de ces signes négatifs. Il faut pour cela examiner les gestes ou les postures qui les ont précédés, et ne jamais perdre de vue le contexte dans lequel ils apparaissent.

Pourquoi Bob perdait aux échecs

Bob, un de nos collègues, est un grand amateur d'échecs. Nous l'avons mis au défi de participer à un championnat – et nous l'avons filmé en cachette pour pouvoir ensuite analyser son langage corporel. Quand nous avons visionné la vidéo, nous avons remarqué qu'il se frottait souvent le nez et l'oreille, mais uniquement dans les moments d'hésitation. Au lieu de poser la main sur le pion qu'il avait l'intention de déplacer, il manifestait son projet en se touchant le visage. Chaque fois qu'il pensait pouvoir contrecarrer un mouvement de son adversaire – et qu'il savait probablement déjà comment – il signalait sa confiance en lui par le geste des mains en clocher. Quand il était au contraire inquiet ou hésitant, il se couvrait la bouche de la main, il s'étirait le lobe de l'oreille, ou se grattait le cou. Ces gestes étaient tellement prévisibles que, le simple fait de les avoir signalés à ses adversaires (à son insu), a permis à la plupart d'entre eux de prendre l'avantage : il leur suffisait en effet de l'observer pour anticiper ses pensées.

Les gestes à double sens

Nous avons un jour reçu en entretien un homme que nous avons filmé pendant une séance de jeu de rôle. À la suite d'une question posée par l'un de nos collaborateurs, il s'est brusquement mis à se frotter le nez et à plaquer la main sur sa bouche. Cela a duré quelques secondes, puis il a repris la posture ouverte qu'il avait adoptée au début : veste déboutonnée, paumes des mains visibles, hochements de tête, inclinaison du buste vers l'avant – pour répondre aux questions. Nous avons tout d'abord pensé que les signaux ponctuels de la main au visage étaient des gestes isolés, en désaccord avec le contexte. Après avoir visionné le film une seconde fois, nous lui avons demandé pourquoi il avait ainsi subitement porté la main à la bouche et au nez. Il nous a répondu que pour cette question précise, il avait hésité entre deux réponses – une négative et une positive. C'est en pensant à la première qu'il s'était couvert la bouche de la main. Mais son bras était retombé dès qu'il avait envisagé l'alternative – et il avait retrouvé sa posture globale positive. C'est la perspective de notre réaction à sa réponse négative qui l'avait poussé à se couvrir la bouche.

Il est extrêmement facile de mal interpréter les gestes de la main au visage, et d'en tirer des conclusions hâtives erronées. Donc, soyez attentifs et prudents dans votre évaluation.

Chapitre 8

LES SIGNAUX DES YEUX

Certains hommes ont un regard
qui perce même les surfaces opaques.

Le regard et ses effets sur le comportement humain ont de tous temps passionné les hommes. Les regards qui se croisent jouent en rôle décisif dans toutes les conversations et les expressions ne manquent pas pour en évoquer les significations. « Il m'a regardé de haut » traduit un sentiment de domination, « Regarde-moi dans les yeux » exprime le soupçon que l'autre ment, et on dira de quelqu'un que l'on sent hostile : « Il m'a regardé de travers. » Si nous passons beaucoup de temps à regarder le visage des autres, la « lecture » de leur regard est essentielle pour comprendre leurs attitudes et leurs émotions. Lors d'une première rencontre, ce sont souvent les yeux de l'inconnu qui forment la base de notre première impression.

Il existe une foule d'expressions pour souligner l'impact du regard : « Foudroyer du regard », « Lancer un regard assassin », « Avoir quelqu'un à l'œil », « Faire les yeux doux », « Faire de l'œil », « Jeter le mauvais œil ». Et une pléthore d'adjectifs pour les qualifier : un regard peut être vide, glacial, fuyant, oblique, enjôleur, sournois, noir, perfide, assassin, vicieux, perçant, candide. Tous ces mots font référence à la taille de la pupille et à l'intensité du regard. Les yeux sont le point de mire du visage et les signaux qu'ils émettent sont probablement les plus révélateurs et les plus fiables, car le mouvement des pupilles échappe à tout contrôle.

La dilatation des pupilles

Même si l'intensité de l'éclairage ne change pas, la taille des pupilles varie en fonction des changements d'humeur. Elles se dilatent à la moindre excitation – elles peuvent quadrupler de volume – et se contractent sous l'effet de la colère ou d'une émotion négative – c'est ce qu'on appelle le *regard de serpent.* Les yeux clairs sont les plus intéressants à observer, parce que la dilatation de la pupille y est plus perceptible.

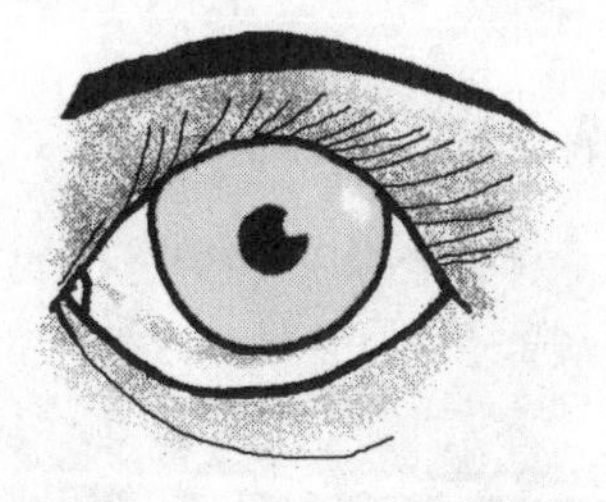

Le regard froid du serpent.

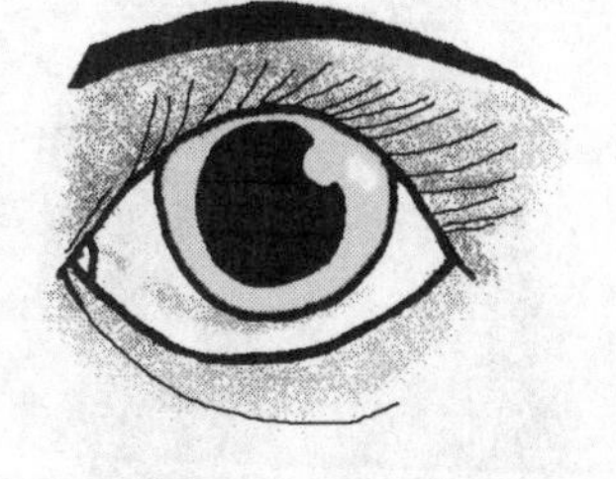

Le regard sexy.

Eckhard Hess, pionnier de la mesure des pupilles, a découvert que leur dilatation est due à une stimulation, et notamment sous l'effet de l'excitation sexuelle. Chez les hétérosexuels hommes et femmes, la photo d'un mannequin dénudé du sexe opposé provoque une dilatation des pupilles, tandis qu'elles se contractent à la vue d'un mannequin nu du même sexe. Hess a constaté les mêmes phénomènes chez les sujets qui regardaient des photos agréables ou déplaisantes : plats appétissants, enfants handicapés, scènes de guerre. Il a également démontré que l'activité mentale associée à la résolution d'un problème entraînait une dilatation des pupilles qui culmine au moment de la découverte de la solution.

En appliquant ces découvertes à la communication professionnelle, nous avons constaté que les photos de visages que nous avions retouchées en agrandissant les pupilles étaient jugées plus attirantes que les clichés originaux. Il en découlait une méthode publicitaire très efficace pour tous les produits « vendus » par des photos en gros plan, cosmétiques, lotions capillaires ou lunettes. Ce procédé a permis d'augmenter de 45 % les ventes par catalogue des rouges à lèvres Revlon.

Quelle est la photo qui vous semble la plus attirante ?

Le regard est un des signaux majeurs de la séduction, et le maquillage a pour but d'en amplifier l'impact. Quand une femme est attirée par un homme, ses pupilles se dilatent, et il décode probablement ce signal sans même s'en rendre compte. Cela explique pourquoi on apprécie tant les éclairages tamisés pour une soirée romantique. Les pupilles dilatées favorisent l'impression d'une attraction réciproque.

Quand un homme est attiré par une femme, quelle est la partie de son anatomie qui triple de volume ?

Quand deux amoureux se regardent au fond des yeux, ils guettent inconsciemment la dilatation des prunelles de leur bien-aimé. Certaines études ont montré que les pupilles des hommes en train de regarder un film porno peuvent tripler de taille. Quant aux femmes, ce sont les photos de mamans et de leur bébé qui sont les plus spectaculaires à cet égard : les pupilles des bébés sont plus larges que celles des adultes, et elles se dilatent constamment en leur présence, pour attirer leur attention sur eux. Voilà pourquoi les animaux en peluche et les poupées qui se vendent le mieux ont des pupilles immenses.

Selon une autre étude, les prunelles dilatées sont aussi contagieuses. Les pupilles des hommes qui regardent des photos de visages féminins aux pupilles dilatées s'agrandissent plus que devant des portraits aux pupilles resserrées.

Le test de la pupille

Le décodage de la pupille dilatée est intégré au cerveau et se produit inconsciemment. Pour le vérifier, cachez le diagramme A de l'illustration ci-dessous et dites à quelqu'un de regarder fixement le diagramme B. Puis demandez-lui de fixer le diagramme A. Vous verrez ses pupilles se dilater, parce que son cerveau croit regarder des yeux qui le trouvent attirant. Les pupilles des femmes se dilatent plus rapidement que celles des hommes.

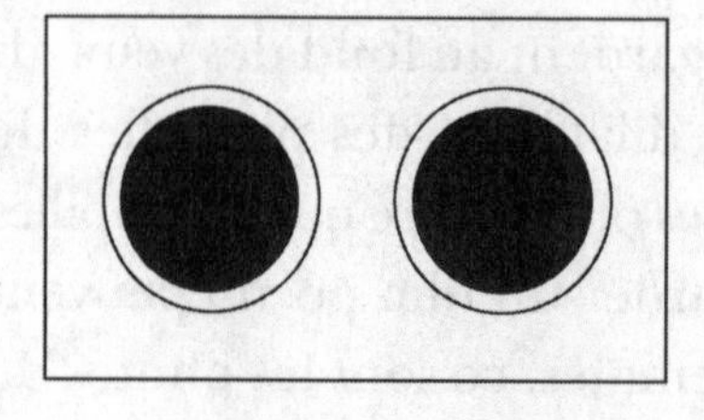

Diagramme A.

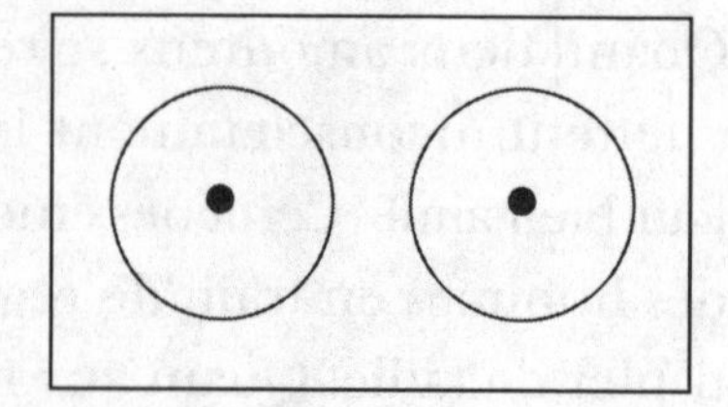

Diagramme B.

Eckhard Hess a testé les réactions des pupilles en demandant aux participants de son étude de regarder cinq photos : une femme nue, un homme nu, un bébé seul, un bébé avec sa mère, un paysage. Comme il fallait s'y attendre, c'est devant le nu féminin que les pupilles des hommes se sont dilatées au maximum – devant le nu masculin pour les homosexuels. Chez les femmes, la dilatation la plus forte est apparue avec la photo de la mère et de l'enfant – avant celle de l'homme nu.

Une série de tests réalisés avec des joueurs de cartes émérites ont montré que les meilleurs gagnaient moins de parties quand leurs adversaires portaient des lunettes noires. Quand un joueur recevait une main de quatre as pour une partie de poker, son adversaire décodait rapidement la dilatation de ses pupilles et sentait qu'il valait mieux ne pas renchérir. Les lunettes noires empêchaient ce décryptage, ce qui rendait la partie plus difficile à gagner.

Les marchands de pierres précieuses de la Chine ancienne guettaient la dilatation des pupilles de leurs clients quand ils négociaient les prix. Les courtisanes italiennes mettaient autrefois dans leurs yeux des gouttes de *belladone* – une teinture contenant de l'atropine – pour paraître plus désirables (bella donna signifie « belle femme » en italien).

Les yeux de David Bowie ne sont pas de la même couleur – l'un est bleu, l'autre est noisette – et l'une de ses pupilles est constamment dilatée. 1 % de la population a des yeux vairons. Dans le cas du chanteur, cette particularité est le résultat d'une bagarre à propos d'une fillette quand il avait 12 ans !

Le conseil « Regardez dans les yeux ceux à qui vous parlez » est un vieux cliché des formations commerciales. Mieux vaut apprendre à regarder leurs pupilles si vous voulez vraiment savoir ce qu'ils pensent.

Les femmes sont plus douées, comme d'habitude

Le Dr Simon Baron-Cohen, de l'Université de Cambridge, a mené une série de tests sur le décryptage des expressions oculaires : il montrait aux participants des photos de visages dont on ne voyait que les yeux. Les participants avaient le choix entre plusieurs qualificatifs (« détendu », « amical », « hostile », « inquiet ») pour définir ces regards auxquels ils pouvaient aussi attribuer des intentions comme « Je vous désire », ou « Je désire quelqu'un d'autre ».

Des réponses données au hasard auraient dû donner statistiquement 50 % d'exactitudes et d'erreurs. Or il se trouve que les hommes trouvaient les réponses exactes pour 19 des 25 photos, tandis que les femmes tombaient juste dans 22 cas. Ce qui prouve, *primo* que les hommes comme les femmes décodent plus facilement les signaux oculaires que les autres signaux corporels – et deuxièmement, que les femmes sont plus perspicaces que les hommes. Les spécialistes ne savent pas encore si c'est une question d'intuition ou de décryptage conscient, ils se contentent de ce constat.

Se regarder dans le blanc des yeux

Contrairement aux yeux des autres primates, ceux des êtres humains sont entourés par la sclérotique – la membrane blanche que l'on voit autour de l'iris. Ce qu'on appelle le « blanc de l'œil » s'est développé comme outil de communication, pour permettre aux hommes de savoir où regardaient leurs semblables – l'orientation du regard étant liée aux états émotionnels. Le cerveau des femmes est mieux équipé que celui des hommes pour décoder les émotions, et c'est une des raisons qui expliquent que le blanc de leur œil est plus développé. Les yeux des primates n'en ont pratiquement pas, si bien que leurs proies ne voient pas s'ils les ont repérées, et que la chasse leur est ainsi facilitée.

Les humains sont les seuls primates à bénéficier d'un blanc d'œil large.

Le haussement de sourcils

Signal quasi universel de rencontre amicale depuis l'Antiquité, le *haussement de sourcils* existe aussi chez les singes comme geste de reconnaissance sociale – ce qui prouve le caractère inné de cette mimique. Les sourcils se relèvent pendant une fraction de seconde avant de retomber, l'objet du signal étant d'attirer l'attention sur le visage avant d'échanger de véritables salutations. Le Japon est le seul pays du monde où il est considéré comme déplacé ou impoli, en raison de ses connotations sexuelles.

Le haussement de sourcils.

Cette mimique inconsciente, qui se produit quand on constate la présence d'une personne connue, est probablement liée à la surprise ou à la peur. Le « Tu me surprends et tu me fais peur » devient un « Je te reconnais et je ne te menace pas ». On a d'ailleurs tendance à considérer comme potentiellement agressives les personnes chez qui ce signal n'apparaît pas. On ne hausse pas les sourcils en croisant des inconnus dans la rue, ni en apercevant des gens qui nous déplaisent. Si vous voulez tester l'effet positif de ce signal, asseyez-vous dans un hall d'hôtel et regardez tous les gens qui passent près de vous en haussant furtivement les sourcils. Vous constaterez qu'ils vous renverront votre signal en souriant, et même que certains s'arrêteront pour vous parler. La règle d'or consiste en tout cas à gratifier d'un haussement de sourcils tous ceux que vous aimez – comme ceux dont vous souhaitez être aimé.

Le regard de bébé

Si l'abaissement des sourcils marque chez les humains une attitude dominatrice ou agressive, les hausser est un signe de soumission.

Dans *Pourquoi les hommes mentent et les femmes pleurent* (Éditions First), nous avons montré que les femmes agrandissent leurs yeux en haussant sourcils et paupières, pour donner à leur visage la forme et l'expression de celui d'un bébé. Cette image déclenche chez les hommes une forte sécrétion d'hormones cérébrales, qui stimule en eux le désir de les protéger et de les défendre. Lorsqu'elles s'épilent les sourcils et les redessinent plus haut sur leur front, les femmes accentuent leur expression de soumission parce qu'elles savent – inconsciemment sinon consciemment – l'attirance qu'elle provoque chez les hommes. Quand les hommes s'épilent les sourcils, ils les rapprochent de la paupière pour que leurs yeux paraissent plus étroits et plus autoritaires.

Les sourcils haut perchés de Marilyn Monroe lui donnent l'air soumis ; Ceux de James Cagney, rapprochés des paupières, le font paraître agressif ; et ceux de John Kennedy, se rejoignant sur le nez, traduisent à la fois le sérieux et l'autorité.

John Kennedy avait ce qu'on appelle « des sourcils recourbés vers l'intérieur », qui lui conféraient une expression de préoccupation constante, très appréciée chez un homme politique. S'il avait eu les sourcils touffus de James Cagney, il n'aurait peut-être pas connu le même succès auprès de ses électeurs.

Le regard en coin vers le haut

La princesse Diana à l'âge de huit ans : comme la plupart des petites filles, elle sentait déjà le pouvoir du regard en coin tête baissée.

Les hommes sont touchés par l'expression enfantine des femmes qui baissent la tête en levant les yeux, parce que leur regard rappelle celui des bébés. Les yeux grands ouverts des bébés, qui occupent une large zone du visage, provoquent chez les hommes comme chez les femmes une réaction de « maternage ».

La mimique globale de la princesse Diana :
tête baissée, regard levé en biais – qui lui a gagné la sympathie du monde entier lors de ses problèmes conjugaux.

La princesse Diana était experte dans l'art de garder le menton baissé sur un cou dégagé et vulnérable, tout en levant les yeux en coin devant les photographes. Cette mimique enfantine déclencha dans le public des réactions maternelles et paternelles, particulièrement lors de ses démêlés avec la famille royale d'Angleterre. Ce signal est en général inconscient chez les femmes, mais elles savent qu'il peut leur servir.

Le regard qui allume les hommes

Reine du langage corporel et des mimiques de l'orgasme, Marilyn Monroe émettait d'instinct les signaux qui faisaient craquer les hommes.

Paupières baissées, sourcils haussés, menton relevé et lèvres entrouvertes : un signal féminin vieux comme le monde pour exprimer la soumission sexuelle, devenu la marque de fabrique de grandes stars du cinéma, comme Marilyn Monroe, Sharon Stone ou Blondie.

Outre son effet d'agrandissement des yeux, cette posture traduit chez la femme une émotion mystérieuse et contenue, que certaines études rapprochent de l'expression qui précède l'orgasme.

Regarde-moi dans les yeux !

La communication entre deux personnes ne peut s'établir que si leurs regards se croisent. Et si certains interlocuteurs nous mettent à l'aise quand d'autres nous dérangent ou nous rendent méfiant, ces impressions agréables ou désagréables sont liées au temps que ces personnes passent à nous regarder et à soutenir notre regard.

Michael Argyle, pionnier de la psychologie sociale et de la communication non verbale, a découvert que, lorsque les Occidentaux et les Européens parlent entre eux, ils passent en moyenne 6 1% du temps de la conversation à se regarder – 41 % pour celui qui parle, 75 % pour celui qui écoute, et 31 % en regards échangés. La durée moyenne des regards individuels est de 2,95 secondes, et celle des regards réciproques de 1,18 seconde. De notre côté, nous avons constaté que les échanges de regards en cours de conversation peuvent varier de 25 % à 100 %, en fonction des cultures d'origine. La personne qui parle passe en général entre 40 et 60 % du temps à regarder son interlocuteur, tandis que celle qui écoute y consacre 80 % de son temps. Les exceptions notables à cette moyenne se trouvent au Japon, ainsi que dans certains pays d'Asie et d'Amérique du Sud, où le regard prolongé est considéré comme une agression ou un manque de respect : les Japonais ont tendance à regarder la gorge de leur interlocuteur, ou à détourner les yeux, ce qui peut s'avérer déconcertant pour les Occidentaux non avertis.

Argyle a également découvert qu'au cours d'un dialogue, si la personne A apprécie la personne B, elle la regardera beaucoup. Se sentant bien accueilli, B trouvera à son tour A sympathique. En d'autres termes, et dans presque toutes les cultures, il faut se regarder l'un l'autre entre 60 et 70% du temps du dialogue, si l'on veut établir une bonne communication et se faire des amis. Il n'est pas surprenant qu'on hésite à faire confiance aux personnes timides et tendues qui ne nous regardent que pendant un tiers de la conversation. Évitez, pour les mêmes raisons, de porter des lunettes noires au cours d'une négociation, car elles donnent à votre interlocuteur l'impression que vous le fixez sans arrêt ou que vous fuyez constamment son regard.

Il y a dix ans, elle me tapait dans l'œil,
maintenant elle me sort par les yeux.

Lors d'une première rencontre, c'est en général la personne subalterne – ou qui se sent telle – qui détourne le regard la première. Faute de quoi, elle pourrait donner l'impression de contester ou de désapprouver l'opinion ou le point de vue de l'autre. S'il s'agit de votre patron, vous saurez lui manifester votre désaccord rien qu'en le regardant quelques secondes de plus – pas trop souvent toutefois, si vous tenez à garder votre poste.

Deux regards chez les nudistes

Nous avons un jour envoyé – et filmé – dans un camp de nudistes un groupe de personnes qui ne l'étaient pas. Tous les hommes nous ont avoué ensuite qu'ils avaient dû lutter pour ne pas regarder le sexe des femmes – et le visionnage de la vidéo montrait clairement ce qui se passait quand ils cédaient à cette tentation. Les femmes du groupe disaient ne pas avoir rencontré ce problème, et elles étaient rares dans le film à avoir jeté des regards aux organes sexuels des hommes. Cette différence de comportement provient de la vision « en tunnel » de l'homme, le rayon laser à longue portée qui lui permet de voir clairement et précisément ce qui est en face de lui – résultat de son rôle de chasseur. Mais sa vision périphérique est en général très inférieure à celle de la femme – ce qui explique son incapacité à trouver les choses dans le frigidaire, les tiroirs ou les placards. La vision périphérique de la femme couvre un angle de 45 degrés – vers le haut, le bas et sur les deux côtés – ce qui lui permet d'avoir l'air de regarder un visage alors qu'en fait elle peut observer une tout autre partie de l'anatomie de son interlocuteur.

Comment capter l'attention d'un homme

Pour attirer l'attention d'un homme qui se trouve à l'autre bout de la pièce, une femme n'a qu'à croiser son regard, le soutenir pendant deux ou trois secondes, puis détourner les yeux. Le message d'intérêt et de soumission potentielle est clairement envoyé. Or une expérience menée par Monika Moore a montré que le cerveau masculin n'est pas équipé pour détecter ce signal du premier coup. La femme devra le répéter trois fois pour qu'un homme moyen arrive à le lire – quatre fois pour ceux qui sont durs à la détente, et cinq fois ou plus pour les plus innocents. Quand elle aura enfin réussi, il lui faudra encore envoyer la version courte du *haussement de sourcils* – l'agrandissement furtif des yeux – pour confirmer à sa proie que le premier signal lui était bien adressé.

Il est souvent plus simple et plus efficace de s'approcher d'un homme qui vous plaît et de le lui dire en face.

Les regards des menteurs

Nous avons déjà dit que détourner le regard est communément interprété comme un signe de mensonge. Une série d'expériences nous a cependant permis de montrer que ce n'est pas toujours vrai. Nous avions demandé à certains participants de mentir lors d'entretiens filmés. Nous comptions utiliser ces enregistrements pour un séminaire de communication, dont les stagiaires auraient pour tâche d'identifier les menteurs. Les films ont en fait révélé le contraire du préjugé courant : environ 30 % des menteurs détournaient constamment les yeux, et les spectateurs ont détecté 80 % de leurs mensonges – les femmes étant plus performantes que les hommes. Quant aux 70 % de menteurs restants, ils n'ont pas quitté des yeux les victimes de leurs bobards, pensant qu'ils seraient moins soupçonnés ainsi. Ils avaient raison. Un quart seulement de leurs mensonges ont été décelés – 35 % pour les femmes et 15 % pour les hommes. Les cerveaux intuitifs féminins avaient mieux détecté les changements d'intonation, la dilatation des pupilles et les autres signaux habituels du mensonge. Le regard à lui seul n'est donc pas un indice fiable.

Lorsque la personne avec qui vous parlez vous regarde dans les yeux pendant plus des deux tiers de la conversation, cela peut avoir deux significations. La première, c'est qu'elle vous trouve intéressant ou attirant, auquel cas ses pupilles seront dilatées. La deuxième explication possible est une hostilité envers vous, et dans ce cas, ses pupilles seront contractées. Répétons que les femmes excellent à décrypter les signaux des pupilles, et à distinguer l'intérêt de l'agressivité – tandis que les hommes sont en général incapables de deviner si la femme à qui ils parlent va les embrasser ou les gifler.

Comment éviter les agressions et les insultes

La plupart des primates détournent le regard en signe de soumission, et fixent leur victime dans les yeux quand ils sont sur le point d'attaquer. C'est elle qui détournera les yeux pour leur paraître plus petite. Des études scientifiques ont prouvé que les attitudes de soumission sont inscrites dans les cerveaux des primates pour des raisons de survie. Quand on a peur d'être agressé, on « se fait tout petit » : on se voûte, on plaque les bras le long du corps, on serre les genoux, on rentre les pieds sous sa chaise, on plaque le menton sur la poitrine pour protéger la gorge, et on détourne les yeux. Tous ces gestes déconnectent l'agressivité chez celui qui nous menace et permettent d'éviter l'affrontement.

Quand vous vous faites tout petit devant quelqu'un qui vous menace, vous « débranchez » l'agressivité de son cerveau.

C'est une posture idéale quand un supérieur vous inflige des réprimandes fondées, mais elle peut avoir des effets néfastes en cas de menace d'agression dans la rue, où elle trahirait votre peur et ne ferait qu'encourager l'assaillant. Mieux vaut continuer à marcher bien droit et la tête haute, en balançant les bras et les jambes – une attitude signifiant que vous êtes capable de vous défendre et donc moins susceptible de vous faire agresser.

Le regard en biais

Le *regard en biais* peut communiquer l'intérêt, l'hésitation ou l'hostilité. Combiné à un léger haussement de sourcils ou un sourire, c'est une manifestation d'attirance – un signal de séduction fréquent chez les femmes. Quand les sourcils se froncent, que le front se plisse et que les coins de la bouche retombent, le regard oblique indique une attitude de suspicion, de critique ou d'hostilité.

Le clin d'œil prolongé

Pour chasser l'autre de son esprit.

Une personne détendue cligne des yeux entre six et huit fois par minute et la fermeture des paupières ne dure qu'un dixième de seconde. En cas de tension – comme celle qui accompagne un mensonge – les clins d'œil peuvent se prolonger dans des proportions spectaculaires. Le *clin d'œil prolongé* résulte d'une tentative cérébrale inconsciente de ne plus voir l'interlocuteur, dont on a compris qu'il s'ennuie, qu'il est hostile ou qu'il se sent supérieur. Tout se passe comme si le cerveau ne supportait plus le tête-à-tête et cherchait à supprimer la vue de l'autre, à l'oublier le temps de fermeture des paupières.

On voit souvent les personnes hautaines – ou qui cherchent à manifester leur importance – accompagner un clignement d'yeux prolongés d'un léger renversement de la tête en arrière pour vous « regarder de haut ». Essentiellement occidental, ce geste est une spécialité des Britanniques estimant appartenir à la haute société. Si vous constatez cette attitude chez l'un de vos interlocuteurs, vous savez que vous n'avez plus qu'à revoir votre copie. Si vous estimez qu'il ne s'agit que d'une arrogance inhérente à la personne, essayez la manœuvre suivante : pendant son troisième ou quatrième clin d'œil prolongé, déplacez-vous d'un pas sur la droite ou sur la gauche. Lorsqu'elle rouvrira les yeux, elle sera surprise et déconcertée de ne plus vous trouver en face d'elle. Quand un clignement prolongé s'accompagne de ronflements, est-il besoin de préciser que ces derniers indiquent l'échec de votre communication ?

Les regards d'évasion

Quand on voit quelqu'un lancer des regards nerveux aux quatre coins d'une pièce, on pourrait penser qu'il cherche à vérifier ce qui s'y passe. En réalité, c'est son cerveau qui cherche une porte de sortie, cette mimique est révélatrice d'un sentiment d'insécurité.

Lorsqu'on est engagé dans une conversation avec un individu particulièrement ennuyeux, on n'a qu'une idée en tête, c'est de lui échapper le plus vite possible. Mais comme on sait que les regards furtifs vers une sortie possible manifesteraient clairement le peu d'intérêt qu'on trouve en sa compagnie, on s'emploie justement à ne pas quitter son regard des yeux, tout en affichant un sourire aux lèvres pincées – indice évident de l'intérêt feint. Ce signal volontaire est proche de celui du menteur qui vous regarde dans les yeux pour paraître convaincant.

La géographie du visage

Les zones faciales et corporelles visées par le regard peuvent être déterminantes pour l'issue d'une rencontre face à face.

Dès que vous aurez pris connaissance des techniques de regard qui suivent, entraînez-vous sans tarder à les pratiquer – sans prévenir personne – et vous constaterez leur efficacité relationnelle. Après une semaine d'exercice, elles seront devenues partie intégrante de votre savoir-faire en communication.

Le regard interactif peut viser trois objectifs : la sympathie, l'intimité ou le pouvoir.

1. Le regard de sympathie

Des expériences effectuées sur l'orientation du regard ont révélé que, lors d'une rencontre en face à face, le regard de l'un des interlocuteurs se pose sur une zone triangulaire du visage de l'autre – triangle formé par les deux yeux et la bouche – pendant 90 % du temps.

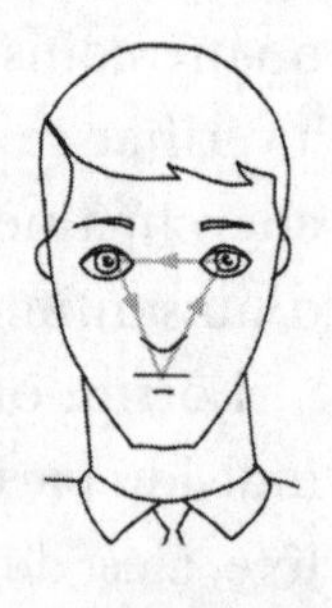

La zone visée par le regard de sympathie.

Ce triangle est la zone que l'on regarde en situation de non-agression. Les yeux qui le visent traduisent une absence de menace.

2. Le regard d'intimité

Quand deux personnes se dirigent l'une vers l'autre, chacun des regards effectue quelques rapides allers et retours entre le visage et le bas du corps de l'autre – un premier coup d'œil étant destiné à identifier le sexe de la personne d'en face, et un second à jauger le degré d'intérêt que l'on suscite chez elle. La zone visée est comprise entre les yeux et l'entrejambe. Lors d'un contact plus rapproché, elle s'étend entre les yeux et la poitrine.

C'est le regard qu'utilisent l'homme et la femme pour se communiquer leur intérêt réciproque. Après un ou deux coups d'œil d'ensemble rapides, le regard se fixe sur le visage. Malgré de vigoureuses dénégations, les expériences de caméra cachées ont prouvé que ce signal était universel – y compris chez les religieuses.

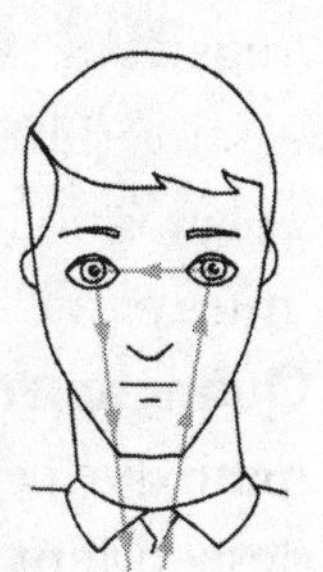

La zone du regard d'intimité.

Comme nous l'avons dit, la vision périphérique plus large de la femme lui permet de parcourir des yeux le corps d'un homme sans qu'il le remarque – tandis que lui promènera son regard « en tunnel » de bas en haut et de haut en bas avec beaucoup moins de discrétion. Ce signal flagrant ne fait qu'apporter de l'eau au moulin de celles qui accusent ces messieurs de les « déshabiller du regard », alors qu'elles ne se privent pas d'en faire autant *incognito* – et même plus souvent qu'eux, d'après les résultats de certaines recherches.

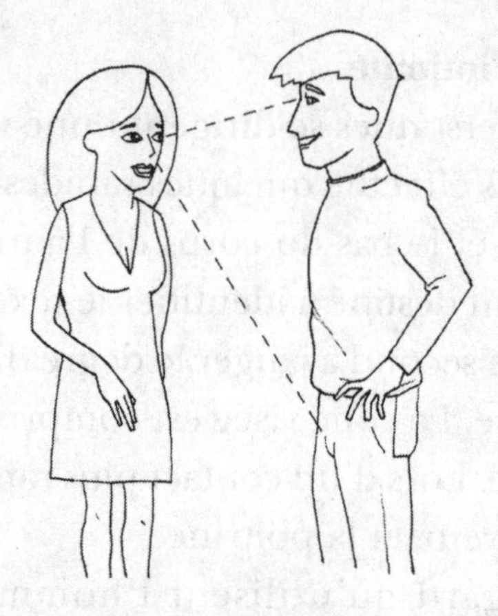

Grâce à sa plus large vision périphérique, la femme ne se fait pas prendre en flagrant délit de voyeurisme.

Quant au regard baissé, sa signification féminine est plus riche que celle du message masculin. Si les yeux de l'homme descendent jusqu'à terre, c'est uniquement pour balayer la femme du regard. Chez cette dernière, il signifie qu'elle l'a déjà jaugé comme partenaire potentiel, et qu'elle baisse les yeux devant lui en signe de soumission.

Pourquoi les hommes ont-ils tant de mal à regarder les femmes dans les yeux ? Parce que les seins n'ont pas d'yeux.

3. Le regard de pouvoir

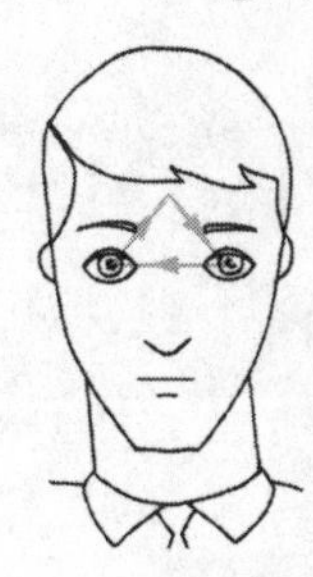

Imaginez un troisième œil au milieu du front de la personne d'en face et regardez-la dans le triangle qu'il forme avec les deux autres.

En adoptant ce regard, vous allez mettre votre interlocuteur mal à l'aise et vous réussirez à faire taire le plus ennuyeux des fâcheux. Vous le tenez à votre merci, et la pression se maintiendra tant que votre regard ne descendra pas plus bas.

Strictement prohibé dans toute rencontre amicale ou amoureuse, ce regard accomplit des miracles quand vous cherchez à intimider quelqu'un – ou à lui clouer le bec.

Le regard fixe autoritaire

Si vous estimez que votre regard est faible, trop doux ou même mièvre, essayez donc le *regard fixe autoritaire.* Chaque fois que vous avez l'impression qu'on vous agresse, efforcez-vous de ne pas cligner des yeux, soutenez le regard de l'autre. Rétrécissez vos paupières et fixez la personne – comme le font les prédateurs avant de foncer sur leur proie. Utilisé en *travelling* panoramique d'une personne à l'autre, ce regard aura le don de toutes les irriter.

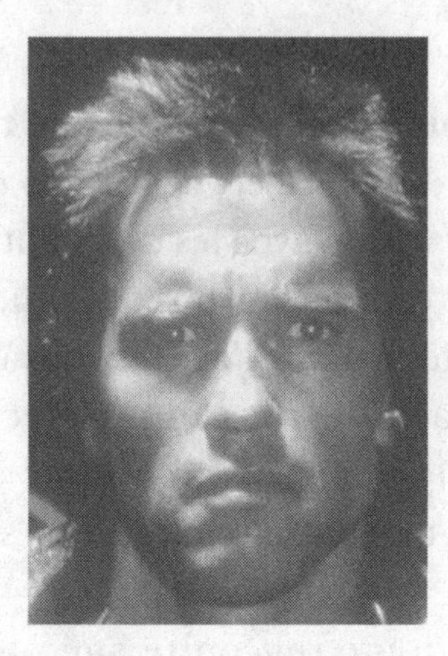

On ne plaisante pas
avec Terminator.

Voici comment procéder : tournez d'abord les yeux, et la tête ensuite, sans faire pivoter les épaules. Vous avez vu cette mimique chez Arnold Schwarzenegger dans le rôle de Terminator – et ressenti la peur qu'elle pouvait provoquer chez ceux qui osaient l'affronter. Le plus sage est d'éviter les personnages désagréables, pour ne jamais avoir besoin de leur faire ainsi les « yeux ».

L'histoire de l'homme politique

Les personnes dont le regard fuit constamment à droite et à gauche pour éviter de regarder celui à qui ils parlent perdent une grande partie de leur crédibilité, même quand il ne s'agit que de timidité. Nous avons un jour conseillé un homme politique totalement novice en interviews télévisées, et dont le regard évitait systématiquement journalistes et caméras. Sa cote de popularité baissait après chacune de ses apparitions à la télévision. Nous lui avons appris à ne regarder que les journalistes en ignorant les caméras, et les choses se sont arrangées. Nous en avons entraîné un autre à fixer l'œil de la caméra pendant ses réponses au cours d'un débat télévisé en public. Il s'est aliéné les 150 personnes présentes dans le studio, mais a fortement impressionné des millions de téléspectateurs, en leur donnant le sentiment de s'adresser directement à chacun d'entre eux.

Regarde-moi au fond des yeux !

Nous avons mis au point une expérience pour une émission de télévision organisée avec une agence de rencontres. Nous avions sélectionné un groupe d'hommes et leur avions expliqué que la femme avec laquelle ils avaient rendez-vous avait toutes les chances de leur plaire – mais qu'elle avait eu étant enfant une blessure à l'œil qui lui avait laissé un très léger strabisme. Nous disions ne plus nous souvenir de quel œil il s'agissait, mais que s'ils observaient bien son regard, ils le remarqueraient certainement. Les femmes destinées aux rendez-vous ont reçu le même avertissement, et le même conseil. Lors des soirées de rencontre, tous les couples ne se sont pas quittés des yeux, pour tenter de déceler la « coquetterie dans l'œil » de l'autre. Le taux de satisfaction a atteint un maximum et les demandes de deuxième rendez-vous étaient trois fois plus élevées que la moyenne enregistrée par l'agence.

Les regards prolongés sont créateurs d'intimité.

On pourrait aussi faire échouer ce genre de rencontre en disant à tous les participants que leur partenaire est dur d'oreille, et qu'il leur faudra monter les décibels de 10 % pour se faire entendre. Les amoureux potentiels finiront la soirée accablés par l'excès de décibels et ne chercheront jamais à se revoir.

Les 20 premières secondes d'un entretien

On dit souvent que pour un entretien d'affaires ou d'embauche, il faut regarder dans les yeux la personne qui vous interroge jusqu'à ce qu'elle vous fasse asseoir. Or cette attitude pose un problème autant à l'un qu'à l'autre, parce qu'elle est contraire au processus habituel de la rencontre avec un inconnu. Un homme cherche naturellement à regarder les cheveux d'une femme, ses jambes, sa silhouette et son allure d'ensemble. Ce processus est bloqué si elle ne le quitte pas des yeux : il est alors contraint de jeter de furtifs coups d'œil sur elle pendant la conversation. Et il a tellement peur qu'elle remarque son manège qu'il ne peut se concentrer sur celle-ci. Les femmes se plaignent souvent de cette attitude voyeuriste mais que cela plaise ou non, cela reste un fait.

Quoi qu'on en pense, tous les hommes regarderont le côté pile (les fesses) d'une femme qui sort d'une pièce – même si le côté face ne les attire pas.

Les enregistrements filmés ont montré que les femmes qui dirigent les entretiens se livrent à la même évaluation de leurs interlocuteurs – masculins ou féminins – mais de façon plus discrète grâce à leur meilleure vision périphérique. Elles se montrent par ailleurs beaucoup plus critiques que leurs homologues masculins sur les femmes dont la tenue vestimentaire ne leur convient pas. Chez un candidat homme, elles s'intéressent à la longueur des cheveux, à la coupe du costume, aux plis du pantalon, et à l'entretien des chaussures. Comment pourraient-ils deviner que, lorsqu'ils sortent de la pièce, ce sont leurs talons qu'elles regardent ?

La solution

Quand vous êtes convoqué pour un entretien d'embauche, commencez par serrer la main de la personne qui vous reçoit et laissez-lui deux à trois secondes pour vous jauger des pieds à la tête. Baissez les yeux pour sortir les papiers dont vous avez besoin, de votre attaché-case ou de votre dossier, retournez-vous pour accrocher votre manteau, rapprochez votre chaise de son bureau – et ensuite, regardez-la en face. Cette tactique fonctionne à merveille chez les commerciaux, et on a pu prouver que les ventes en bénéficiaient.

À quoi pensez-vous ?

Les mouvements des yeux peuvent indiquer si le cerveau se concentre sur un souvenir visuel, auditif, olfactif, gustatif ou tactile. Cette découverte est le fruit des recherches de Grindler et Bandler, deux psychologues américains pionniers de la PNL (Programmation neuro-linguistique).

En termes plus simples, si la personne se rappelle quelque chose qu'elle a vu, son regard s'oriente vers le haut. Si le souvenir porte sur un son – des paroles ou une musique – ses yeux se tournent vers le côté et sa tête aussi, comme pour prêter l'oreille. Si c'est une émotion qui lui revient à la mémoire, elle regarde vers le bas à droite. Si enfin elle se parle à elle-même, son regard s'oriente vers le bas à gauche.

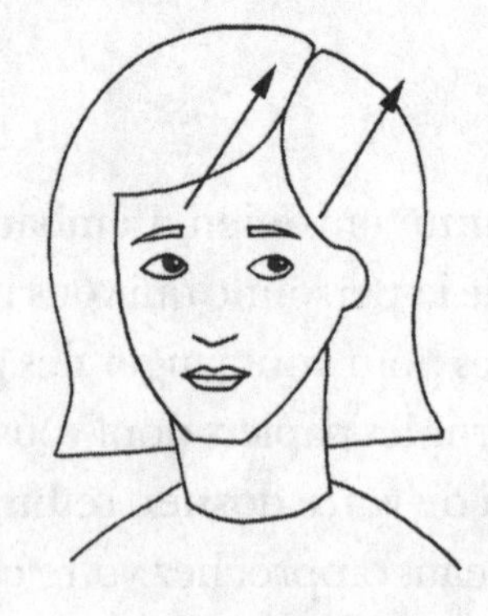
A. Souvenir d'une image.

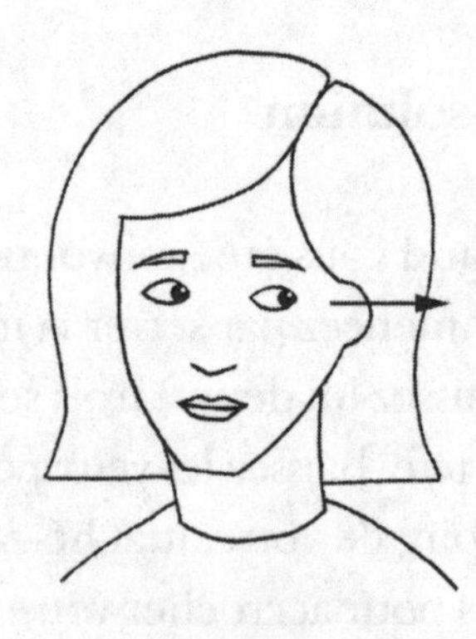
B. Souvenir d'un son.

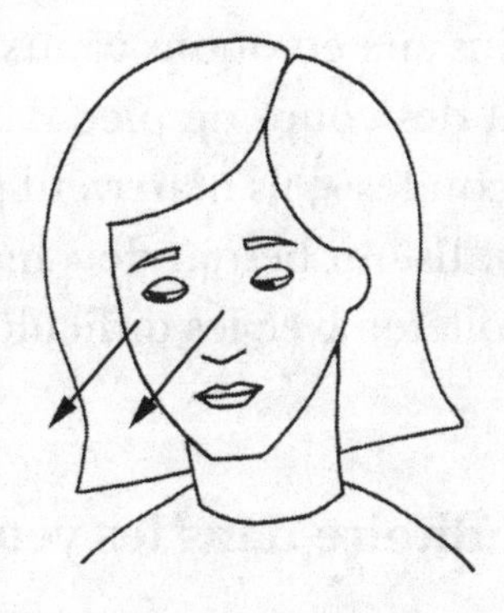

C. Souvenir d'une émotion.

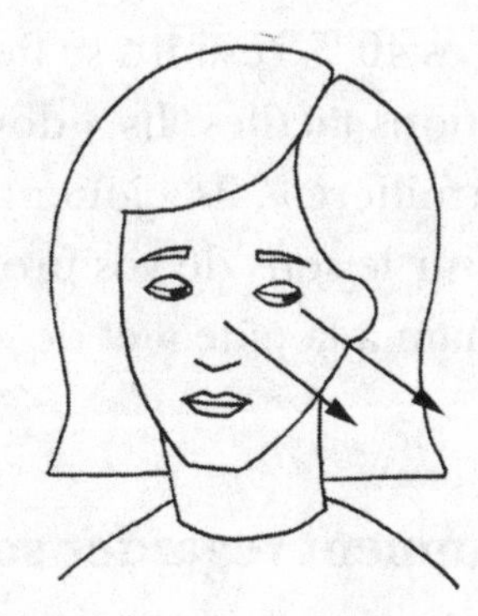

D. Monologue intérieur.

Comme ces mouvements oculaires ne durent qu'une fraction de seconde et qu'ils s'intègrent dans des mimiques ou des postures globales, ils sont difficiles à déceler. Les enregistrements vidéo révèlent toutefois les divergences qui existent entre le discours d'un individu et ce à quoi il pense en réalité.

Nous sommes 35 % à privilégier l'information visuelle, et à utiliser des expressions comme « Je vois ce que vous voulez dire », « Pourriez-vous y regarder de plus près ? », « C'est parfaitement clair » ou « Puis-je jeter un coup d'œil ? ». Pour attirer votre attention, les « visuels » vous montreront des photos, des cartes et des graphiques et vous demanderont : « Vous voyez ce que je veux dire ? »

35 % des êtres humains se reposent plutôt sur l'audition. On les entend dire : « Cela me dit quelque chose », « J'entends bien », « Il y a une fausse note » et « Nous ne sommes pas sur la même longueur d'ondes ».

Les 40 % restants se fient plus aux émotions et aux perceptions tactiles. Ils « donnent des coups de pied dans la fourmilière », ils « jouent des coudes », ils n'arrivent pas à « saisir le sens de vos propos ». Ils ont besoin de « mettre la main à la pâte » et de « se colleter avec les difficultés ».

Comment regarder son auditoire dans les yeux

Nous avons mis au point, à partir de notre expérience de conférenciers, une technique qui permet de capter et de retenir l'attention d'un auditoire. Quand il s'agit d'une cinquantaine de personnes, on peut arriver à croiser une fois le regard de chacune d'elles. Mais si vous vous trouvez face à un public plus important, vous serez souvent assis à une dizaine de mètres du premier rang et vous devrez trouver une autre méthode de communication. Choisissez une personne (ou un point imaginaire) aux deux extrémités du rang du fond et une autre au milieu d'un rang central. Si vous êtes assis à 10 mètres du premier rang, et que votre regard balaie régulièrement les trois points de ce triangle, vous donnerez à deux personnes sur cinq l'impression que vous les regardez dans les yeux, ce qui facilitera votre relation à toute la salle.

L'impact de l'information visuelle

Lorsqu'on fait un exposé en public, où on utilise documents, livres, tableaux, graphiques ou projections par ordinateur, il est important de savoir ce que regarde l'auditoire. Des études ont révélé que ce type d'informations visuelles parvient au cerveau par les yeux pour 83 %, par les oreilles pour 11 % et par les autres sens pour 6 %.

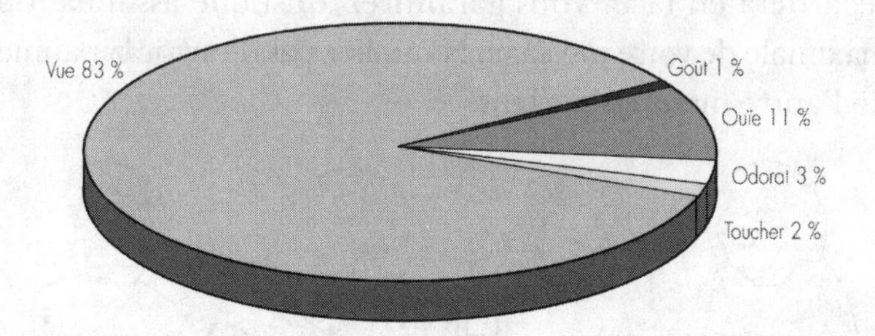

L'importance des différents sens lors d'une présentation visuelle.

Selon les résultats d'une étude américaine, le cerveau ne retient que 10 % des informations auditives. Ce qui signifie qu'une présentation purement verbale nécessite la répétition fréquente des points importants. Lorsque ces informations pénètrent dans le cerveau par la vue et l'ouïe combinées, la mémorisation monte à 50 %. Les supports visuels quadruplent donc l'efficacité d'un exposé oral. Cette étude a également prouvé que l'utilisation de documents visuels pouvait réduire la durée d'une réunion de 25,7 minutes à 18,6 minutes – soit un gain de temps de 28 %…

Le pouvoir magique du stylo

Si vous voulez garder le regard de votre interlocuteur sous contrôle, servez-vous d'un stylo pour lui montrer, sur votre document visuel, tel ou tel élément, pendant que vous le commenterez. Ensuite, levez votre stylo pour qu'il arrive entre ses yeux et les vôtres. Comme attirée par un aimant, la personne lèvera la tête en même temps que vous, et vous regardera en face. Vous garantirez ainsi une assimilation maximale de votre message. N'oubliez pas d'ouvrir la paume de l'autre main en parlant.

Le stylo aimanté, qui redirige le regard de l'interlocuteur.

Nous avons par ailleurs constaté que, durant une présentation, les femmes soutiennent plus longtemps que les hommes le regard de leurs interlocuteurs dans les moments où elles ne parlent pas. En revanche, quand elles prennent la parole, elles détournent plus souvent les yeux que leurs collègues masculins. D'une manière générale, les hommes fixent plus les femmes des yeux que l'inverse, et soutiennent moins le regard des orateurs que des oratrices.

En résumé

L'orientation du regard peut être déterminante sur l'issue d'une rencontre en face à face. Imaginez-vous dans le rôle d'un directeur qui doit reprocher une erreur à l'un de ses subordonnés – ou dans celui d'un parent qui doit gronder son enfant. Quel regard adopterez-vous ? Un *regard de sympathie* désamorcerait immédiatement l'impact de vos paroles, même si vous parlez sur un ton dur et menaçant. Un regard d'intimité aurait un effet intimidant ou embarrassant sur le destinataire de vos remontrances. Avec un regard de pouvoir, le message passera à 100 % car il comprendra que vous ne plaisantez pas.

Les paroles gagnent en crédibilité quand elles sont accompagnées d'un regard approprié.

Le regard féminin que les hommes qualifient d' « allumeur » se définit par des yeux en coin, des pupilles dilatées et un regard d'intimité qui balaie tout le corps de l'homme en un éclair. Si une femme veut jouer les inaccessibles, elle préférera recourir au regard de sympathie – mais il n'est pas sûr que l'homme sera capable de faire la différence. Quant au regard de pouvoir – avec sa froideur inamicale – il est fortement déconseillé pour toute opération de séduction. Le regard d'intimité porté sur un partenaire éventuel consiste à jouer cartes sur table dès le début.

Mais si les femmes sont très douées pour le donner comme pour le recevoir, on ne peut pas en dire autant des hommes – qui déshabillent ostensiblement la femme du regard ou qui n'y voient que du feu quand c'est à eux qu'il s'applique – pour la plus grande déception de celle qui le « mate ».

CHAPITRE 9

LES INTRUS – TERRITOIRE ET ESPACE PERSONNEL

« Excusez-moi, mais… c’est mon fauteuil ! »

On a publié des milliers d’ouvrages et d’articles sur le marquage et la surveillance des territoires que s’approprient mammifères, oiseaux, poissons et primates – mais on n’a étudié que récemment le rapport de l’homme à ses territoires, eux aussi, bien délimités. La prise de conscience de cette réalité vous sera d’une grande utilité pour comprendre votre propre comportement – et prédire avec perspicacité les réactions d'autrui dans toutes les situations d'interaction. L'anthropologue américain Edward Hall fut l'un des pionniers de l'étude des besoins spatiaux de l'homme : il est l'auteur de la « proxémique » – un mot de son invention – qui désigne l'étude de la distance que l'homme ressent comme nécessaire entre lui et les autres. Ses recherches dans ce domaine de la sémiotique ont apporté un éclairage nouveau sur les relations interpersonnelles.

Chaque pays se définit par un territoire aux frontières clairement délimitées, et parfois surveillées par des soldats armés. Il se subdivise généralement en territoires plus petits : provinces, régions, départements, eux-mêmes abritant des villes, des banlieues et des villages, dont les rues représentent pour leurs habitants un territoire clos.

Un territoire, c'est aussi l'espace qu'un individu revendique comme le sien. Nous avons tous notre territoire personnel, celui qui abrite nos possessions – notre maison, notre chambre ou l'habitacle de notre voiture, notre chaise à table et un espace vital de proximité que nous délimitons autour de notre corps. Les limites de cet espace vital s'incarnent dans l'accoudoir d'un fauteuil de cinéma, pour lequel on livre une bataille silencieuse avec son voisin, cet étranger qui le revendique lui aussi. L'occupant de chaque territoire peut se comporter comme un sauvage pour le préserver.

Ce chapitre traitera essentiellement des sentiments et réactions provoqués par l'invasion de cet espace personnel, et des raisons pour lesquelles il faut parfois « garder ses distances » dans les relations avec autrui.

L'espace personnel

La plupart des animaux délimitent autour de leur corps un certain espace qu'ils revendiquent comme leur territoire personnel. Les dimensions de ce territoire varient selon la densité de peuplement dans laquelle ils ont grandi ou dans laquelle ils vivent – si bien que leur espace personnel peut augmenter ou diminuer en fonction des circonstances. Le territoire personnel d'un lion élevé dans la vaste savane africaine peut avoir un rayon de 50 kilomètres ou plus, selon la densité de population de cette espèce dans la région – et il en marque les frontières par son urine ou ses excréments. En captivité dans un zoo, les lions ne disposent souvent que de quelques mètres d'espace personnel chacun.

Comme les animaux, l'homme transporte avec lui sa « bulle d'air » personnelle, dont le volume dépend de la densité de population qu'il a connue dans son enfance. *L'espace personnel* est donc culturellement déterminé. Si certains sont habitués à vivre perdus dans la foule – comme au Japon – d'autres ressentent le besoin de « grands espaces », et cherchent à garder leurs distances avec les autres hommes.

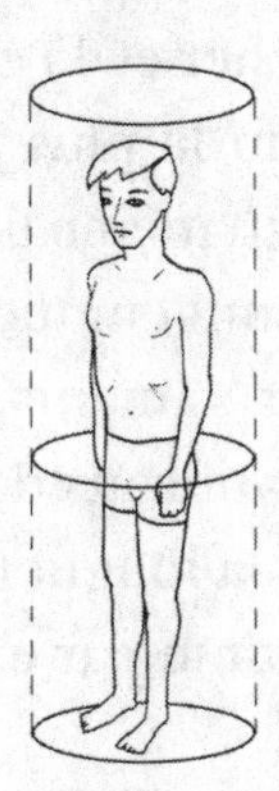

L'espace personnel –
La bulle que l'on transporte avec soi.

Des recherches ont montré que les prisonniers ont des besoins d'espace personnel supérieurs à la moyenne – ce qui les rend souvent agressifs quand leurs codétenus s'approchent d'eux. L'isolement de la cellule, qui les maintient à l'abri de tout contact humain, exerce un effet apaisant. Dans les avions, les scènes de violence entre passagers ont commencé à se multiplier dans les années soixante, quand les compagnies aériennes ont augmenté le nombre de sièges des appareils pour compenser la baisse du prix des billets.

Les quatre zones d'interaction

À douze ans, un enfant a déjà intégré les quatre zones d'interaction qui forment son territoire : la zone intime, la zone personnelle, la zone sociale et la zone publique. Observons de plus près les rayons respectifs des quatre « bulles » des habitants des sociétés « occidentalisées », Europe du Nord, États-Unis, Canada, Australie, Nouvelle-Zélande et Singapour.

1. La zone intime (entre le toucher et 45 cm). C'est la bulle la plus rapprochée – et de loin la plus jalousement gardée, celle que vous protégerez au même titre que vos biens. Seules les personnes qui nous sont émotionnellement proches sont admises à y pénétrer : amants, époux, parents, enfants, amis intimes, famille et animaux de compagnie. Son rayon correspond à peu près à la longueur de l'avant-bras et inclut le toucher, contact intime par excellence.

2. La zone personnelle (de 45 cm à 1,20 m). C'est la « bulle » de convivialité, qui correspond à la distance respectée par les invités d'un cocktail, par les collègues lors d'une soirée d'entreprise et dans les réunions entre amis. Son rayon est à peu près celui de la longueur bras tendu.

3. La zone sociale (de 1,20 m à 3 m). C'est la zone relationnelle courante, la distance qu'on maintient avec son plombier ou son facteur, avec les commerçants, les nouveaux collègues de bureau et les inconnus auxquels on s'adresse.

4. La zone publique (au-delà de 3,50 m). C'est la distance que l'on aime respecter lorsqu'on s'adresse à un large public.

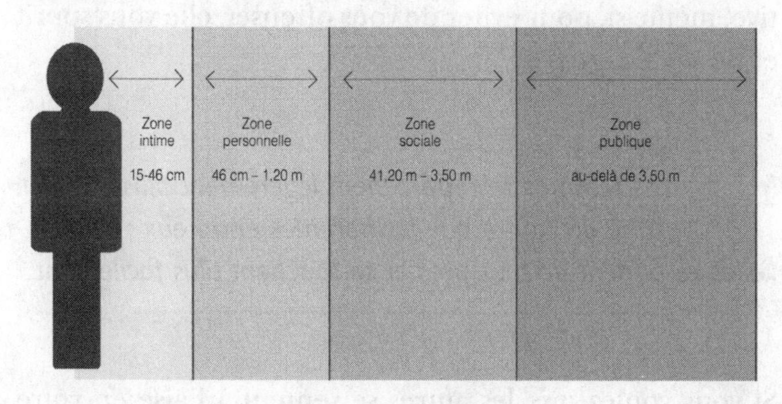

Les différentes zones d'interaction.

Notons que ces distances ont tendance à diminuer entre les femmes mais à augmenter entre les hommes.

Le bon usage des zones d'interaction

Notre zone intime est en général soumise à deux types d'intrusion : intrusion bienvenue – celle d'un parent proche, d'un ami intime, d'un partenaire sexuel ou d'une personne qui nous fait des avances – et intrusion agressive. Si nous tolérons parfaitement que les étrangers pénètrent dans nos *zones personnelle et sociale*, toute intrusion dans notre zone intime provoque en nous des modifications biologiques. Le cœur bat plus vite, l'adrénaline se déverse dans le sang, monte au cerveau et prépare le corps au combat ou à la fuite.

Si vous passez le bras autour de la taille ou des épaules d'une personne dont vous venez de faire la connaissance, vous provoquerez probablement en elle une réaction négative, même si, pour éviter de vous offenser, elle vous sourit et ne se dégage pas.

Les femmes se rapprochent légèrement plus l'une de l'autre que les hommes entre eux ; elles se parlent de plus près et se touchent plus facilement.

Si vous voulez que les autres se sentent à l'aise en votre compagnie, la règle d'or consiste à garder vos distances. Plus la relation sera familière ou intime, plus vous pourrez vous approcher d'eux. Par exemple, un employé nouvellement entré dans une entreprise pourra trouver que ses collègues sont froids envers lui, alors qu'ils ne font que le maintenir dans leur *zone sociale* en attendant de mieux le connaître. Il pourra progressivement pénétrer dans leur *zone personnelle* voire dans leur *zone intime.*

Lequel pénètre dans la zone de l'autre ?

Un indice du niveau d'intimité entre deux personnes est la distance qu'elles maintiennent entre leurs hanches respectives au moment où elles s'embrassent. Lors d'un baiser entre deux amoureux, chacun se serre contre la poitrine de l'autre et pénètre dans le périmètre le plus étroit de sa zone intime. Rien à voir avec le baiser de minuit dont vous gratifiez tous les invités d'un réveillon de nouvel an, la copine de votre femme ou votre vieille tante – où vos hanches respectent alors la stricte distance minimale de 15 cm.

Cette règle supporte des exceptions dans les circonstances où le degré d'intimité ne correspond plus aux différences de statut social. Un directeur général d'entreprise qui va à la chasse avec l'un de ses employés l'approchera de plus près qu'au bureau, où il le maintiendra à la distance prescrite par les codes sociaux.

Détestables rapports d'ascenseurs

La promiscuité des salles de cinéma, des avions et des trains fait partie des intrusions inévitables dans les zones intimes de nos voisins imposés – et il est tout à fait fascinant d'y observer les réactions qu'elles entraînent. Nous avons dressé une liste des règles tacites qui sont suivies à la lettre dans la plupart des cultures, lors des violations d'espace intime inévitables dans un ascenseur ou un autobus bondé, ou encore une file d'attente. Voici donc les règles de conduite adaptées aux trajets en ascenseur :

1. N'adressez la parole à personne, connu ou inconnu.
2. Ne regardez personne en face.
3. Arborez un visage de marbre – ne laissez paraître aucune émotion.
4. Plongez-vous si possible dans la lecture d'un livre ou d'un journal.
5. En cas d'occupation compacte de la cabine, abstenez-vous du moindre mouvement.
6. Concentrez-vous sur l'affichage lumineux des étages desservis.

C'est la stratégie du « masque impénétrable », qui ne laisse transparaître aucune émotion, et qui convient à toutes les situations de promiscuité forcée.

On dit souvent que les usagers des transports en commun aux heures de pointe ont l'air « tristes », « malheureux » ou « déprimés » – autant d'adjectifs qui cherchent à décrire les visages impassibles des passagers en réaction à l'invasion de leur zone intime.

Les usagers des transports en commun ne sont pas forcément tristes ou déprimés ; ils se contentent de masquer leurs émotions.

Observez votre comportement la prochaine fois que vous entrerez seul dans une salle de cinéma bondée. Quand vous serez contraint de vous asseoir dans un fauteuil entièrement entouré de spectateurs, vous constaterez que votre visage se fige, comme un robot programmé. Et quand il faudra livrer la bataille des accoudoirs qui vous séparent de vos voisins, vous comprendrez pourquoi certains spectateurs n'entrent dans les salles que lorsqu'elles sont plongées dans l'obscurité, et que le film a déjà commencé. Dans les situations de promiscuité forcée, nous traitons ceux que nous côtoyons comme des « non-personnes », comme pour occulter leur empiètement sur notre espace personnel.

La colère des foules

Les réactions d'une foule d'individus qui manifestent pour la défense d'un intérêt commun ne sont pas les mêmes que celles de l'individu dont on viole le territoire personnel. Au fur et à mesure que la densité augmente, un sentiment d'hostilité monte chez chaque manifestant, qui voit rétrécir son espace vital – et c'est ce qui provoque des bagarres. Ils retrouvent souvent leur calme quand la police est venue les disperser, et qu'elle leur a ainsi rendu la jouissance de leur espace personnel.

Les pouvoirs publics et les urbanistes ne se sont que récemment rendu compte des effets néfastes des quartiers à forte densité de population où les gens étaient privés de territoire personnel. Or, la surpopulation est un facteur de stress qui explique en partie que les zones d'habitat très dense sont aussi celles où la violence et la criminalité sont les plus grandes. Il y a une vraie corrélation entre manque d'espace et violence.

Posséder sa propre terre est un désir profondément ancré chez l'homme, qui correspond à son besoin de liberté spatiale.

Lors des interrogatoires, les policiers recourent à des techniques d'invasion du territoire personnel pour briser la résistance des suspects. Ils les assoient sur des chaises sans accoudoirs, placées au centre d'un espace vide, et empiètent sur leur zone intime en posant leurs questions, ne s'éloignant que quand ils ont obtenu une réponse. Ce harcèlement territorial s'avère souvent très efficace.

Les rituels d'espacement

Lorsqu'on prend possession d'un espace dans un lieu public – un fauteuil de cinéma, une place autour d'une table de conférence, un portemanteau dans les douches d'un club de sport – le processus est prévisible et toujours le même : on cherche le plus grand espace libre possible entre deux emplacements occupés. Au cinéma, ce sera un siège situé à mi-chemin entre l'autre spectateur et le bout de la rangée. Et on accrochera sa serviette à mi-chemin entre deux autres, ou entre la dernière serviette et le premier crochet. Ce rituel a pour objectif d'éviter de heurter la sensibilité des autres en s'installant trop près ou trop loin d'eux.

On autorise les médecins et les coiffeurs à pénétrer dans notre zone intime. Il en est de même des animaux domestiques, parce qu'ils ne nous menacent pas.

Si vous vous asseyez trop loin ou trop près d'un spectateur déjà installé dans son fauteuil de cinéma, il risque de se sentir offensé que vous cherchiez à vous éloigner de lui, ou intimidé de vous avoir à ses côtés. Le choix d'une position médiane permet de maintenir une harmonie qui sera ressentie comme une politesse.

Dans les toilettes publiques, le choix d'un box semble faire exception à cette règle des convenances : le plus éloigné recueille 90 % des faveurs du public que nous avons observé. Quand il n'est pas libre, la règle du « mi-chemin » reprend le dessus. Dans les urinoirs, les hommes évitent systématiquement tout voisinage immédiat, obéissant à la loi tacite du « plutôt mourir que de s'épier ».

Le test de la table de restaurant

Tentez cette petite expérience la prochaine fois que vous irez déjeuner au restaurant avec un collègue ou un client. Les tables y sont dressées selon un plan parfaitement symétrique : sel, poivre, condiments et bouquets de fleurs sont situés exactement au centre. En cours de repas, déplacez négligemment le sel vers votre compagnon, puis le poivre, et ainsi de suite. Sa réaction ne tardera pas : soit il se renversera contre le dossier de sa chaise, soit il replacera les objets au centre de la table.

Facteurs culturels et zones d'interaction

Un jeune couple d'Italiens a quitté son pays pour aller vivre en Australie, où ils se sont inscrits au club associatif de leur quartier. Quelques semaines plus tard, trois adhérentes se sont plaintes de ce que l'Italien leur faisait des avances, et ont avoué se sentir mal à l'aise avec lui. De leur côté, les membres masculins du club trouvaient que le comportement de l'Italienne suggérait qu'elle était disponible sexuellement.

Cette anecdote illustre les malentendus que peuvent provoquer les contacts entre des cultures où les besoins d'espace personnel sont différents. Dans les pays du sud de l'Europe, la zone intime se limite souvent à 20 cm, et parfois moins. Les deux jeunes Italiens se sentaient très à l'aise à 25 cm des Australiens, ignorant totalement qu'ils violaient la limite anglo-saxonne des 50 cm. De plus, les Italiens regardent leurs interlocuteurs droit dans les yeux et les touchent plus facilement que les Australiens – d'où les erreurs d'interprétation de leur langage corporel. Choqué d'apprendre qu'on s'était trompé sur leurs intentions, le jeune couple a dû s'entraîner à respecter des distances plus adaptées aux habitudes de leur pays d'adoption.

Pénétrer dans la zone intime d'une personne du sexe opposé, c'est une façon de lui indiquer qu'on lui fait des « avances ». Si l'intrusion est mal accueillie, la personne qui se sent envahie recule pour récupérer son espace personnel. Si en revanche l'invasion est acceptée ou bienvenue, la personne convoitée ne bouge pas. Pour mesurer le degré d'intérêt qu'un homme lui porte, une femme pénétrera dans sa zone intime, avant de reculer. S'il est attiré par elle, il saura qu'il peut se rapprocher d'elle.

Plus les gens se sentent proches sur le plan émotionnel, plus ils se rapprochent sur le plan spatial.

Un comportement social qui paraissait parfaitement normal aux deux Italiens était considéré par les Australiens comme sexuellement racoleur. De leur côté, les Méridionaux interprétaient comme de la froideur ou de l'hostilité l'attitude des Anglo-Saxons qui passaient leur temps à reculer devant eux.

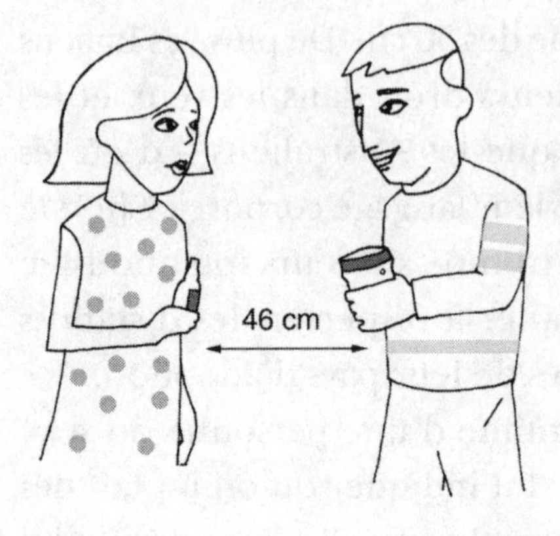

La distance de conversation acceptable chez les Anglo-Saxons et les populations d'Europe du Nord.

Un homme au faible besoin d'espace forçant une femme à reculer pour défendre le sien.

Le dessin ci-dessus illustre la réaction négative d'une femme devant l'empiètement de son espace personnel. Elle recule la tête et le buste, pour rétablir la distance qui lui convient. L'homme qui lui parle est peut-être issu d'une culture différente et il se penche vers elle pour réduire la distance. Il est possible qu'elle interprète ce geste comme une tentative de séduction.

Les Japonais mènent la danse

Nous avons observé lors de nos conférences internationales que les citadins américains respectent pour la conversation le péri-espace de la zone personnelle – la limite imaginaire d'un bras tendu, entre 50 cm et 1,20 m. Quand ils parlent avec des Japonais, on voit les couples commencer à tourner autour de la pièce : l'Américain recule et le Japonais marche sur lui – l'un et l'autre cherchant à maintenir avec son interlocuteur la distance qui lui convient. Le Japonais, dont la zone intime est plus étroite (25 contre 50 cm), s'avance constamment, et envahit celle de l'Américain, qui multiplie les pas en arrière pour la reconstituer. Quand on visionne en accéléré les enregistrements vidéo de ces conversations, on a l'impression que les deux hommes se lancent autour de la salle dans une valse effrénée, conduite par le Japonais. Ces disparités d'espace personnel expliquent pourquoi, dans les négociations d'affaires, Anglo-Saxons et Asiatiques échangent souvent des regards de suspicion. Les Occidentaux trouvent indiscrets et arrogants les Orientaux qui les qualifient en retour de froids et de distants. La méconnaissance des variantes culturelles de l'espace personnel est souvent source de préjugés et d'idées fausses sur les étrangers.

Le rat des villes et le rat des champs

Les dimensions de l'espace personnel minimal sont fonction de la densité de population qui nous entoure. Les personnes élevées en zones rurales faiblement peuplées ont une exigence d'espace personnel supérieure à celle des enfants des villes. Il suffit d'observer l'extension du bras lors d'une poignée de main pour deviner à qui on a affaire. Le rayon de la « bulle » intime du citadin est en général de 50 cm – et c'est la distance qui sépare le torse du poignet quand ce dernier tend la main.

Deux citadins se saluent : leur main s'écarte de 50 cm de leur corps.

Les deux mains tendues se rencontrent ainsi en territoire neutre. Pour les individus élevés en zone rurale, le diamètre de la « bulle » privée peut s'étendre à 1 m et plus – et c'est cette distance qui sépare en moyenne leur torse et leur poignet lors d'une poignée de main.

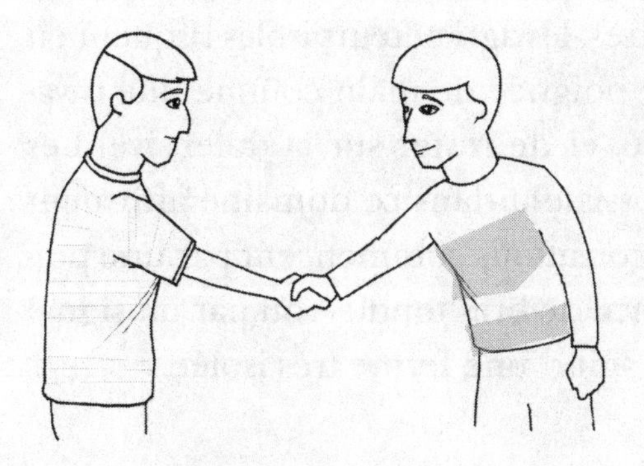

Deux ruraux se saluent : leur main s'écarte d'un mètre de leur corps.

Les citadins s'avancent volontiers d'un pas pour vous serrer la main, tandis que les personnes d'origine rurale gardent en général les pieds fermement plantés sur le sol et se penchent vers vous. La distance de salutation des habitants de régions très isolées, dont les besoins d'espace personnel sont encore plus grands, peut s'étendre jusqu'à six mètres. Ils préfèrent souvent se saluer d'un signe de la main.

Dans les populations à très faible densité, on garde ses distances.

Les vendeurs – citadins – de matériel agricole se sentent plus à l'aise s'ils connaissent les pratiques des contrées isolées auxquels ils rendent visite. Avec un rayon d'intimité qui avoisine souvent deux mètres, les agriculteurs isolés risquent en effet de ressentir une poignée de main comme une invasion de leur territoire, et de rester sur la défensive. Les commerciaux qui réussissent dans ce domaine affirment que les meilleures négociations commencent par une poignée de main à distance de bras tendu – ou par un signal de la main quand il s'agit d'une ferme très isolée.

Territoire et propriété

Nous avons tous notre territoire privé : l'espace que nous possédons ou que nous occupons régulièrement – et que nous défendons autant que le périmètre de notre zone intime. Dans une maison par exemple, une personne revendiquera la cuisine comme son territoire personnel, et en interdira l'accès quand elle l'occupe. Un directeur ou un cadre d'entreprise aura sa place préférée autour de la table de conférence, et le client d'un café ou d'un restaurant sa table favorite, le père et la mère de famille leur place attitrée à table. On peut marquer son territoire en y laissant des objets personnels, ou en l'utilisant régulièrement. Certains habitués d'un café iront même jusqu'à graver leur nom sur « leur » table, et le cadre supérieur délimitera « sa » place à la table de réunion en y déposant un dossier, un stylo, en suspendant sa veste au dossier de sa chaise – le tout restant à l'intérieur des 46 cm de zone intime.

À l'intérieur du territoire familial, on marquera volontiers sa chaise ou son fauteuil préféré en y déposant son journal ou son sac à main, comme pour en indiquer la propriété. Et quand un invité s'assied dans son fauteuil attitré, le maître ou la maîtresse de maison se sentent souvent sur la défensive, car leur territoire personnel a été envahi. L'occupant aurait été sage de demander avant de s'asseoir : « Quel est votre fauteuil ? » pour s'épargner des tensions probables au cours de la conversation.

Le territoire de la voiture

Quand nous sommes au volant, nous adoptons parfois un comportement de conducteur, qui n'a rien à voir avec nos pratiques sociales habituelles de défense du territoire.

Il semble en effet que la voiture ait un effet grossissant sur l'espace personnel de son propriétaire – qui peut aller dans certains cas jusqu'à se décupler, et qui le pousse à revendiquer une sphère privée d'un rayon de dix mètres. Quand un autre véhicule lui barre la route, même sans qu'il y ait aucun danger, un changement physiologique s'opère chez le conducteur, qui se met en colère et passe à l'attaque. C'est le phénomène bien connu de « l'agressivité au volant ». Comparons cette rage subite au calme impassible affiché par la même personne quand un passager d'ascenseur passe devant elle et envahit sa zone intime. Il s'empresse de s'excuser et recule pour le laisser sortir.

On se sent souvent invisible quand on est en voiture – et on s'y autorise parfois des gestes privés sous les yeux des passants.

La voiture est parfois vécue comme un cocon qui protège du monde extérieur. L'automobiliste qui, à l'abri de son habitacle, rase le trottoir en roulant au pas, est aussi dangereux que le bolide qui revendique un espace personnel décuplé.

Petit test des rapports spatiaux

En regardant le dessin ci-dessous, essayez d'imaginer les scénarios qu'il pourrait décrire, en vous fondant sur les rapports spatiaux des protagonistes. Il vous suffira de vous poser quelques questions très simples et de bien observer l'homme et la femme pour trouver des réponses plausibles et éviter les hypothèses fausses.

Qui sont-ils et d'où viennent-ils ?

On peut envisager plusieurs hypothèses réalistes sur ce couple :

1. Ils sont tous les deux citadins et l'homme est en posture d'approche intime.
2. La zone intime de l'homme est plus restreinte que celle de la femme, qu'il est en train d'envahir.
3. La femme est issue d'une culture où les besoins d'espace intime sont restreints.
4. Ils éprouvent une attirance mutuelle.

En résumé

Vous serez accueilli ou rejeté en fonction de votre respect de l'espace personnel des autres. Si vous y allez « au petit bonheur la chance » et que vous donnez des grandes tapes sur les épaules de tous ceux que vous rencontrez, vous serez secrètement détesté par tout le monde. De nombreux facteurs peuvent affecter les contacts entre deux personnes – et il faut tenir compte de tous ces critères pour estimer les raisons d'une attitude distante.

Chapitre 10

COMMENT NOS JAMBES RÉVÈLENT NOS DÉSIRS SECRETS

Marc est assis les jambes écartées, une main caressant sa cravate tandis que l'autre masse la salière. Il ne s'est pas rendu compte qu'elle croise les jambes depuis 20 minutes dans la direction opposée, vers la sortie la plus proche.

Plus une partie du corps est éloignée de notre cerveau, moins nous avons conscience de ce qu'elle fait. Par exemple, nous sommes généralement conscients des expressions de notre visage, de la manière dont il bouge ; on peut même s'entraîner à représenter certaines expressions comme « prendre un air résigné » ou « jeter un regard désapprobateur », « faire bonne figure », ou « avoir l'air ravi » quand Mamie nous offre pour la énième fois des sous-vêtements immettables pour notre anniversaire. Plus on s'éloigne du visage, plus l'acuité de la perception qu'on a des différents organes diminue : d'abord viennent les bras et les mains, puis le torse et le ventre, ensuite les jambes, et quant à nos pieds c'est tout juste si nous sommes conscients de leur existence.

Par conséquent, nos jambes et nos pieds constituent une source d'information importante sur notre attitude. N'ayant généralement pas conscience de ce que nous leur faisons faire, il ne nous vient pas à l'esprit de contrôler ou de simuler leurs mouvements, comme c'est le cas avec notre visage. Une personne peut très bien, tout en affichant un air parfaitement calme et composé, taper du pied par terre ou donner des petits coups de pied dans le vide, trahissant par là sa frustration de ne pouvoir s'enfuir.

Quand nous agitons les pieds, c'est comme si notre cerveau tentait de fuir la situation vécue.

La nouvelle façon de marcher dont tout le monde parle

La façon dont on balance les bras en marchant est un indicateur de personnalité – ou du moins de l'image que l'on souhaite donner. Ce mouvement de balancier est plus accentué chez les femmes, qui ont davantage de souplesse dans l'extension du coude ; ceci afin de faciliter le portage des bébés.

Les gens jeunes, actifs et en bonne santé marchent plus vite que les gens plus âgés, d'où un mouvement de balancier des bras plus ample, qui peut même leur donner l'air de marcher au pas. Cela est dû en grande partie à leur vitesse et à leur plus grande souplesse musculaire. Ainsi, le pas militaire tend à exagérer le mouvement naturel de la marche, pour donner une impression générale de jeunesse et de vigueur. C'est aussi la raison du succès de cette « nouvelle démarche » auprès des personnalités et des hommes politiques, soucieux de convaincre de leur vitalité.

Comment nos pieds disent la vérité

Nous avons mené une série de tests auprès de responsables de haut niveau, à qui nous avons demandé de mentir avec conviction dans le cadre de simulations d'entretien. Nous avons constaté qu'indépendamment de leur sexe, les mouvements inconscients de leurs pieds augmentaient de manière frappante pendant qu'ils mentaient. À ces moments-là, la plupart de nos « cobayes » simulaient les expressions de leur visage et s'efforçaient de contrôler leurs mains, mais ils n'avaient aucune conscience des mouvements de leurs jambes et de leurs pieds. Outre que les mouvements de la partie inférieure du corps augmentent en situation de mensonge, le psychologue Paul Ekman, qui a contrôlé ces résultats, a démontré qu'on a plus de chances de détecter un mensonge si l'on voit la totalité du corps du menteur. Voilà pourquoi beaucoup de responsables ne se sentent à l'aise que derrière un bureau fermé, masquant la partie inférieure de leur corps.

Si vous avez des soupçons sur la sincérité de votre interlocuteur, regardez sous son bureau.

Les tables en verre, en exposant nos jambes, nous donnent un sentiment d'insécurité et génèrent davantage de stress que les tables opaques.

La fonction des jambes

Chez l'homme préhistorique, les jambes avaient deux fonctions : se déplacer pour trouver de la nourriture et fuir le danger. Parce que le cerveau humain est programmé pour ces deux objectifs – aller vers ce que nous voulons et fuir ce dont nous ne voulons pas, la façon dont quelqu'un se sert de ses jambes et de ses pieds révèle la direction qu'il voudrait prendre. En d'autres termes, elle montre son désir de poursuivre ou au contraire de mettre fin à une conversation. Des jambes écartées ou non croisées dénotent une attitude ouverte ou dominante, alors qu'une position croisée révèle une attitude fermée ou indécise.

Une femme qui n'éprouve pas d'attirance pour un homme va croiser les bras sur sa poitrine et croiser les jambes dans la direction opposée à celle de son interlocuteur, indiquant par là une fin de non-recevoir. S'il l'intéressait, elle adopterait une position plus ouverte.

Les quatre grandes positions debout

1. Au garde-à-vous

C'est une position protocolaire qui exprime une attitude neutre, sans volonté déterminée de rester ni de partir. Dans les rencontres entre hommes et femmes, elle est surtout l'apanage des femmes ; elle leur permet de garder les jambes serrées, signe de « non-engagement ». C'est la position des écoliers lorsqu'ils parlent à un professeur, des jeunes cadres devant un supérieur, des employés face à leur patron, ou des personnes qui rencontrent les membres d'une famille royale.

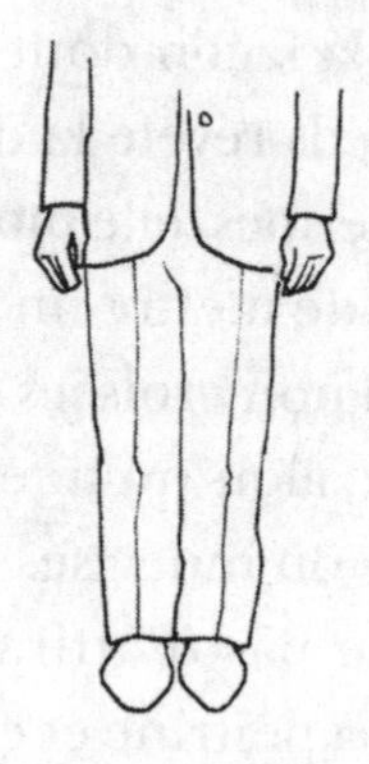

La position du garde-à-vous.

2. Les jambes écartées

Comme nous l'avons mentionné plus haut, c'est une pose essentiellement masculine, l'équivalent debout du bassin en avant. Les pieds fermement ancrés dans le sol, on signifie clairement qu'on n'a pas l'intention de partir. Mettant en évidence les parties génitales, cette position permet aux hommes d'émettre un signal de domination, et connote une allure macho.

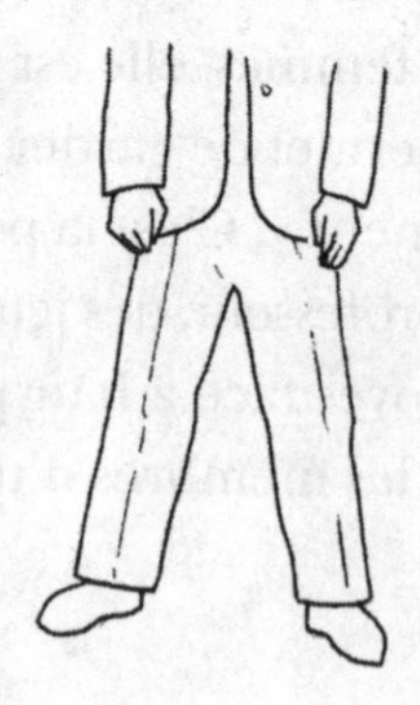

Le bassin en avant ou la mise en évidence de la masculinité.

Au cours d'un match, on voit souvent des groupes de joueurs à la mi-temps dans cette attitude, ajustant continuellement la position de leur bassin. Ces mouvements n'ont rien à voir avec un quelconque inconfort physique. Ils permettent aux hommes de mettre en avant leur masculinité et de manifester leur solidarité au sein de l'équipe en accomplissant tous la même action.

Le bassin en avant, posture favorite des durs à cuire et des machos.

3. Le pied en avant

Le poids du corps est déplacé sur une hanche, ce qui fait pointer l'autre pied vers l'avant.

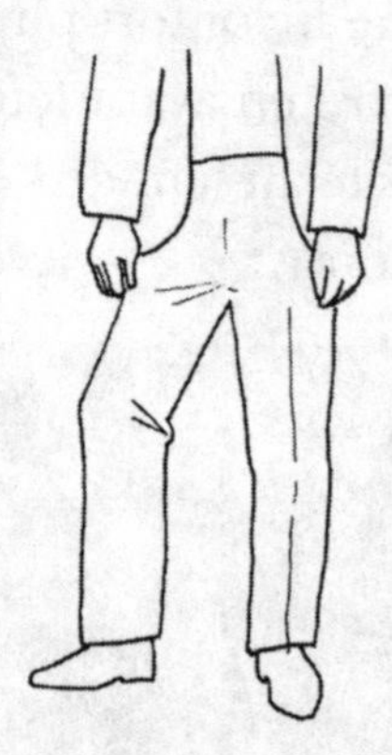

La position du pied en avant – montrant la direction dans laquelle notre cerveau aimerait nous faire aller.

Cette position fournit un indice précieux sur nos intentions immédiates, le pied pointé montrant la direction que notre tête aimerait nous faire prendre. Elle donne d'ailleurs l'impression que l'on s'est déjà mis en marche. Dans une situation de groupe, nous pointons le pied vers la personne qui nous attire ou qui nous intéresse le plus, ou, si nous souhaitons partir, vers la sortie la plus proche.

4. Les jambes croisées

La prochaine fois que vous assisterez à une réunion mixte, vous observerez que dans certains groupes, les individus ont les bras et les jambes croisés. En les regardant plus attentivement, vous constaterez qu'ils maintiennent une distance plus importante que ne l'exigent les codes sociaux.

La position debout
jambes croisées.

S'ils portent des vestes ou des manteaux, ceux-ci seront probablement boutonnés. C'est la position qu'on adopte habituellement au sein d'un groupe de personnes qu'on ne connaît pas très bien. En vous mêlant à ce groupe, vous apprendriez sûrement qu'un ou plusieurs de ses membres ne connaissent pas les autres.

Si les jambes écartées dénotent l'ouverture ou la domination, les jambes croisées, en revanche, en refusant symboliquement tout accès aux parties génitales, expriment une attitude fermée, soumise ou défensive.

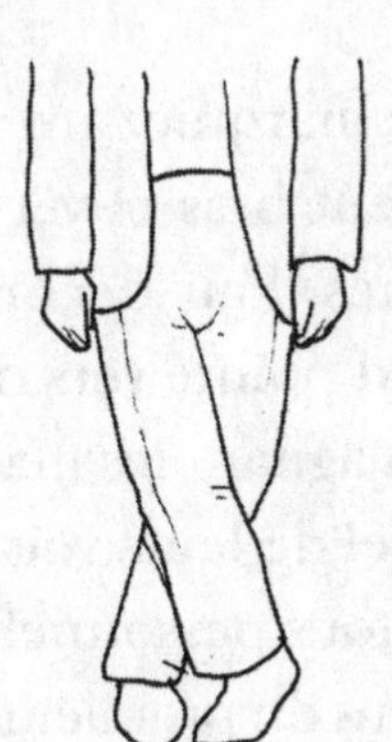

Les ciseaux – Il s'abstient de tout commentaire, mais ne compte pas partir pour autant.

Chez une femme, des positions comme les ciseaux ou une seule jambe croisée émettent deux messages : d'une part elle compte rester, d'autre part elle refuse l'accès. Chez un homme, ces postures traduisent également l'intention de rester, mais il veut néanmoins s'assurer que vous n'allez pas « frapper là où ça fait mal ». Si on met en évidence sa masculinité en ouvrant les jambes, on la protège en les croisant. Lorsqu'un homme se trouve en présence d'autres hommes qu'il considère comme ses inférieurs, le bassin en avant est la position appropriée. S'il se trouve en compagnie de supérieurs, au contraire, cette attitude révèle de sa part un sentiment de vulnérabilité et un rapport de rivalité. Des études montrent que la position des jambes croisées est également privilégiée par les individus qui manquent de confiance en eux.

L'ouverture des jambes dénote l'assurance ; chez un homme, les jambes croisées sont un signe de réticence.

Imaginons maintenant que vous remarquiez un second groupe dont les individus se tiennent bras ouverts, paumes visibles, manteaux déboutonnés, l'air décontracté, s'appuyant sur une jambe et un pied pointé vers d'autres personnes du groupe. Ils parlent en agitant les mains, entrent et sortent de l'espace personnel de leurs voisins. Il y a fort à parier qu'ils se connaissent tous personnellement et qu'ils sont amis. Quant aux individus du premier groupe, ils ont beau avoir des expressions détendues et des conversations nonchalantes, leurs bras et leurs jambes croisés révèlent qu'ils ne sont pas aussi à l'aise ensemble qu'ils voudraient le faire croire.

Faites le test suivant : joignez-vous à un groupe où vous ne connaissez personne, prenez une expression sérieuse et croisez les bras et les jambes. Un par un, les membres du groupe vont vous imiter et rester ainsi jusqu'à ce que vous, l'étranger, vous vous en alliez. Éloignez-vous, et vous les verrez reprendre un par un leur position d'ouverture initiale.

En croisant les jambes, non seulement on révèle des émotions négatives ou défensives, mais on dégage une impression d'insécurité qui pousse les autres à se mettre au diapason.

Sur la défensive, frigorifié ou « à l'aise comme ça » ?

Certains vous diront qu'ils croisent les jambes et les bras parce qu'ils ont froid, non parce qu'ils se sentent vulnérables. Une personne qui veut se réchauffer les mains les glissera sous les aisselles, plutôt que sous le coude, comme on le fait en position défensive. Par ailleurs, si elle a froid, elle aura tendance à se tenir repliée dans une sorte d'auto-étreinte ; si elle a les jambes croisées, elles seront plutôt contractées, raides et serrées l'une contre l'autre, par opposition à la position défensive, où les jambes restent plus détendues.

Le plus probable est qu'elle a froid ou qu'elle aurait besoin de faire une pause.

Comment nous passons de la fermeture à l'ouverture

À mesure que les gens se sentent plus à l'aise dans un groupe et apprennent à se connaître, ils passent par toute une série de signaux corporels : de la position défensive, bras et jambes croisés, à la position ouverte. Les étapes de ce processus sont immuables.

Les choses commencent en position fermée, bras et jambes croisés (illustration 1). Une fois le premier contact établi, quand on se sent plus à l'aise, les jambes se décroisent et les pieds se placent en position de garde-à-vous. Puis le bras supérieur s'ouvre, et le locuteur peut éventuellement tendre une paume en parlant, lui faisant ainsi abandonner sa fonction de bouclier. La main peut par exemple soutenir la partie externe de l'autre bras, qui reste seul dans le rôle de bouclier. Puis les deux bras se déplient et une main s'agite, ou vient se poser sur la hanche ou dans une poche. Enfin, l'un des interlocuteurs adopte la position du pied en avant, exprimant son acceptation de l'autre (illustration 2).

1. Incertitude vis-à-vis de l'autre.

2. Ouverture et acceptation.

Les jambes croisées à l'européenne

Une jambe est soigneusement croisée sur l'autre, 70 % des gens placent la gauche sur la droite. C'est la position classique des jambes croisées dans les cultures asiatique et européenne.

Les jambes croisées à l'européenne.

Une personne assise bras et jambes croisés s'exclut de la conversation ; chercher à la convaincre risque de s'avérer vain.

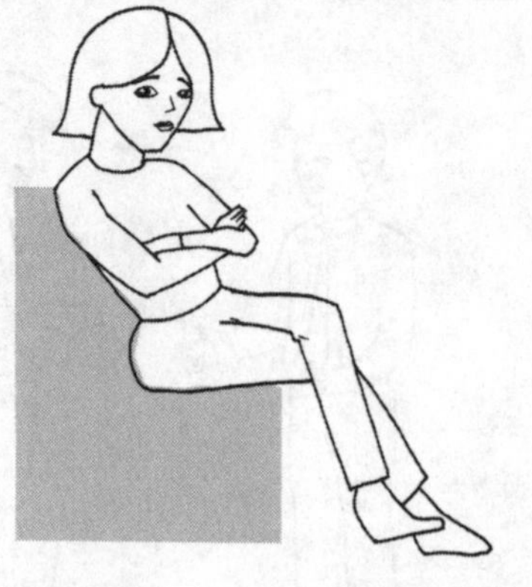

Rejet de la communication à tous les niveaux.

Les personnes assises dans cette position dans un contexte professionnel font des phrases plus courtes, rejettent plus souvent les propositions qu'on leur soumet, et retiennent moins les détails de ce qui a été dit que ceux qui gardent les bras et les jambes en position ouverte.

Le 4 à l'américaine

C'est la variante assise du bassin en avant, qui met en évidence les parties génitales. Cette position est courante chez les hommes aux États-Unis et dans les cultures en voie d'américanisation, notamment parmi les jeunes à Singapour, au Japon ou aux Philippines. Elle signale une attitude de rivalité ou d'antagonisme. Chez les singes aussi, les parties génitales sont mises en avant en situation d'agressivité, dans le but d'éviter un affrontement physique et les blessures qui pourraient s'ensuivre. En effet, chez tous les primates, le mâle qui expose ses organes génitaux de la façon la plus impressionnante est considéré comme le gagnant. En Australie ou en Nouvelle-Zélande, on trouve aussi bien la position européenne que le 4 à l'américaine. Pendant la Seconde Guerre mondiale, les nazis avaient vite fait de repérer un individu dans cette posture ; elle leur signifiait sans ambiguïté qu'il n'était pas allemand, ou qu'il avait séjourné aux États-Unis.

Prêt à défendre ses arguments – Le 4 à l'américaine.

Rare en Angleterre et en Europe dans les générations plus âgées, le 4 commence à apparaître dans des pays comme la Russie, le Japon, la Sardaigne ou Malte, chez les jeunes nourris de programmes télévisés et de films américains. Il véhicule une notion de domination, mais aussi de modernité et de décontraction. Dans certaines régions du Moyen-Orient et d'Asie, en revanche, cette posture est considérée comme une insulte, car elle expose la semelle de la chaussure qui s'est trouvée en contact avec la poussière.

Si on voit parfois dans cette position des femmes en jeans ou en pantalon, elles ne s'y adonnent en principe que dans un environnement exclusivement féminin ; en présence d'hommes, elle risquerait de les faire percevoir comme trop masculines ou, à l'inverse, comme sexuellement trop accessibles.

Des études montrent aussi que la plupart des gens ne prennent une décision finale qu'en ayant les deux pieds posés bien à plat par terre. En conséquence, si votre interlocuteur se tient dans cette position, le moment n'est pas le plus approprié pour exiger de lui une décision.

Lorsque le corps se ferme, l'esprit en fait autant

Il nous a été donné d'assister à une conférence dont le public était constitué d'une centaine de managers et d'environ cinq cents commerciaux, comprenant autant d'hommes que de femmes. Le thème – l'attitude des entreprises à l'égard de leur personnel de vente – prêtait à controverse. On avait demandé à un orateur bien connu, qui se trouvait à la tête du syndicat des commerciaux, de s'adresser au public. Au moment où il a pris place sur l'estrade, la quasi-totalité des managers hommes et un quart des managers femmes se sont mis en position défensive, jambes et bras croisés, montrant à quel point ils se sentaient menacés par ce qu'ils s'attendaient à entendre. Leurs craintes étaient fondées. L'orateur a tempêté contre la médiocrité du management, et les conséquences néfastes de ces carences sur la gestion des ressources humaines dans l'entreprise. Tout au long de son discours, la plupart des commerciaux ont manifesté leur intérêt en restant penchés en avant, réagissant à l'occasion par des gestes d'approbation, tandis que les managers s'en sont tenus à leur position défensive.

Quand l'esprit se ferme, le corps l'imite

L'orateur a ensuite exposé sa conception du rôle du manager à l'égard de ses commerciaux. Tels des musiciens réagissant à un signe du chef d'orchestre, presque tous les managers ont alors adopté la position du 4 à l'américaine, signe qu'ils étaient maintenant occupés à contester intérieurement le point de vue de l'orateur, ce que beaucoup nous ont confirmé par la suite. Quelques managers, cependant, n'avaient pas modifié leur position. Il s'est avéré qu'eux non plus n'approuvaient pas les propos de l'orateur, mais qu'ils n'avaient pu adopter la position du 4 pour des raisons d'ordre physique ou médical, comme des problèmes de surpoids ou d'arthrite.

Si vous avez à convaincre une personne qui se tient dans l'une de ces positions, l'objectif est de la pousser à décroiser les jambes avant de poursuivre. Si vous avez quelque chose à lui montrer, invitez-la à s'asseoir à côté de vous, donnez-lui quelque chose à faire ou à tenir, mettez-lui en main des échantillons ou demandez-lui d'écrire afin qu'elle se penche. Lui offrir un thé ou un café est aussi une tactique efficace, qui l'obligera à décroiser les bras et les jambes pour éviter de se brûler.

La position du 4 verrouillé

Non seulement cette personne a l'esprit de rivalité, mais elle verrouille sa position à l'aide d'une main, voire des deux. C'est le signe d'un caractère obstiné, inflexible, qui rejette toute opinion différente de la sienne.

Le 4 verrouillé – figé dans une attitude de rivalité.

La cheville verrouillée

Les hommes accentuent souvent le verrouillage de la cheville en posant leurs poings serrés sur les genoux ou en crispant leurs mains sur les accoudoirs. Ils adopteront volontiers la variante assise du bassin en avant (voir plus loin). La version féminine est un peu différente : les genoux sont joints, les pieds peuvent éventuellement être inclinés sur le côté, et les mains reposent côte à côte ou l'une sur l'autre sur les cuisses.

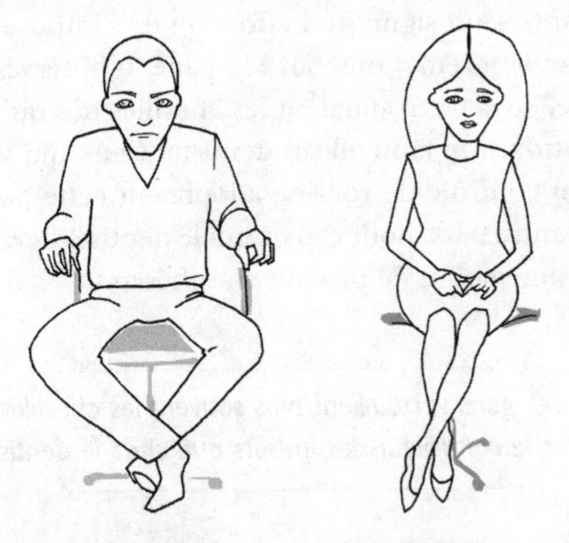

La cheville verrouillée : la femme restreint l'espace occupé par ses jambes, tandis que l'homme s'étale.

Trente ans d'observation des comportements dans le cadre d'entretiens ou de situations de vente nous ont amplement démontré que le geste de verrouiller les chevilles équivaut à se mordre mentalement les lèvres. C'est le signe qu'on retient une émotion négative ; une crainte, ou une réserve. Le plus souvent, les pieds repliés sous la chaise signifient que l'individu est fermé sur lui-même. À l'inverse, les gens qui *s'engagent* dans une conversation auront tendance à mettre les pieds *dans* la conversation.

Notre travail auprès de cabinets d'avocats a révélé que les défendeurs qui attendent dans le couloir du tribunal juste avant leur audience maintiennent les chevilles verrouillées sous leur chaise trois fois plus souvent que les plaignants – un signe de l'effort qu'ils s'imposent pour contrôler leurs émotions. Sur 319 patients observés chez le dentiste, 88 % verrouillaient les chevilles dès qu'ils s'installaient dans le fauteuil du dentiste. Ceux qui venaient pour un contrôle de routine adoptaient cette position à 68 %, contre 98 % pour ceux à qui le dentiste devait administrer une piqûre de produit anesthésiant.

Les gens verrouillent plus souvent les chevilles avec le contrôleur des impôts que chez le dentiste.

Nos enquêtes dans l'administration de la police, des douanes ou les impôts, ont montré que la plupart des personnes interrogées croisent les chevilles au début de l'entretien, souvent plus par crainte que par sentiment de culpabilité. Nous avons fait le même constat dans le domaine des ressources humaines, où nombre de personnes interrogées croisent les chevilles à un moment ou un autre de l'entretien, trahissant ainsi une émotion ou une attitude non formulée. Croiser les chevilles dans le cadre d'une négociation est souvent révélateur du fait qu'on refuse de « lâcher » une concession importante. À partir de là, on a élaboré certaines techniques d'entretien qui incitent l'interlocuteur à décroiser les chevilles et à dépasser ce blocage.

On peut inciter quelqu'un à décroiser les chevilles en lui posant des questions positives sur ses émotions.

Au premier stade de notre étude sur le verrouillage des chevilles, nous nous sommes aperçus qu'en posant des questions, on pouvait amener les personnes interrogées à se détendre et à décroiser leurs chevilles dans environ 42 % des cas, un pourcentage important. Toutefois, si la personne qui conduit l'entretien abandonne la barrière constituée par le bureau pour aller s'asseoir à côté de l'interviewé, le dialogue gagne en fluidité et prend souvent un tour plus ouvert et plus personnel.

Au cours d'une mission de conseil sur le marketing téléphonique, nous avons rencontré un employé dont la tâche peu enviable consistait à réclamer les impayés. Malgré son ton décontracté, il passait ses appels en maintenant en permanence les chevilles croisées, les jambes repliées sous sa chaise, ce qui n'était pas le cas lorsqu'il discutait avec nous. Lorsque nous lui avons demandé ce qu'il pensait de son travail, il s'est dit très satisfait, ce qui n'était pas cohérent avec les signaux non verbaux qu'il émettait, en dépit de son ton et de son air convaincants. Nous avons insisté. Il a marqué une pause, décroisé les chevilles et, paumes ouvertes, nous a déclaré : « Eh bien, en fait, ça me rend dingue ! »

Il nous a expliqué qu'il devait subir chaque jour des appels de clients agressifs ou grossiers, et qu'il s'entraînait à masquer ses sentiments afin de ne pas les communiquer aux autres clients. Nous avons observé par ailleurs que les commerciaux qui n'aiment pas se servir du téléphone croisaient souvent les chevilles pour passer leurs appels.

Le syndrome de la minijupe

Les femmes qui portent des minijupes croisent les jambes par nécessité, pour des raisons évidentes. Beaucoup de femmes plus âgées gardent cette position par pure habitude, malgré la contrainte qu'elle induit. Or, inconsciemment, les autres sont susceptibles de percevoir cette posture comme négative, et de conserver à l'égard de ces femmes une réserve prudente.

Les femmes qui portent des minijupes peuvent paraître distantes.

Entraînez-vous à adopter une gestuelle positive et ouverte ; cela ne peut qu'améliorer votre confiance en vous, et donner une image positive de vous-même.

Le pied enroulé

Cette position, presque exclusivement féminine, est la marque des femmes timides ou contorsionnistes. On enroule la partie antérieure du pied autour de l'autre jambe pour se donner de l'assurance ; c'est le signe qu'on s'est retiré dans sa coquille, aussi détendue que puisse paraître la partie supérieure du corps. Seule une approche en douceur, amicale et chaleureuse, peut éventuellement persuader une personne dans cette position d'abandonner ce verrou.

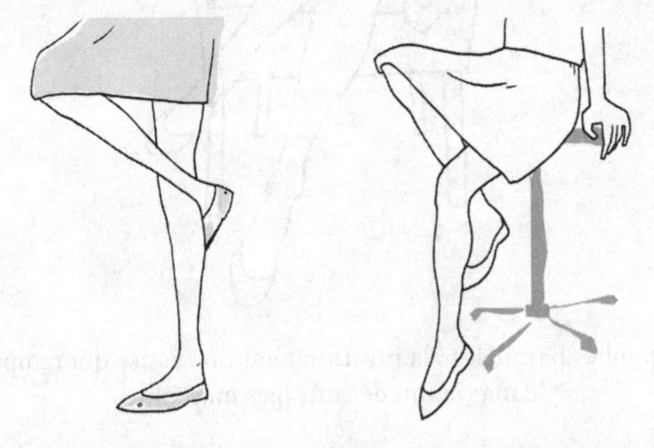

Les femmes timides enroulent un pied autour de l'autre jambe.

Les jambes parallèles

Parce que leurs jambes et leurs hanches n'ont pas la même configuration osseuse que celles des femmes, cette position est quasi impraticable pour la plupart des hommes, ce qui fait d'elle un puissant signal de féminité. Résultat sans surprise : plus de 86 % des hommes que nous avons sondés sur les positions des jambes qu'adoptent les femmes considèrent celle-ci comme la plus séduisante.

Les jambes parallèles : la position féminine assise qui remporte le maximum de suffrages masculins.

En appuyant une jambe contre l'autre, on leur donne une apparence plus tonique et plus jeune, signifiant ainsi aux hommes qu'on est vraisemblablement une bonne reproductrice. C'est la position qu'on enseigne aux femmes dans les leçons de maintien et les formations de mannequins. À ne pas confondre avec le cas d'une femme qui croise et décroise constamment les jambes en présence d'un homme qui lui plaît – dans le but d'attirer son attention sur elles.

Pied en avant, pied en arrière

Lorsqu'une personne capte notre intérêt par son attitude ou ses paroles, nous mettons un pied en avant pour raccourcir la distance qui nous sépare d'elle. Si nous sommes réticents ou indifférents, nous plaçons le pied en arrière, le plus souvent sous notre chaise, si nous sommes assis.

Il fait du rentre-dedans, avec un pied pointé et le bassin en avant : elle est soit indécise, soit sur la réserve.

Dans la scène ci-dessus, l'homme tente de montrer l'intérêt qu'il porte à la femme en recourant au langage corporel type de la parade masculine : pied en avant, jambes écartées, bassin en avant et bras tournés vers l'extérieur pour occuper davantage d'espace et accentuer son gabarit. De son côté, elle a recours à une gestuelle caractéristique d'une fin de non-recevoir : jambes droites, visage détourné, bras croisés et occupation spatiale restreinte. En bref : il perd probablement son temps.

En résumé

Nos pieds révèlent la direction où nous avons envie d'aller, les gens qui nous plaisent ou nous déplaisent. Une femme doit éviter de croiser les jambes lorsqu'elle est assise en compagnie d'hommes d'affaires, sauf si elle porte une robe en triangle ou qui descend sous le genou. En règle générale, la vue de cuisses féminines accapare l'attention des hommes et les distrait de ce qu'on leur dit. Ils se rappelleront leur interlocutrice, mais pas son message. Beaucoup de femmes portent des robes courtes au bureau parce que cette image est celle que leur suggèrent en permanence les médias. Si plus de 90 % des présentatrices de programmes télévisés portent des robes courtes qui exposent leurs jambes, c'est parce que les études ont montré que cela retient les téléspectateurs masculins plus longtemps devant leur écran, mais elles ont aussi prouvé que plus une femme montre ses jambes, moins les hommes se rappellent le contenu de ses propos. La règle est simple : croiser des jambes nues est parfait en société, mais déconseillé en situation professionnelle. La même règle vaut pour un homme qui doit traiter avec une femme en situation professionnelle – il doit garder les genoux serrés !

CHAPITRE 11

LES 13 GESTES LES PLUS FRÉQUENTS AU QUOTIDIEN

L'association de gestes que les femmes ne supportent pas de voir chez un homme au bureau.

On réfléchit rarement au sens de toutes les petites actions apparemment anodines que nous effectuons au quotidien. En voyant deux personnes se donner l'accolade par exemple, on en déduit que la petite tape dans le dos qui survient vers la fin de l'accolade est un geste d'affection. On tire les mêmes conclusions sur les baisers ébauchés, lorsqu'au lieu d'embrasser quelqu'un, une personne fait des petits bruits de baisers dans le vide à côté de sa joue. Or, la tape dans le dos a ici la même signification que chez les lutteurs professionnels. Par ce geste, on demande à l'autre de mettre fin à l'accolade et de rompre le corps à corps. Si vous appréciez peu les accolades mais que vous y êtes contraint pour imiter votre entourage, vous ébaucherez peut-être la tape dans le dos à vide, avant même de toucher l'autre. De même, le baiser dans le vide (avec le petit bruit qui l'accompagne) remplace un vrai baiser, que l'on n'a pas envie de donner.

En général, on rompt le corps à corps par une tape sur l'épaule. Dans une étreinte sincère, on serre l'autre avec force. Tandis qu'elle s'accroche, il la tapote presque aussitôt pour signifier qu'il veut fuir.

Ce chapitre aborde les mouvements de tête et les associations de gestes que vous observerez le plus couramment dans vos relations quotidiennes.

Le hochement de tête

Dans presque toutes les cultures, on emploie le hochement de tête pour dire oui ou donner son accord. C'est une forme atténuée et abrégée de révérence. Et, de même qu'on s'incline en signe de soumission, on hoche la tête pour indiquer à l'autre qu'on l'approuve. Les recherches menées auprès de sourds, muets et aveugles de naissance, montrent qu'ils utilisent également ce geste pour dire oui, ce qui laisse penser qu'il s'agit d'un geste de soumission inné.

En Inde, pour acquiescer, on dodeline de la tête en l'agitant de part et d'autre. Ce mouvement est source de confusion pour les Occidentaux, chez qui il veut dire : « peut-être que oui, peut-être que non ». Comme nous l'avons déjà précisé, au Japon, hocher la tête ne veut pas nécessairement dire : « Oui, je suis d'accord », mais simplement : « Oui, je vous ai entendu. »

Le hochement de tête tire son origine de la révérence, signe de soumission.

Dans les pays arabes, on dit non en relevant vivement la tête, tandis que les Bulgares utilisent notre signe négatif pour dire oui.

De l'utilité d'apprendre à hocher la tête

On ignore souvent le pouvoir du hochement de tête en tant qu'outil de persuasion. On a observé que les gens parlent trois à quatre fois plus qu'à l'ordinaire face à un auditeur qui hoche la tête, et répète ce geste trois fois à intervalles réguliers. La vitesse du mouvement donne la mesure de la patience (ou de l'impatience) de l'auditeur. Un hochement lent signale l'intérêt pour ce qui est dit ; dans l'idéal, on réagira par trois hochements lents et appuyés pendant que l'autre développe ses arguments. Quant aux hochements rapides, ils font comprendre à celui qui parle qu'on en a suffisamment entendu et qu'on souhaite qu'il conclue ou qu'il vous laisse la parole.

Comment susciter l'approbation

Le hochement de tête a deux emplois forts. Le langage corporel étant le reflet extérieur inconscient de nos émotions, quelqu'un qui affirme quelque chose a tendance à hocher la tête en parlant. Réciproquement, le fait de hocher la tête délibérément peut aider à positiver ses émotions. En d'autres termes, des émotions positives incitent à hocher la tête, tout comme des hochements de tête suscitent un état d'esprit positif.

De plus, les hochements de tête sont très contagieux. En voyant quelqu'un hocher la tête, on aura tendance à l'imiter, même si l'on n'est pas pour autant d'accord avec lui. C'est un outil précieux pour créer des liens, obtenir l'approbation ou la coopération. Si vous terminez chacune de vos phrases par une affirmation comme « n'est-ce pas ? », « vous ne trouvez pas ? », « c'est vrai, non ? » ou « vous êtes bien d'accord ? », en hochant la tête pour amener votre interlocuteur à faire de même, vous provoquerez chez lui des émotions positives qui l'inciteront à chercher l'accord avec vous.

Les hochements de tête favorisent la coopération et l'approbation.

Hochez la tête pendant que votre interlocuteur répond à votre question. Lorsqu'il arrête de parler, continuez à hocher la tête cinq fois, à raison d'un hochement par seconde. En principe, au bout de quatre hochements, il va se remettre à parler pour vous apporter davantage d'informations. Et aussi longtemps que vous hocherez la tête sans intervenir, avec le menton appuyé sur la main, il n'attendra pas que vous repreniez la parole, sans pour autant vous percevoir comme un interrogateur. Gardez la main sur le menton et caressez-le légèrement tout en écoutant ; il est prouvé que ce geste incite les autres à parler.

Secouer la tête

Il semblerait que le geste de secouer la tête, signifiant généralement « non », soit également inné ; selon les biologistes spécialisés dans l'évolution, c'est le premier geste que l'être humain acquiert. D'après leur théorie, lorsqu'un nouveau-né a bu assez de lait, il secoue la tête pour rejeter le sein de sa mère. De même, un enfant qui n'a plus faim secoue la tête pour rejeter la cuiller qu'on veut lui mettre dans la bouche.

On apprend à secouer la tête au cours de la tétée, au stade du nourrisson.

Lorsqu'une personne essaie de vous convaincre, assurez-vous qu'elle ne secoue pas la tête tout en exprimant verbalement son accord. Si quelqu'un, aussi convaincant soit-il, vous dit « Je comprends votre point de vue », « Ça m'a l'air très bien », ou « Je suis sûr que nous allons faire affaire » en secouant la tête, son geste n'en révèle pas moins une attitude négative, et vous feriez bien de rester sur vos gardes.

Aucune femme ne croira un homme qui lui dit « Je t'aime » en secouant la tête. Quand Bill Clinton, au cours de l'enquête sur ses relations avec Monica Lewinsky, a prononcé sa phrase célèbre : « Je n'ai pas eu de relation sexuelle avec cette femme », il n'a pas secoué la tête.

Les ports de tête classiques

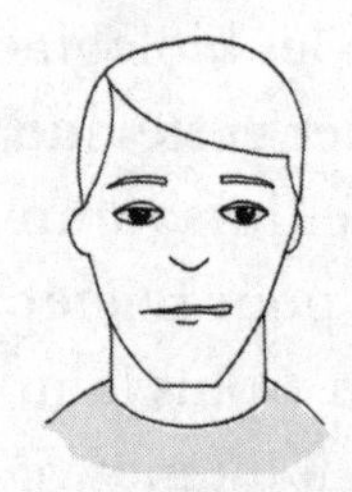

1. La tête haute

On compte fondamentalement trois ports de tête. Le premier, la tête haute, est celui qu'on adopte lorsque l'on porte un regard neutre sur ce qui est dit. La tête reste immobile, et la conversation peut être éventuellement ponctuée de petits hochements de tête. Cette position est souvent accompagnée d'une main sur la joue – geste d'évaluation.

La tête relevée, menton pointé vers l'avant, dénote un sentiment de supériorité, de l'arrogance ou le refus de se laisser intimider. La personne expose délibérément sa gorge et se grandit, ce qui lui permet de vous « regarder de haut ». Un menton large résulte d'un niveau élevé de testostérone ; ce qui explique qu'on associe la position du menton pointé avec les notions de pouvoir et d'agressivité.

Margaret Thatcher dans sa pose agressive avec menton relevé.

2. La tête inclinée sur le côté

En inclinant la tête sur le côté, on expose sa gorge et son cou et on se fait plus petit et moins menaçant, ce qui exprime la soumission. Ce geste dérive probablement de l'attitude du bébé qui pose la tête sur l'épaule ou la poitrine de sa mère, et l'attitude soumise, non menaçante qu'il traduit semble être perçue inconsciemment par un grand nombre de gens, les femmes en particulier.

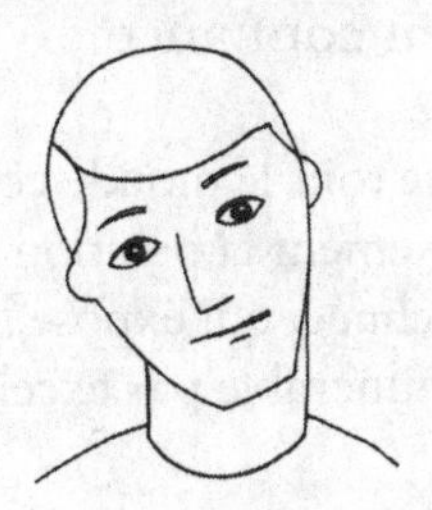

La tête inclinée qui expose le cou et fait paraître plus petit donne l'air plutôt soumis.

Charles Darwin fut l'un des premiers à remarquer que les hommes, comme les animaux (notamment les chiens) inclinent la tête sur le côté quand quelque chose les intéresse. Les femmes recourent à ce geste pour marquer leur intérêt à l'égard d'un homme, la gent masculine privilégiant généralement une attitude soumise. L'examen de tableaux réalisés sur une période de deux mille ans montre que les femmes y sont dépeintes trois fois plus souvent que les hommes avec la tête inclinée, proportion qui se vérifie dans la publicité. L'exposition du cou est massivement perçue, à un niveau intuitif, comme une attitude soumise dans toutes les cultures. Dans le cadre d'une négociation professionnelle avec des hommes, en revanche, une femme devrait veiller à garder la tête droite.

Si vous faites une présentation ou un discours, cherchez toujours à repérer cette posture au sein de votre public. Si vos auditeurs sont penchés en avant, tête inclinée, avec le menton sur la main dans un geste d'évaluation, c'est que votre message passe bien. En écoutant les autres, alternez tête inclinée et hochements ; cette gestuelle non menaçante mettra votre interlocuteur en confiance.

Presque tout le monde comprend intuitivement la position de la tête inclinée, qui expose le cou, zone vulnérable par excellence.

3. La tête baissée

Le menton en position basse révèle une attitude négative, critique ou agressive. Cette posture est souvent associée à des gestes exprimant un jugement négatif. Tant que votre interlocuteur n'aura pas relevé la tête, vous vous trouverez sans doute dans une situation délicate. Les présentateurs et les formateurs sont souvent confrontés à des publics qui se tiennent tête baissée, bras croisés sur la poitrine.

Les orateurs expérimentés ont des techniques pour intéresser leur auditoire et obtenir sa participation avant de prendre la parole. Leur objectif : faire relever la tête au public et capter son attention. Si sa stratégie est efficace, les auditeurs adopteront la posture de la tête inclinée.

Les Anglais ont un geste de salutation spécifique qui consiste à baisser la tête tout en l'inclinant sur le côté. C'est un vestige du Moyen Âge, où les hommes ôtaient leur chapeau pour se saluer. Par la suite, ils se sont contentés de baisser brièvement la tête en touchant leur chapeau. Autres dérivés modernes de cette pratique : le salut ou la tape sur le front lorsqu'on croise quelqu'un.

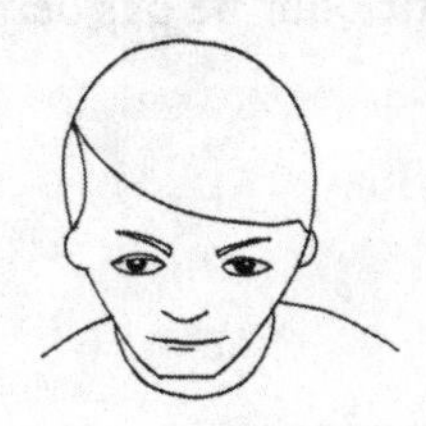

La tête baissée dénote la désapprobation ou l'abattement.

La tête rentrée dans les épaules

En relevant les épaules et en rentrant la tête, on protège le cou et la gorge, particulièrement vulnérables. On utilise cette association en cas d'explosion, ou si l'on craint de recevoir un objet sur la tête. Dans un contexte privé ou professionnel, ce geste exprime des excuses soumises. Il risque donc de diminuer l'impact de toute rencontre dans laquelle on veut paraître sûr de soi.

Lorsqu'un individu passe à côté d'un groupe occupé à discuter, à admirer quelque chose ou à écouter quelqu'un, il baisse la tête et détourne les épaules, pour se faire le plus petit et le plus insignifiant possible. C'est la posture de la tête plongeante. On l'observe aussi chez les subordonnés qui s'approchent de leurs supérieurs ; elle est révélatrice des statuts et des jeux de pouvoir entre individus.

La tête plongeante ; ou comment se faire tout petit pour ne pas déranger les autres.

La collecte de peluches imaginaires

Lorsqu'une personne refuse l'opinion ou l'attitude des autres sans vouloir l'exprimer, elle tend à développer des gestes de substitution, apparemment innocents qui trahissent une réserve ou un désaccord. On compte parmi ces gestes le fait de débarrasser ses vêtements de peluches imaginaires. Celui qui époussette ainsi sa veste a tendance à exécuter cette tâche en apparence anodine tête baissée, sans regarder les autres. Il s'agit d'un signe classique de désapprobation, révélant sans ambiguïté qu'on n'apprécie guère ce qui est dit, quand bien même on semble être d'accord avec tout le monde.

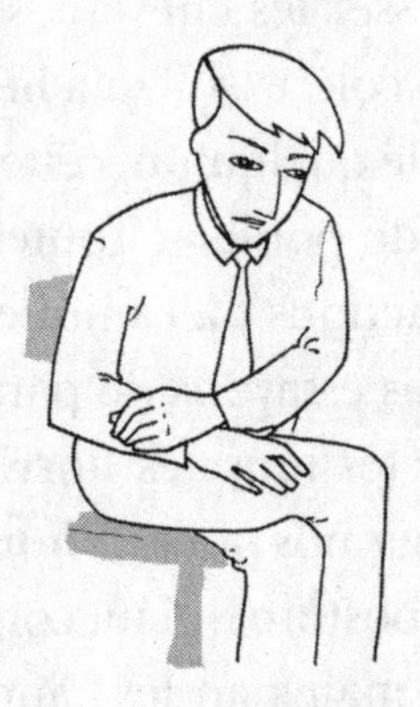

Celui qui s'époussette ostensiblement a son opinion personnelle – qu'il préfère garder pour lui.

Lorsque vous vous trouvez confronté à ce geste, penchez-vous en avant, ouvrez les mains et dites : « Qu'en pensez-vous ? » ou « Je vois que vous avez vos propres idées là-dessus. Vous voulez m'en parler ? » Puis redressez-vous, bras écartés, paumes visibles, et attendez la réponse. Si la personne maintient qu'elle est d'accord avec vous tout en continuant à collecter ses peluches imaginaires, il vous faudra peut-être recourir à des moyens plus directs pour découvrir ses objections.

Comment montrer que nous sommes prêts pour l'action

Pour paraître plus grand en situation de combat ou de parade nuptiale, les oiseaux ébouriffent leurs plumes, les poissons se gonflent en avalant de l'eau, les chats ou les chiens hérissent leurs poils. L'homme, lui, ne dispose pas d'une épaisse fourrure à hérisser pour se faire plus imposant lorsqu'il est effrayé ou en colère. À propos d'un film d'horreur, nous disons : « Ça m'a fait dresser les cheveux sur la tête » ; quand quelqu'un nous met en colère : « Il m'a hérissé le poil » ; et quand on est amoureux de quelqu'un, cette personne peut nous donner « la chair de poule ». Toutes ces expressions correspondent à des réactions mécaniques du corps dans des circonstances où nous essayons de paraître plus grands ; elles sont causées par les muscles horripilateurs qui ont pour fonction de hérisser nos poils. L'homme moderne, cependant, a inventé une posture qui lui confère davantage de présence physique : les mains sur les hanches.

Les coudes redressés en éventail montrent la disposition à dominer ; les coudes rentrés et la tête inclinée expriment la soumission.

La posture des mains sur les hanches est celle de l'enfant qui tient tête à ses parents, de l'athlète qui attend le moment de son passage, du boxeur avant le début du combat, d'un homme qui veut dissuader un rival d'attaquer son territoire. Dans tous ces cas, elle signale que l'individu est prêt à l'action. Elle lui permet d'occuper davantage d'espace ; en outre les coudes pointés, qui jouent le rôle d'armes en empêchant les autres de s'approcher ou de passer, lui ajoutent une valeur de menace. Les bras partiellement levés montrent qu'on est prêt à attaquer. C'est d'ailleurs la pose des cow-boys dans un duel au pistolet. Même une simple main sur la hanche véhicule ce message, surtout quand elle est pointée en direction de la « victime » potentielle. Universellement utilisée, elle est chargée d'un message encore plus fort aux Philippines et en Malaisie, où elle exprime la colère et l'indignation.

Cette posture de détermination, qui indique que la personne est parée pour agir, est perçue comme légèrement agressive. On la nomme parfois la « pose du gagneur », pour désigner un individu axé sur ses objectifs, prêt à les prendre à bras-le-corps et à passer à l'acte. Elle sert souvent aux hommes à affirmer leur virilité devant les femmes.

Parce qu'elles permettent d'occuper plus d'espace, les mains sur les hanches donnent davantage de présence.

Pour interpréter correctement l'attitude de quelqu'un qui met les poings sur les hanches, il est important de prendre en compte le contexte et les autres éléments gestuels qui précèdent cette posture. Son manteau, à ce moment-là, est-il ouvert et rejeté sur les hanches, ou boutonné ? Ce dernier cas de figure révèle la frustration ; le manteau ouvert exprime une agressivité frontale : on expose son torse pour signifier qu'on n'est pas disposé à se laisser intimider. On peut encore renforcer cette position en se tenant les pieds écartés, bien parallèles, ou en serrant les poings.

Les mannequins mettent les mains sur les hanches pour rendre les vêtements plus attractifs.

Ces associations de postures, véhiculant l'agressivité et la disposition à agir, sont adoptées par les mannequins pour exprimer l'idée que leur tenue s'adresse à des femmes modernes, actives et dynamiques. On observe une variante avec une seule main sur la hanche, l'autre main pouvant alors accomplir simultanément un autre geste. C'est souvent un moyen pour les femmes de capter l'attention d'un homme ; elles y ajoutent alors un déhanchement qui met en valeur leur rapport hanches-taille, indicateur de fertilité. Hommes et femmes mettent couramment les mains sur les hanches en situation de séduction, lorsqu'ils cherchent à attirer l'attention.

La pose du cow-boy

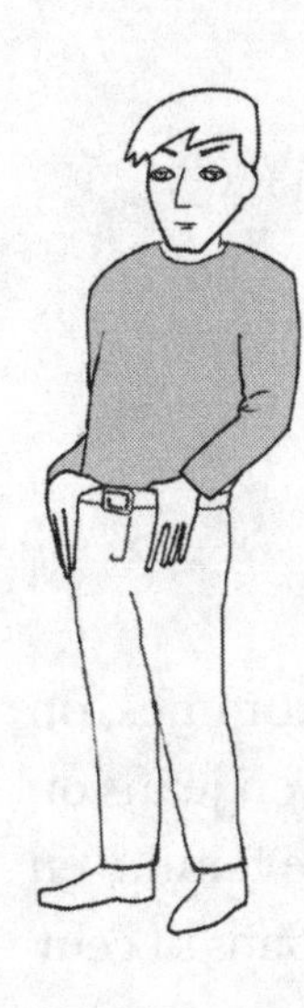

En enfonçant les pouces dans la ceinture ou dans les poches, on met en valeur la zone génitale. Par conséquent, ce geste est avant tout adopté par les hommes pour véhiculer une attitude sexuellement agressive. Aussi appelée avec humour le geste de l'homme aux longs pouces, c'est un grand classique du western, assurant les spectateurs de la virilité de leur tireur favori.

La pose du cow-boy : il désigne des doigts ce qu'il veut vous faire remarquer.

Les bras se placent en position d'assertion, et les mains, encadrant le bassin, servent d'indicateurs. Cette gestuelle permet aux hommes de marquer leur territoire ou de signifier aux autres qu'ils ne leur font pas peur. Les singes y ont recours eux aussi, sans avoir besoin de ceinture ni de pantalon.

En toute logique, cette manière de dire : « Je suis viril – je peux dominer » est caractéristique de l'homme à l'affût de conquêtes. Une femme n'aura aucun mal à déchiffrer les intentions d'un homme qui s'adresse à elle dans cette position – avec les pupilles dilatées et un pied pointé vers elle. Elle trahit la plupart des hommes, en révélant malgré eux leurs pensées intimes.

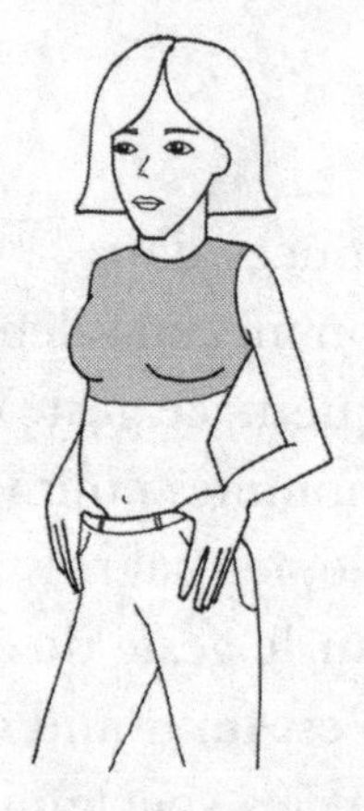

Une femme qui s'affirme sexuellement.

Si cette pose est généralement l'apanage des hommes, on l'observe occasionnellement chez des femmes en jeans ou en pantalon. Pour s'affirmer sexuellement, une femme en jupe ou en robe glisse un pouce, voire les deux, dans sa ceinture ou dans une poche.

L'évaluation d'un rival

L'illustration suivante montre deux hommes qui se jaugent dans les poses caractéristiques des mains sur les hanches et des pouces dans la ceinture. Dans la mesure où ils ne se tiennent pas en face à face direct, et où le bas du corps paraît détendu, on peut supposer qu'ils s'évaluent inconsciemment, et que le risque d'affrontement est faible.

L'évaluation d'un rival

Même s'ils sont engagés dans une conversation décontractée ou amicale, l'atmosphère ne pourra véritablement se détendre que lorsque les mains sur les hanches seront remplacées par des gestes plus ouverts, ou une position inclinée de la tête.

Si ces deux hommes se faisaient directement face, pieds fermement ancrés au sol et jambes écartées, une bagarre serait à craindre.

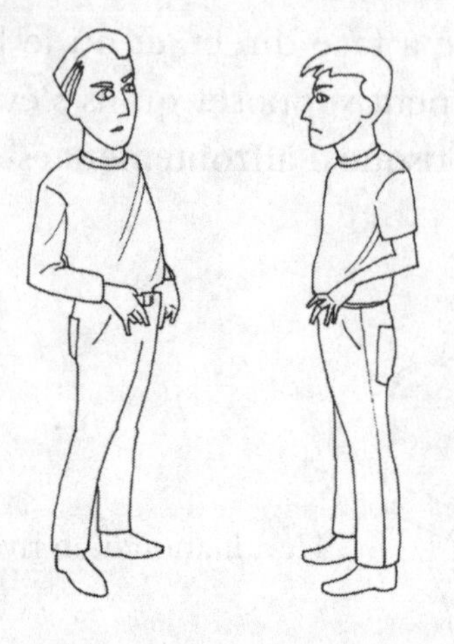

Ces associations gestuelles signalent une attitude agressive.

Même si Hitler avait coutume de mettre les mains sur les hanches sur les photographies officielles pour affirmer son autorité, il ne pouvait s'empêcher de croiser le bras gauche en travers de son corps pour couvrir son unique testicule.

Des signaux contradictoires : son bras droit dénote l'agressivité tandis que sa main gauche tente de protéger son bas-ventre.

Les jambes écartées

C'est une position presque exclusivement masculine, qu'on observe également chez les singes lorsqu'ils tentent d'établir leur autorité sur leurs congénères. Plutôt que de courir le risque d'une blessure au cours d'un combat, ils écartent les jambes, et le plus imposant réussit à dominer les autres. Il en va de même chez les hommes : bien que cette pose soit le plus souvent inconsciente, elle envoie un puissant message. Si un homme écarte les jambes, les autres tendent à l'imiter pour défendre leur statut ; en revanche, une telle position adoptée devant des femmes a des effets très négatifs, notamment dans un contexte professionnel, dans la mesure où elles ne peuvent pas l'imiter.

Dans une situation professionnelle, une femme se sentira intimidée par un homme qui écarte les jambes.

Les cassettes de nos entretiens montrent que de nombreuses femmes réagissent en croisant les bras et les jambes, ce qui les place aussitôt sur la défensive. Nous n'avons qu'un conseil à donner aux hommes : dans un cadre professionnel, gardez les jambes parallèles. Une femme confrontée à un homme qui met en permanence le pelvis complaisamment exposé doit éviter de réagir négativement ; cela ne peut que jouer en sa défaveur. Elle peut toujours tenter de désarçonner son interlocuteur par des remarques du style : « Vous marquez un point, là, Éric », ou « Je vois où vous voulez en venir » en s'adressant à son entrejambe.

La jambe sur l'accoudoir

C'est une position très masculine, puisque qu'elle implique d'écarter les jambes. Non seulement elle marque la propriété de l'homme sur le fauteuil, mais elle révèle une attitude familière et agressive.

Familiarité, indifférence et manque d'intérêt.

Il est courant de voir deux collègues hommes en train de rire et de plaisanter dans cette position. Mais considérons son impact dans d'autres circonstances. Imaginons qu'un employé ait un problème personnel et qu'il aille demander conseil à son patron. L'employé s'explique à voix basse, l'air abattu, penché en avant sur sa chaise. Son patron l'écoute sans bouger, puis s'appuie sur le dossier de sa chaise et passe une jambe sur l'accoudoir. Cette position exprime l'indifférence ou le manque d'intérêt. En d'autres termes, il ne se sent concerné ni par son employé ni par son problème ; peut-être même a-t-il le sentiment de perdre son temps.

Pourquoi cette indifférence ? Peut-être, après avoir considéré le problème soulevé par son employé, le patron a-t-il conclu qu'il n'était pas très grave. Quoi qu'il en soit, tant qu'il gardera la jambe sur l'accoudoir, son indifférence persistera. Quand l'employé aura quitté le bureau, le patron pourra pousser un soupir de soulagement en se disant : « Enfin, il est parti ! » Alors seulement, il ôtera sa jambe de l'accoudoir.

La position de la jambe sur l'accoudoir peut constituer un sérieux obstacle dans le cadre d'une négociation. Il est essentiel de pousser la personne à changer de position, car tant qu'elle la maintiendra, elle conservera une attitude indifférente ou négative. Un moyen simple d'y parvenir est de l'inciter à se pencher en avant pour regarder quelque chose.

À califourchon sur une chaise

Autrefois, les hommes avaient des boucliers pour se protéger des lances et des massues de l'ennemi ; aujourd'hui, l'homme civilisé utilise tout ce qui se présente à lui pour symboliser cette protection lorsqu'il est soumis à une attaque physique ou verbale. Il peut se tenir derrière une barrière, un seuil, un bureau, la porte ouverte de son véhicule, ou à califourchon sur une chaise.

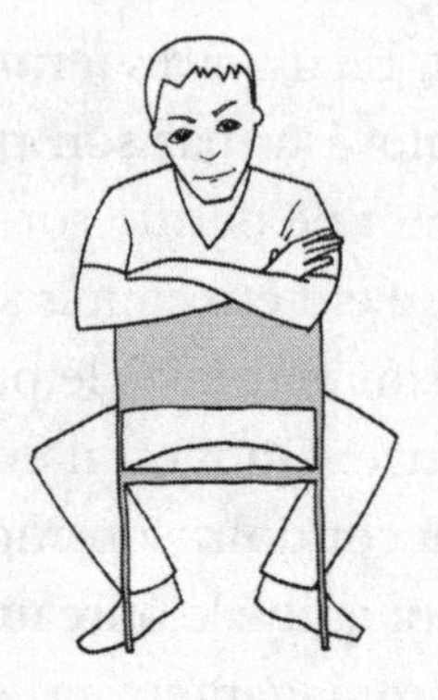

S'asseoir à califourchon permet de dominer ou de contrôler une situation, tout en se protégeant.

Le dossier d'une chaise protège le corps en servant de bouclier et peut exacerber les traits agressifs et dominants d'une personnalité. De plus, dans cette posture, les hommes affirment leur masculinité en écartant les jambes et en mettant le bassin en avant. Quant au dossier de la chaise, il constitue une bonne protection contre toute « attaque ». La plupart des hommes qui prennent cette position ont des personnalités dominantes, et tentent de prendre le contrôle sur les autres quand la conversation a cessé de les intéresser. Ce sont souvent des gens discrets, et qui adopteront cette position subrepticement.

Le moyen le plus simple de les désarmer, imparable dans une situation de groupe, consiste à s'installer derrière eux. Le fait d'exposer leur dos, en les rendant vulnérables à l'attaque, les contraindra à changer de position.

Que faire face à quelqu'un qui est assis à califourchon sur une chaise pivotante ? Inutile de chercher à raisonner un homme installé sur un manège avec le bassin en avant ; la meilleure défense est encore non verbale. Poursuivez la discussion debout et regardez votre interlocuteur de haut, en pénétrant dans son espace personnel. Cela va le déstabiliser, et peut même l'obliger à quitter sa chaise pour prendre ses distances.

La prochaine fois que vous vous trouverez face à une personne qui a coutume de s'asseoir à califourchon, veillez à lui faire prendre place dans un fauteuil fixe équipé d'accoudoirs, pour l'empêcher de prendre sa position favorite. À défaut de pouvoir se mettre à califourchon, elle tentera sans doute la catapulte.

La catapulte

C'est la version assise des mains sur les hanches, si ce n'est que les mains sont croisées derrière la tête, et les coudes écartés en position menaçante. Voici encore une posture essentiellement masculine, qui a pour but d'intimider les autres ; elle peut aussi servir à créer une attitude décontractée, visant à vous donner un sentiment de sécurité factice juste avant de vous faire tomber dans un piège.

Particulièrement répandu dans certaines professions : comptables, avocats, chefs de vente, ce geste est le fait d'individus qui se sentent supérieurs, dominants, sûrs d'eux. Si l'on pouvait lire dans leurs pensées, on entendrait des phrases du type : « Je connais toutes les réponses », « Je contrôle la situation », voire « Qui sait, peut-être qu'un jour, tu deviendras aussi intelligent que moi… ». Les cadres supérieurs en sont coutumiers, et certains l'adoptent dès le lendemain de leur promotion alors qu'ils n'y avaient jamais eu recours auparavant. Cette position, également privilégiée par ceux qui croient tout savoir, intimide la plupart des interlocuteurs. C'est la marque de fabrique d'individus qui entendent faire comprendre toute l'étendue de leurs connaissances. Elle peut aussi servir à délimiter un territoire, et à faire valoir ses droits de propriété sur une zone donnée.

La catapulte : relax, plein d'assurance, il sait tout et se croit plus malin que tout le monde.

Cette posture est souvent associée à la position du 4 à l'américaine ou à celle du bassin en avant. Dans ce cas, non seulement la personne se considère comme supérieure, mais elle risque de vous opposer des arguments ou d'essayer de vous dominer. Il y a plusieurs manières de réagir, selon les circonstances. Vous pouvez par exemple vous pencher en avant, paumes ouvertes, et dire : « Je vois que vous connaissez le sujet. Peut-être pouvez-vous ajouter quelque chose ? », puis vous redresser et attendre la réponse.

Les femmes éprouvent une aversion immédiate pour les hommes qui emploient la catapulte en situation professionnelle.

Vous pouvez placer un objet hors de sa portée, et demander : « Avez-vous vu ceci ? », pour le forcer à se pencher en avant. Pour un homme, imiter la posture de son interlocuteur est un moyen simple de le contrer, puisque l'imitation suppose l'égalité. En revanche, elle ne convient pas pour une femme, car elle met ses seins en avant, ce qui la place en position défavorable. Dans le cas de la catapulte, même une femme à la poitrine modeste est perçue comme agressive, par les hommes comme par les autres femmes.

La catapulte est déconseillée aux femmes, même à celles qui n'ont pas de poitrine.

Confrontée à cette situation, une femme aura intérêt à poursuivre la conversation debout. Cela forcera son interlocuteur à changer de position pour continuer à discuter. Elle peut alors se rasseoir. S'il recommence, elle devra se relever. C'est une manière non agressive de dissuader les tentatives d'intimidation. Par ailleurs, si la personne qui a recours à la catapulte est votre supérieur hiérarchique et qu'il est en train de vous faire des reproches, reproduire son geste vous permettra de l'intimider. Deux personnes de même niveau hiérarchique qui utilisent la catapulte manifestent ainsi leur égalité et leur entente ; mais un élève qui prendrait cette liberté en face de son directeur d'école risque fort de le faire sortir de ses gonds.

En observant les directeurs des ventes d'une compagnie d'assurances, nous avons constaté que 90 % d'entre eux avaient régulièrement recours à la catapulte avec leurs équipes ou leurs subordonnés. En présence de leurs supérieurs, en revanche, ce geste avait tendance à disparaître pour laisser place à des postures de soumission ou de subordination.

Les gestes qui montrent qu'on est prêt

Pour un négociateur, l'une des postures assises les plus importantes à identifier est celle qui indique la disposition à agir. Lorsque vous avez une proposition à faire accepter à quelqu'un, si ce dernier adopte cette posture à la fin de votre présentation alors que l'entretien s'est bien déroulé jusque-là, vous pouvez vous permettre de lui demander son accord, vous avez de bonnes chances de l'obtenir.

La position classique exprimant la disposition à agir.

L'examen de vidéos montrant des commerciaux avec des acheteurs potentiels a mis en lumière différents cas de figure : quand une caresse du menton (prise de décision) est suivie de la posture de la disposition à agir, la réponse du client est favorable dans plus de la moitié des cas. En revanche, si, au moment de conclure, il se caresse le menton et croise les bras tout de suite après, l'échec est l'issue la plus probable. La posture de la disposition à agir peut aussi être celle d'une personne en colère, sur le point de vous jeter dehors. C'est en observant les associations de gestes qui précèdent que l'on peut déterminer les intentions d'une personne.

La position du starting-block

Certaines postures de disposition à agir indiquent le désir de mettre fin à l'entretien : se pencher en avant en posant les mains sur les genoux, ou en empoignant les accoudoirs comme si l'on allait piquer un sprint. Si votre interlocuteur adopte l'une de ces postures, mieux vaut en tenir compte et employer d'autres arguments, changer de sujet ou mettre un terme à la conversation.

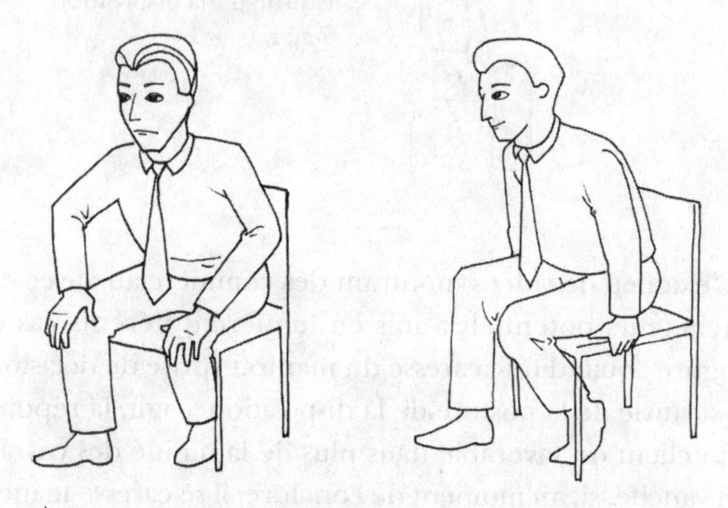

À vos marques, prêts, partez ; il n'aspire qu'à mettre fin au rendez-vous ou à la discussion.

En résumé

Dans leur ensemble, les signaux corporels abordés dans ce chapitre impliquent des gestes larges, ce qui les rend relativement faciles à observer. S'il est important d'en comprendre la signification, il est tout aussi essentiel, pour améliorer votre communication, d'éliminer de votre répertoire toute posture négative et de vous entraîner à utiliser celles qui donneront des résultats positifs.

Chapitre 12

L'EFFET MIROIR – OU COMMENT NOUS TISSONS UNE RELATION

Ils ont tous la même allure, les mêmes codes vestimentaires, les mêmes expressions et le même langage corporel, mais chacun vous dira qu'il fait « son truc à lui ».

Lors d'une première rencontre, on ressent vite le besoin de déterminer si la position de l'autre à notre égard est positive ou négative. À cette fin, nous analysons le corps de l'autre pour savoir si ses mouvements reflètent les nôtres ;

c'est le phénomène de l'effet miroir. De façon presque toujours inconsciente, chacun mime le langage corporel de l'autre afin de créer un lien et de se faire accepter. À l'origine, l'effet miroir était utilisé par nos ancêtres pour s'intégrer avec succès dans un groupe ; c'est aussi le vestige d'un moyen d'apprentissage primitif qui passait par l'imitation.

L'un des exemples d'effet miroir les plus frappants est le bâillement. Une personne commence, et tout le monde l'imite. Le bâillement est si contagieux qu'il n'est même pas nécessaire d'assister à la totalité de l'action – la simple vue d'une bouche ouverte suffit à le déclencher. On a longtemps pensé que le bâillement servait à oxygéner le corps, mais l'on sait maintenant que c'est une forme d'effet miroir, permettant de créer un lien avec les autres et d'éviter l'agression.

Pour une femme, porter la même tenue qu'une autre femme lui vaudra un tenace ressentiment de celle-ci. Mais si deux hommes arrivent dans une soirée avec le même costume, ce peut être le début d'une longue amitié.

L'effet miroir non verbal dit « Regarde-moi : je suis comme toi. Je partage les mêmes sentiments, les mêmes attitudes que toi ». C'est pourquoi dans un concert de rock, tout le monde saute, applaudit et agite les bras en même temps. Cette synchronisation suscite un sentiment de sécurité chez les participants. De même, dans une foule en colère, chacun reflétera les attitudes agressives de ceux qui l'entourent, ce qui explique

que ce type de situation puisse faire perdre leur sang-froid à toutes sortes de gens, même ceux d'un naturel très calme.

Le principe de la file d'attente fonctionne lui aussi sur cette tendance mimétique. On y voit les gens coopérer de bonne grâce avec des inconnus qu'ils ne reverront jamais, et se plier à des règles de comportement tacites qu'ils attendent à l'arrêt de bus, devant un musée, à la banque ou devant une boutique en temps de guerre. Le professeur Joseph Heinrich, de l'Université du Michigan, a montré que le réflexe d'imitation est ancré dans le cerveau parce que la coopération garantit plus de nourriture, une meilleure santé et le développement économique d'une communauté. Voilà peut-être une explication au fait que des sociétés qui ont su développer une grande discipline dans l'effet miroir, comme l'Angleterre, l'Allemagne ou la Rome antique, ont dominé le monde pendant de longues périodes.

Dès le plus jeune âge, on apprend à imiter ses parents ; le prince Philip et le jeune prince Charles marchent parfaitement en rythme.

L'effet miroir permet de mettre les autres à l'aise et constitue un outil très efficace pour nouer des liens. Des vidéos passées au ralenti révèlent que l'imitation s'étend à des actes aussi ténus que le clignement des paupières ou la dilatation des narines, un fait d'autant plus remarquable que ces micromouvements ne peuvent être imités consciemment.

L'instauration de bonnes vibrations

Des études sur les gestuelles synchrones montrent que deux individus qui ressentent les mêmes émotions se trouvent sur la même longueur d'ondes, et sont donc susceptibles de tisser des liens : ils se mettent alors à imiter la gestuelle et les expressions de l'autre. Dès le stade fœtal, en calant ses fonctions corporelles et son rythme cardiaque sur celui de la mère, l'individu apprend à se mettre au diapason avec un autre pour créer un lien ; l'effet miroir est un mécanisme pour lequel nous avons des dispositions naturelles.

Lorsqu'un couple en est aux prémices de sa relation, il est courant de voir les partenaires accomplir des actions synchrones, presque comme s'ils dansaient. Si elle prend une bouchée de nourriture, il s'essuie la bouche, tandis qu'elle finira la phrase qu'il a commencée. Quand elle a ses règles, il est pris d'une envie de chocolat, quand il a une crampe, elle se masse le mollet, etc.

Quand quelqu'un parle de « bonnes vibrations » ou du bien-être qu'il ressent en présence de quelqu'un, il fait référence sans le savoir à l'effet miroir et au comportement synchrone. Au restaurant par exemple, on peut se sentir mal à l'aise à l'idée de manger et de boire seul, de peur de ne plus être « synchro » avec les autres. Au moment de la commande, on a tendance à s'informer de leurs choix. « Qu'est-ce que tu prends ? », s'enquiert-on dans le but de commander la même chose. C'est aussi l'un des rôles essentiels de la musique de fond lors des rendez-vous amoureux : elle aide le couple à se mettre *en phase*.

Imiter le langage corporel et l'attitude de l'autre permet de montrer un front uni, et d'éviter d'être mal perçu.

L'imitation au niveau cellulaire

Le chirurgien cardiaque américain Memhet Oz a publié des découvertes étonnantes sur des patients ayant subi une greffe du cœur. Il a constaté que le cœur, comme beaucoup d'autres organes, semble conserver des souvenirs cellulaires, ce qui permet à des patients de ressentir des émotions vécues par le donneur. Encore plus surprenant, il a observé que certains de ces patients reproduisent des gestes et des attitudes de leur donneur, même s'ils ne l'ont jamais vu. Oz en conclut que selon toute vraisemblance, les cellules cardiaques envoient au cerveau du greffé l'ordre de reproduire le langage corporel du donneur. À l'inverse, des personnes atteintes de maladies comme l'autisme sont dans l'incapacité d'imiter ou de répondre au comportement des autres, ce qui entrave la communication. Il en va de même pour les individus pris de boisson dont les gestes ne sont pas en phase avec leurs paroles, ce qui empêche le bon fonctionnement de l'effet miroir.

Selon le principe de causalité, en adoptant délibérément certains gestes du langage corporel, on crée les émotions associées à ces gestes. Une personne qui se sent sûre d'elle peut traduire ce sentiment en prenant inconsciemment le geste des mains jointes en clocher. À l'inverse, adopter cette posture permet non seulement de gagner de l'assurance, mais de la faire percevoir aux autres. Ainsi, l'imitation délibérée du langage corporel et des postures de l'autre constitue un outil très efficace pour créer des liens.

Les différences entre hommes et femmes dans le processus d'imitation

Geoffrey Beattie, de l'Université de Manchester, a montré que les femmes s'imitent entre elles quatre fois plus souvent que les hommes. En outre, alors qu'elles reproduisent aussi les attitudes des hommes, ces derniers sont beaucoup plus réticents à imiter l'attitude d'une femme, sauf lorsqu'ils fonctionnent sur le mode de la séduction.

Lorsqu'une femme déclare « voir » qu'une personne n'est pas en accord avec le reste du groupe, c'est qu'elle « voit » physiquement ce désaccord. Elle a remarqué que son langage corporel ne reflétait pas celui des autres, ce qui est une manière de manifester ses réticences. La capacité des femmes à « voir » le désaccord, la colère, le mensonge ou la vexation a toujours laissé les hommes perplexes. Cette incompréhension est due au fait que le cerveau masculin n'est généralement pas équipé pour lire les détails du langage corporel ; les hommes ne peuvent donc pas percevoir les décalages qui surviennent dans le processus d'imitation.

Comme nous le disons dans *Pourquoi les hommes n'écoutent jamais rien et les femmes ne savent pas lire les cartes routières* (*Éditions First*), les cerveaux masculin et féminin ne sont pas programmés pour exprimer leurs émotions de la même façon, ni en mimiques ni en gestes. Le visage d'une femme auquel on s'adresse peut changer jusqu'à six fois d'expression en dix secondes pour refléter et renvoyer les émotions de celui qui parle. Son visage reproduit les mimiques de son interlocuteur au point qu'aux yeux d'un observateur extérieur, elle pourra donner l'impression de ressentir elle-même ces émotions.

C'est le ton de son interlocuteur qui livrera à une femme le sens des propos de celui-ci et son langage corporel qui lui confiera ses émotions. C'est précisément ce que doit faire un homme pour capter et conserver l'attention d'une femme. Les hommes rechignent souvent à réagir par des mimiques aux propos qu'ils entendent. Ceux qui maîtrisent cette technique en retirent pourtant de grands bénéfices.

Certains hommes craignent par exemple que cela leur donne un air efféminé ; or, des études effectuées sur ces techniques montrent qu'un homme qui reproduit les expressions du visage d'une femme sera perçu par elle comme attentif, intelligent, intéressant et séduisant.

Par ailleurs, les hommes disposent seulement d'un tiers de la gamme d'expressions dont dispose une femme. Parce qu'ils ont toujours dû se montrer maîtres de leurs émotions, et les masquer pour parer à l'éventualité d'une attaque, ils se montrent souvent impassibles, en particulier en public. C'est ce qui donne à tant d'hommes en situation d'écoute un air hiératique. Ce masque d'impassibilité leur permet de se sentir maîtres de la situation, mais ne signifie pas pour autant qu'ils ne ressentent rien. Des échographies du cerveau montrent que les hommes éprouvent des émotions aussi fortes que les femmes, même s'ils évitent de les montrer.

Comment réagir lorsqu'on est une femme

Pour refléter l'attitude d'un homme, il faut avant tout comprendre qu'il n'exprime pas ses émotions par son visage, mais par son corps. Du fait de leur impassibilité, les femmes ont souvent des difficultés à refléter le visage des hommes ; or, cette imitation n'est pas nécessaire. Une femme devrait réduire les expressions de son visage face à un homme pour éviter qu'il la perçoive comme menaçante ou envahissante. Elle doit avant tout s'abstenir de refléter les émotions qu'elle lui suppose. Elle risquerait de se tromper et de passer pour « étourdie » ou « écervelée ». Au travail, plus une femme écoute avec un visage impassible, plus elle sera décrite par les hommes comme intelligente, fine et sensée.

Quand les hommes et les femmes se mettent à se ressembler

Deux personnes qui vivent ensemble depuis longtemps et qui ont conservé une relation harmonieuse se mettent souvent à se ressembler. Cette symbiose provient de ce qu'ils reproduisent constamment les expressions de l'autre, ce qui, avec le temps, dessine les muscles de leur visage de la même façon. Ainsi, même des couples dont les physionomies sont très dissemblables peuvent présenter des similitudes sur les photos, parce qu'ils ont fini par adopter le même sourire.

Les Beckham n'ont pas du tout le même sourire.

Quarante ans d'effet miroir : les Beckham à la retraite avec leur chien Spot.

En 2000, le psychologue John Gottman et ses collègues de l'Université de Washington ont montré qu'un couple avait plus de risques d'échouer lorsque l'un des partenaires réagissait aux expressions positives du visage de l'autre en lui renvoyant des expressions de mépris. Ce comportement d'opposition affecte le conjoint, même lorsque celui-ci n'analyse pas consciemment ce processus.

Ressemblons-nous à nos animaux familiers ?

Le principe d'imitation peut s'observer jusque dans le choix d'un animal familier : certains animaux ressemblent physiquement à leur maître, ou semblent reproduire leurs attitudes.

Voici quelques exemples à l'appui de cette théorie :

Choisissons-nous des animaux à notre image ?

Faites ce que je fais

La prochaine fois que vous serez invité à une réception ou à un événement collectif, observez le nombre de personnes qui adoptent les gestes et les poses de leur interlocuteur. L'effet miroir est un moyen de signifier à l'autre qu'on approuve ses idées ou son attitude. On lui dit tacitement : « Comme vous le voyez, je pense comme vous. » Le premier geste est généralement initié par la personne au statut le plus élevé ; il est ensuite imité par les autres, souvent dans l'ordre hiérarchique.

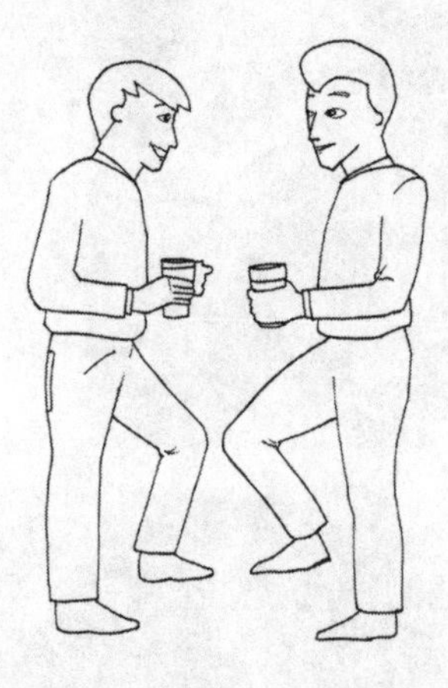

Ils ont la même manière de voir les choses.

Prenons les deux hommes installés au bar dans l'illustration ci-dessus. Chacun reflétant l'attitude de l'autre, on est en droit de penser qu'ils partagent les mêmes sentiments et les mêmes idées. Si l'un des deux a recours à un geste d'évaluation ou s'il se tient sur une jambe, l'autre l'imitera. Si l'un met une main dans sa poche, l'autre fera de même. L'imitation se poursuivra tant qu'ils seront d'accord.

Même quand les présidents Chirac et Bush sont en désaccord verbal, ils continuent à s'imiter, ce qui témoigne de leur respect mutuel.

L'imitation s'observe entre amis ou personnes de même statut, et il n'est pas rare de voir des couples mariés se tenir et marcher de manière identique. En revanche, des individus qui ne se connaissent pas évitent soigneusement de s'imiter.

Les correspondances de voix

L'intonation, les inflexions de voix, le rythme d'élocution et même les accents se synchronisent au cours du processus d'imitation, et participent à créer un lien et des attitudes communes. C'est le phénomène de la « mise au diapason », qui peut aller jusqu'à donner l'impression que deux personnes chantent en duo. Vous verrez souvent quelqu'un rythmer ses paroles avec ses mains, tandis que l'auditeur marque le même rythme par des hochements de tête. Dans une relation qui se développe dans le temps, l'imitation de la gestuelle corporelle diminue, chaque personne étant désormais en mesure d'anticiper les attitudes de l'autre ; et c'est la mise au diapason qui devient le premier moyen d'entretenir le lien.

Ne parlez jamais à un rythme plus rapide que votre interlocuteur. La vitesse d'élocution d'un individu indique le rythme auquel son cerveau est capable d'analyser l'information, et il a été constaté qu'on subit un sentiment de « pression » face à quelqu'un qui parle plus vite que nous. L'idéal est de parler au même rythme, voir un peu plus lentement que l'autre, en imitant ses inflexions et ses intonations. La mise au diapason est plus difficile lorsqu'il s'agit de décrocher des rendez-vous par téléphone, du fait que la voix est alors l'unique moyen de communication.

Comment créer un lien délibérément

Le rôle du processus d'imitation est l'une des leçons les plus importantes à retenir sur le langage corporel ; d'abord, parce qu'il nous permet de déterminer sans équivoque si les autres sont d'accord avec nous et s'ils nous apprécient ; ensuite, parce que c'est un moyen simple de leur montrer que nous les apprécions.

Un patron peut détendre l'atmosphère et créer un lien avec un employé anxieux, en copiant sa posture. De même, lorsqu'un patron fait part de son opinion à un employé qui monte, celui-ci peut lui exprimer son soutien en reproduisant ses gestes. En imitant la gestuelle et les postures de l'autre, on lui montre physiquement que l'on comprend son point de vue, ce qui permet de l'influencer en suscitant chez lui un état d'esprit réceptif et détendu.

Imiter le langage corporel de l'autre permet de se faire accepter.

Avant d'imiter le langage corporel d'une personne, cependant, il convient de prendre en compte la relation que l'on entretient avec elle. Imaginons par exemple qu'un employé junior a rendez-vous avec son directeur pour lui demander une augmentation de salaire. Le directeur reçoit l'employé dans son bureau et adopte la posture de la catapulte, associée à un 4 à l'américaine, dans une attitude supérieure et dominante. Qu'arriverait-il si l'employé imitait le langage corporel dominant du directeur tout en discutant de son augmentation ?

Un patron percevra le comportement d'imitation d'un subordonné comme de l'arrogance.

Même si l'employé s'en tient à un discours de subordonné, son langage corporel risque d'offenser son directeur et de mettre en péril sa situation. En revanche, l'effet miroir peut s'avérer efficace pour intimider ou désarmer des personnes qui se comportent avec supériorité et tentent de dominer les autres. Les comptables, les avocats et les chefs de service usent et abusent de ces gestes de supériorité en présence de ceux qu'ils considèrent comme leurs inférieurs. L'imitation est un bon moyen de les déconcerter et de les faire changer de position. Ce comportement est toutefois à proscrire avec un supérieur hiérarchique.

Ils ont la même position et le même langage corporel,
et leur proximité montre qu'ils sont amis, qu'ils partagent
la même approche du travail et les mêmes objectifs.

Qui imite qui ?

D'après les études, les subordonnés imitent les attitudes de leur chef, le plus souvent en respectant l'ordre hiérarchique. En principe, c'est d'abord lui qui va franchir le seuil d'une porte ; il s'assiéra au bout du canapé, de la table ou du banc plutôt qu'au milieu. Lorsqu'un groupe de cadres entre dans une pièce, le premier est généralement celui qui a le statut le plus élevé. Dans une réunion, le chef de service est souvent assis en bout de table, de préférence à la place la plus éloignée de la porte. S'il adopte le geste de la catapulte, il est probable que ses subordonnés vont l'imiter, en suivant l'ordre hiérarchique qui régit le groupe. Si les participants sont amenés à « prendre parti », chacun reflétera le langage corporel de celui qu'il soutient. Ainsi, en cas de vote, l'observation de leur gestuelle peut rendre les résultats prévisibles.

Le comportement mimétique est une stratégie intéressante à mettre en œuvre dans le cadre d'une présentation collective. On peut par exemple décider au préalable d'une position ou d'un geste à adopter par le porte-parole de l'équipe, qui sera ensuite reproduit par les autres membres. Outre qu'elle donne à l'équipe une image de forte cohésion, cette tactique a toutes les chances de déstabiliser les concurrents, qui vont se demander ce qui se trame.

Bill Clinton a peut-être été l'homme le plus puissant du monde, mais quand Hillary fait un geste, c'est lui qui l'imite – et quand ils marchent main dans la main, c'est souvent sa main à elle qui est devant.

Lorsqu'on est amené à vendre des idées, des produits ou des services à un couple, c'est en observant qui imite qui qu'on identifiera le détenteur de l'autorité ou du pouvoir de décision. Si c'est la femme qui initie les premiers mouvements, aussi minimes soient-ils, si elle croise les pieds, les doigts ou adopte une association de gestes d'évaluation, et que l'homme l'imite, il est inutile d'attendre une décision de la part de ce dernier, il ne détient pas l'autorité.

Marcher en rythme – Charles mène, Camilla suit, légèrement en retrait ; après le début du conflit irakien en 2003, Tony Blair s'est mis à copier la posture de George Bush, les pouces glissés dans la ceinture.

En résumé

En imitant le langage corporel d'une personne, on lui donne le sentiment d'être acceptée, façon de créer un lien avec elle. C'est un phénomène spontané entre amis et individus de même niveau hiérarchique. À l'inverse, nous évitons soigneusement de refléter la gestuelle de ceux que nous n'aimons pas, ainsi que celle des inconnus côtoyés dans un ascenseur ou dans la file d'attente d'un cinéma.

L'imitation du langage corporel et de la façon de parler de quelqu'un est l'un des moyens les plus efficaces et les plus rapides pour créer un lien. Lors d'une première rencontre, reproduisez la manière dont l'autre se tient assis, sa posture, l'angle d'inclinaison de son corps, ses gestes, les expressions de son visage et le ton de sa voix. Il ne tardera pas à vous trouver sympathique et vous percevra comme « quelqu'un qui a le contact facile ». Cette impression vient de ce qu'il se verra reflété en vous.

Un mot d'avertissement, néanmoins : évitez de le faire dès les premiers instants de la rencontre. Depuis la parution de notre premier ouvrage sur le langage corporel, de nombreuses personnes ont pris conscience du fait que l'imitation peut être une stratégie. Enfin, face à la posture et à la gestuelle d'une personne, vous avez trois options : l'ignorer, faire autre chose, ou l'imiter. À condition de ne jamais reproduire les signaux négatifs, l'imitation peut être source de grands bénéfices.

CHAPITRE 13

SIGNAUX SECRETS : CIGARETTES, LUNETTES ET MAQUILLAGE

Bien, je pense qu'on sait maintenant qui était là le premier !

Fumer est le signe d'une agitation et d'un conflit intérieur, qui répond souvent plus à un besoin de se rassurer qu'à une dépendance à la nicotine. C'est une activité de substitution, qui permet de relâcher les tensions qu'engendrent les contraintes et les pressions sociales et professionnelles de la société actuelle. Tandis qu'un fumeur peut tromper son angoisse en se glissant dehors pour fumer, les non-fumeurs disposent d'autres rituels, comme arranger leur toilette, mâcher du chewing-gum, se ronger les ongles, taper du pied ou tambouriner des doigts, ajuster leurs manches, se gratter la tête, manipuler un objet – ou tout autre geste qui révèle leur besoin de se rassurer. C'est l'une des raisons du succès des bijoux ; en les triturant, on reporte sur eux notre insécurité, notre peur, notre impatience ou notre manque d'assurance.

Des études ont mis en évidence le lien entre le mode d'alimentation des bébés et la probabilité de devenir fumeur. On a constaté que la majorité des fumeurs avaient été élevés au biberon ; à l'inverse, plus un bébé est allaité longtemps au sein, moins il risque de devenir fumeur à l'âge adulte. Il semble que les bébés allaités au sein en retirent un sentiment de sécurité et de lien, besoin qui n'est pas comblé par l'alimentation au biberon ; en conséquence, les personnes élevées au biberon, une fois adultes, continuent à sucer en quête de réconfort. Les fumeurs se servent de leur cigarette de la même manière qu'un enfant qui suce son pouce ou sa couverture.

Les bébés élevés au biberon courent trois fois plus de risques de devenir fumeurs que les bébés nourris au sein.

On compte chez les fumeurs trois fois plus d'anciens suceurs de pouce que chez les non-fumeurs. Ils s'avèrent aussi plus névrosés que les non-fumeurs et plus sujets à la fixation orale, ce qu'ils traduisent en suçant les branches de leurs lunettes, en se rongeant les ongles, en mâchonnant leurs stylos ou en se mordant les lèvres. De toute évidence, de nombreux désirs, à commencer par le besoin de sucer et de se rassurer, ont été satisfaits chez les bébés allaités au sein, et demeurent insatisfaits chez les autres.

Les deux catégories de fumeurs

Les fumeurs se divisent en deux grandes catégories : les fumeurs dépendants et ceux qui ne fument qu'en société.

Le fait de tirer sur une cigarette par petites bouffées active le cerveau, stimule l'intellect. Les bouffées plus longues et plus lentes, en revanche, agissent comme un sédatif. Les fumeurs dépendants, qui ont besoin de l'effet sédatif de la nicotine pour gérer leur stress, inhalent de longues bouffées et se livrent à leur vice même lorsqu'ils sont seuls. Les fumeurs en société ne fument qu'en présence des autres, ou quand ils « prennent un verre ». Cela signifie que fumer est pour eux une activité sociale, dont le but est d'exercer diverses impressions sur les autres. Entre le moment où un fumeur en société allume sa cigarette et celui où il l'éteint, il consacre 20 % de ce temps à tirer sur sa cigarette à petites bouffées, et 80 % à des gestes et des rituels de langage corporel.

Fumer en société s'inscrit essentiellement dans un rituel social.

D'après une étude anglaise, 80 % des fumeurs disent se sentir plus détendus lorsqu'ils fument. Pourtant, le niveau de stress enregistré chez les fumeurs est à peine inférieur à celui des non-fumeurs, et ce niveau augmente à mesure que le fumeur devient dépendant. En outre, cette étude démontre que l'arrêt du tabac conduit en fait à une réduction du stress. Il est maintenant scientifiquement prouvé que fumer n'aide pas à contrôler ses humeurs, puisque la dépendance à la nicotine augmente le niveau de stress. Le soi-disant effet relaxant du tabac provient uniquement du relâchement de la tension et de l'irritabilité accumulées du fait du manque de nicotine.

En d'autres termes, un fumeur est d'humeur normale lorsqu'il fume, et stressé lorsqu'il ne fume pas. Pour se sentir dans un état normal, le fumeur devrait donc avoir toujours une cigarette à la bouche ! On sait que si les premières semaines après l'arrêt du tabac s'accompagnent de sautes d'humeur, la situation s'améliore très nettement une fois que le corps s'est débarrassé de la nicotine, à mesure que se dissipent la dépendance à la drogue et le stress qui en découle. Contrairement aux idées reçues, la cigarette n'a pas d'effet apaisant, bien au contraire. La nicotine génère en fait un stress supplémentaire.

Fumer, c'est un peu comme se frapper la tête avec un marteau ; on se sent mieux quand on arrête.

Bien qu'il soit désormais interdit de fumer dans beaucoup de lieux, il est fort utile de savoir décoder les signaux corporels émis par quelqu'un qui fume. Les gestes associés à la cigarette sont révélateurs d'un état émotionnel ; souvent prévisibles et rituels, ils fournissent des clés pour comprendre l'état d'esprit ou les objectifs du fumeur. Le rituel de la cigarette se décompose en une série de microgestes, tapoter, tordre, secouer, agiter, etc., qui trahissent la tension qui habite le fumeur.

Les différences entre hommes et femmes

Une femme qui fume tient plutôt sa cigarette vers le haut, poignet plié vers l'extérieur et exposé, dans un geste qui laisse le reste du corps dégagé. Un homme a tendance à fumer en gardant le poignet dans l'axe du bras pour éviter d'avoir l'air efféminé, et abaisse la main qui tient la cigarette en dessous du niveau de la poitrine après avoir inhalé, le corps restant ainsi toujours protégé.

Les femmes sont deux fois plus nombreuses à fumer que les hommes. Les deux sexes inhalent autant de bouffées par cigarette, mais les hommes gardent la fumée plus longtemps dans les poumons, ce qui augmente le risque de cancer pulmonaire.

Les femmes se servent de la cigarette comme d'un accessoire pour mettre le corps en évidence et exposer leur poignet ; les hommes replient leur corps en fumant et préfèrent tenir leur cigarette d'une manière fermée.

Les hommes ont tendance à pincer leur cigarette en la dissimulant à l'intérieur de la paume, en particulier lorsqu'ils cherchent à s'entourer d'une aura de mystère. Ce geste s'observe couramment dans les films, chez des acteurs qui jouent des personnages de durs ; il accompagne souvent une expression de défiance ou de duplicité.

La cigarette, outil de séduction sexuelle

Le cinéma et la publicité ont toujours dépeint l'acte de fumer comme sexy. Fumer donne une occasion supplémentaire de marquer la différence sexuelle : cela permet à la femme d'exposer son poignet et d'ouvrir son corps au regard de l'homme ; la cigarette peut jouer le rôle d'un mini-phallus, que la femme suce dans une attitude charmeuse. Les hommes auront plutôt tendance à souligner leur virilité en tenant leur cigarette dans un geste chargé de mystère. Autrefois, le rituel de séduction lié à la cigarette était considéré comme une forme admise de flirt, l'homme proposant d'allumer la cigarette de la femme ; la femme touchant la main de l'homme et le remerciant d'un regard appuyé. Le tabagisme ayant beaucoup perdu de son prestige, ce rituel a aujourd'hui quasiment disparu. La clé de l'attraction sexuelle d'une femme qui fume réside dans l'attitude de soumission induite par son acte ; en d'autres termes, le message implicite est qu'une femme qui fume peut être persuadée de faire des choses qui ne sont pas nécessairement dans son intérêt. Si le geste de souffler sa fumée à la figure de quelqu'un est universellement choquant, en Syrie, lorsqu'un homme adresse ce geste à une femme, elle le comprendra comme une invitation sexuelle !

Comment identifier une attitude positive ou négative

La direction dans laquelle un fumeur rejette sa fumée, vers le haut ou le bas, révèle son état d'esprit, positif ou négatif. Faisons abstraction du cas où le fumeur exhale sa fumée vers le haut pour ne pas gêner les autres, et partons du principe qu'il a le choix de la rejeter dans toutes les directions. Quelqu'un qui réagit de manière positive, supérieure ou pleine d'assurance à ce qu'il voit ou entend, rejette habituellement sa fumée vers le haut. À l'inverse, celui qui se trouve dans un état d'esprit négatif, renfermé ou soupçonneux, l'exhale normalement vers le bas. Souffler vers le bas et par le coin de la bouche dénote une attitude encore plus négative et repliée.

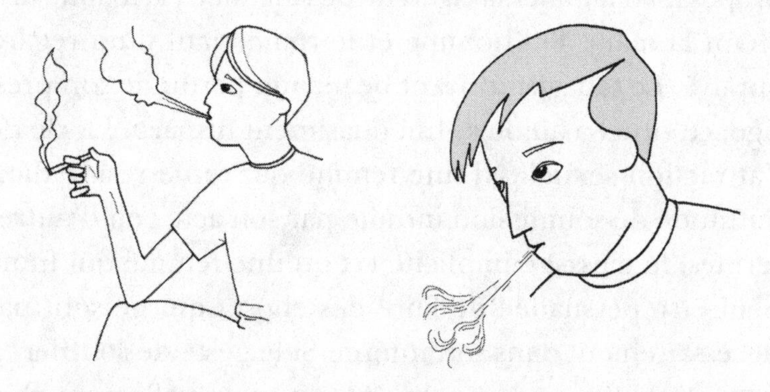

Il rejette sa fumée vers le haut : il est sûr de lui, supérieur, positif ; il la rejette vers le bas : il est négatif, renfermé, soupçonneux.

Au cinéma, le chef d'un gang de motards ou d'un syndicat du crime est généralement dépeint comme un homme agressif, un dur à cuire, qui fume en rejetant la tête vivement en arrière et envoie sa fumée vers le plafond avec une précision pleine de maîtrise, pour manifester sa supériorité devant le reste du gang. Par opposition, Humphrey Bogart a souvent joué des rôles de gangster ou de gros dur, tenant sa cigarette au creux de la main et rejetant la fumée vers le bas par le coin de la bouche, tout en projetant une évasion ou un braquage, par exemple. Il existe aussi un rapport entre l'attitude du fumeur et la vitesse à laquelle il souffle la fumée. Plus il rejette la fumée vers le haut à un rythme rapide, plus il exprime de supériorité ou de confiance en lui ; plus vite il la rejette vers le bas, plus cela indique une attitude négative.

Si un fumeur joue aux cartes et qu'il dispose d'une bonne main, il est susceptible de souffler vers le haut, alors qu'une mauvaise main le fera plutôt souffler vers le bas. Si certains joueurs ont recours au « masque du joueur professionnel » pour éviter de se trahir par des signaux corporels, d'autres préfèrent jouer la comédie et adoptent un langage corporel qui va tromper les autres et les mettre en confiance. Si, par exemple, un joueur de poker qui a reçu un carré a choisi de bluffer, il peut retourner ses cartes sur la table d'un air dégoûté, jurer, croiser les bras, et afficher tout un ensemble de postures laissant entendre qu'il n'est pas satisfait de ses cartes. Mais si, dans la foulée, il s'appuie tranquillement sur le dossier de sa chaise, exhale la fumée de sa cigarette vers le haut, pour faire ensuite le geste des mains en clocher, les autres joueurs seraient mal avisés de parier sur la main suivante ; ils risqueraient fort de se faire battre. L'observation des gestes des fumeurs dans des situations de vente a permis d'aboutir à la conclusion suivante : appelés à se décider sur un achat, ceux qui ont déjà pris une décision positive soufflent vers le haut, tandis que ceux qui ne veulent pas acheter exhalent vers le bas.

Notre première étude sur les fumeurs, menée en 1978, a montré que ces derniers mettaient nettement plus de temps que les non-fumeurs à se décider dans une négociation, et que le rituel de la cigarette intervient dans les moments les plus tendus. Il semble que les fumeurs fassent traîner leur décision en reportant leur attention sur l'acte de fumer. Aussi, pour accélérer le processus de décision d'un fumeur, il est recommandé de négocier dans une pièce non-fumeurs.

Les fumeurs de cigare

Les cigares ont toujours symbolisé la supériorité, à cause de leur taille et de leur prix. Les hommes d'affaires, les chefs de gang et les personnalités sont souvent dépeints en train de fumer le cigare. Il sert à célébrer une victoire ou une réalisation, une naissance, un mariage, la signature d'un accord professionnel ou un billet de loto gagnant. Il n'y a donc rien d'étonnant à ce qu'un fumeur de cigare rejette sa fumée vers le haut.

Comment les fumeurs mettent fin à un entretien

Les fumeurs fument généralement leur cigarette jusqu'à une certaine longueur avant de l'éteindre. Les femmes ont tendance à l'éteindre lentement en tapotant le mégot sur le cendrier, tandis que les hommes l'écrasent énergiquement sous leur pouce. Si un fumeur éteint brusquement une cigarette alors qu'il vient à peine de l'allumer, il signale par là son désir de mettre un terme à la conversation. Surveiller l'apparition de ce signal permet de reprendre le contrôle de la situation ou de conclure soi-même la conversation, ce qui donne l'avantage de l'initiative.

Ce que les lunettes peuvent nous apprendre

Presque tous les accessoires utilisés par votre interlocuteur le mettent en situation d'accomplir un certain nombre de gestes révélateurs ; les porteurs de lunettes en sont un exemple flagrant. L'un de leurs gestes les plus courants consiste à porter l'extrémité d'une branche de lunettes à leur bouche.

Les lunettes comme moyen de gagner du temps

Le fait de porter des objets à la bouche correspond à une tentative de recréer le sentiment de sécurité vécu dans les premiers mois de la vie en tétant le sein maternel. Le fait de porter ses branches de lunettes à la bouche a donc pour but essentiel de se rassurer.

Si vous portez des lunettes, peut-être avez-vous parfois l'impression que leur présence vous nuit dans l'esprit des autres… En fait, ils vous perçoivent comme quelqu'un de sérieux et d'intelligent, surtout dans les premiers instants d'une rencontre. Une étude révèle que l'on accorde, dans une évaluation sur photo, 14 points de QI de plus aux porteurs de lunettes qu'aux mêmes personnes photographiées sans lunettes. Cependant, cet effet ne durant que quelques minutes, il n'est pas nécessaire de garder des lunettes pendant toute la durée d'un entretien pour bénéficier de ce crédit.

Cet impact diminue toutefois avec les lunettes à verres épais, les montures extravagantes à la Elton John ou les lunettes fantaisie ornées d'initiales dorées. Des lunettes plus larges que le visage confèrent souvent un air plus autoritaire, plus vieux et plus sérieux.

Des montures sérieuses tendent à donner un air plus franc et plus intelligent, contrairement aux montures fantaisie.

En faisant réagir des personnes à des photos, nous avons fait le constat suivant : dans un contexte professionnel, l'ajout de lunettes confère une apparence sérieuse, intelligente, conservatrice, éduquée et franche. Cette impression est liée à la présence de la monture qu'il s'agisse d'un visage d'homme ou de femme. Peut-être est-ce dû au fait que les patrons qui portent des lunettes ont souvent des montures plus lourdes. Toujours est-il que professionnellement, les lunettes assoient le pouvoir. Des montures légères, frêles, voire inexistantes, véhiculent une image dénuée de pouvoir, et évoquent quelqu'un de plus concerné par la mode que par les affaires. Elles seront en revanche valorisées dans un contexte non professionnel, où l'on se vend comme ami ou comme partenaire. Nous recommandons aux personnes qui occupent des positions de pouvoir de porter des lunettes à monture ostensible pour faire passer des messages importants, comme un budget, et des lunettes sans monture lorsqu'ils veulent miser sur la sympathie ou s'intégrer à leur équipe.

Les tactiques de gain de temps

Comme avec la cigarette, porter à la bouche les branches de ses lunettes peut permettre de faire traîner ou de reporter une décision. Dans une négociation, ce geste apparaît plus souvent vers la fin, au moment où la personne doit se prononcer. Ôter continuellement ses lunettes pour les nettoyer est un autre moyen utilisé par les porteurs de lunettes pour gagner du temps. Lorsqu'on vient juste de demander une réponse à quelqu'un et qu'il exécute ce geste, la meilleure des tactiques reste le silence.

Regarder par-dessus ses lunettes

Dans les films des années 1920 et 1930, le tic consistant à regarder par-dessus ses lunettes a souvent servi à caractériser des personnages censés porter un jugement critique, les professeurs, par exemple. Il est souvent employé par des gens qui mettent des lunettes pour lire, et qui omettent de les enlever pour regarder quelqu'un. Or, celui qui se trouve ainsi dévisagé peut en retirer l'impression d'être jugé ou examiné. L'habitude de regarder les gens par-dessus ses lunettes peut être une erreur dommageable ; l'interlocuteur risque de réagir en croisant les bras ou les jambes, ou en adoptant une attitude d'opposition. Si vous portez des lunettes, retirez-les pour parler à quelqu'un et remettez-les pour l'écouter. Non seulement vous mettrez l'interlocuteur plus à l'aise, mais vous gagnerez le contrôle de la conversation. Les autres assimileront vite que quand vous ôtez vos lunettes, c'est vous qui occupez le terrain, et que c'est à leur tour de parler quand vous les remettez.

Les regards lancés par-dessus les lunettes sont intimidants pour tout le monde.

Les lentilles de contact donnent parfois aux pupilles une apparence dilatée et humide, et scintillent sous certaines lumières. Cela peut donner un air plus doux, plus sensuel, ce qui est parfait dans un contexte extraprofessionnel, mais peut s'avérer catastrophique au bureau, en particulier pour les femmes. Une femme aura beau s'évertuer à vendre ses idées à un homme d'affaires, il n'écoutera pas un mot de son exposé s'il est hypnotisé par l'effet sensuel produit par ses lentilles de contact.

Dans un cadre professionnel, les verres teintés et les lunettes de soleil sont exclus et ils génèrent la suspicion. Si vous voulez faire passer l'idée que vous portez un regard lucide sur les choses, réservez les verres teintés et les lunettes de soleil pour l'extérieur.

Le port des lunettes sur la tête

Les gens qui gardent leurs lunettes de soleil en rencontrant d'autres personnes sont perçus comme méfiants, secrets et instables, tandis que ceux qui les remontent sur la tête sont considérés comme décontractés, « cool » et jeunes d'esprit ; un peu comme s'ils rentraient tout juste du Club Med. C'est parce qu'ils semblent avoir au sommet du crâne deux yeux énormes aux pupilles dilatées ; ce qui reproduit le sentiment rassurant que nous procurent les bébés et les grosses peluches aux yeux géants.

L'effet « quatre yeux » aux pupilles dilatées.

Le pouvoir des lunettes et du maquillage

Le maquillage ajoute sans conteste à la crédibilité, en particulier dans le cadre professionnel. Pour le démontrer, nous avons mené une petite expérience. Nous avons recruté quatre assistantes au physique assez ressemblant, pour nous aider à vendre des modules de formation dans un séminaire.

Elles portaient toutes la même tenue ; mais l'une des assistantes portait des lunettes et du maquillage, la deuxième des lunettes, mais pas de maquillage, la troisième était maquillée, mais sans lunettes, et la dernière ne portait ni l'un ni l'autre. Chacune disposait d'une table séparée avec son propre matériel. Les clients qui s'arrêtaient pour discuter des programmes restaient en moyenne quatre à six minutes. Lorsqu'ils quittaient les tables, nous leur demandions de nous décrire la personnalité et l'apparence de chaque femme, et de choisir dans une liste d'adjectifs ceux qui lui convenaient le mieux. L'assistante qui portait des lunettes et du maquillage a été décrite comme intelligente, sophistiquée, sûre d'elle, et comme la plus ouverte des quatre. Certaines clientes l'ont trouvée sûre d'elle, froide, arrogante et/ou vaniteuse, montrant par là qu'elle représentait une rivale potentielle. Du côté des hommes, aucun n'a formulé cette critique. L'assistante maquillée et sans lunettes a reçu de bonnes appréciations sur l'apparence et la présentation, mais elle a été moins bien perçue en termes de compétences d'écoute et de capacité à créer un lien.

Le maquillage donne incontestablement aux femmes une image plus assurée.

Les assistantes sans maquillage ont obtenu les résultats les plus faibles en termes de compétence et de présentation, le port de lunettes ne créant pas de différence dans la perception et les souvenirs des clients. Les femmes avaient généralement remarqué l'absence de maquillage, tandis que la majorité des hommes ne s'en souvenaient pas. Il est intéressant de noter que dans l'opinion générale, les deux assistantes maquillées portaient des jupes plus courtes que les autres, ce qui démontre que le maquillage donne une image plus sexy. La conclusion ici est claire : le maquillage donne à la femme une image plus sûre, plus sexy et plus intelligente, et la combinaison lunettes-maquillage est celle qui a l'impact le plus durable et le plus positif sur les observateurs en contexte professionnel ; une paire de lunettes sans verres correcteurs peut donc constituer une excellente stratégie lors de rendez-vous professionnels.

Un peu de rouge à lèvres, très chère ?

Pour l'une de nos émissions de télévision, nous avons demandé à neuf femmes de se présenter à une série d'entretiens avec des interlocuteurs hommes et femmes. Chaque femme a passé la moitié des entretiens avec du rouge à lèvres, et l'autre moitié sans. L'attitude de leurs interlocuteurs s'est dessinée très vite après l'expérience : les femmes portant du rouge à lèvres vif, et qui mettaient davantage leur bouche en valeur, ont été perçues comme les plus égocentriques et les plus sensibles à l'attention des hommes, tandis que celles qui portaient des rouges plus pastel et dont la bouche était moins présente, étaient considérées comme plus axées sur leur carrière. Les femmes sans rouge à lèvres ont donné à leurs interlocuteurs l'impression d'être plus concernées par le travail que par les hommes, mais de manquer d'aptitudes personnelles. Presque toutes les intervieweuses étaient capables de dire si les femmes interrogées portaient du rouge à lèvres, contre seulement la moitié des interviewers hommes. En conclusion, une femme devrait mettre un rouge à lèvres voyant pour les rendez-vous amicaux ou amoureux, et un rouge plus discret pour les rencontres professionnelles. Toutefois, si elle travaille dans le domaine de la mode, des cosmétiques ou de la coiffure, les rouges vifs seront perçus positivement dans la mesure où ils exaltent le charme féminin.

Les signaux véhiculés par les porte-documents

La taille d'un porte-documents influe sur la perception du statut de son propriétaire. Les personnes qui portent de gros porte-documents rebondis seront perçues comme étant celles qui font tout le travail, et qui emportent des dossiers à la maison parce qu'elles ne savent pas s'organiser. Un porte-documents mince signale que leur propriétaire se concentre sur l'essentiel, et qu'il a par conséquent un statut supérieur. Portez toujours votre porte-documents sur le côté, de préférence à gauche, afin de serrer la main de ceux que vous rencontrez sans vous emmêler. Une femme doit éviter de porter en même temps un porte-documents et un sac ; elle serait perçue comme manquant de professionnalisme et d'organisation. Enfin un porte-documents ne doit jamais être utilisé comme une barrière entre soi et les autres.

En résumé

Tous les accessoires que nous choisissons de manipuler, de porter ou de fumer impliquent des signaux et des rituels que nous accomplissons à notre insu. Plus ces objets sont nombreux, plus nous révélons nos intentions et nos émotions. En apprenant à déchiffrer ces signaux, vous disposerez d'une nouvelle série d'indices pour interpréter le langage corporel des autres.

Chapitre 14

COMMENT L'ORIENTATION DU CORPS SIGNALE LA DIRECTION QUE L'ON VOUDRAIT PRENDRE

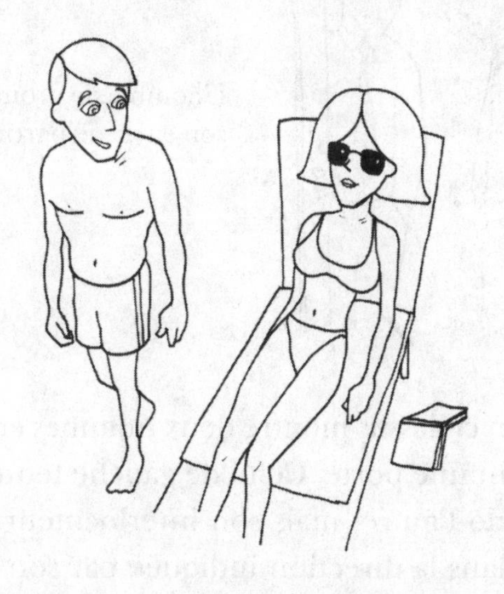

Il arrive souvent que notre corps aille dans un sens tandis que notre esprit part dans un autre.

Vous est-il déjà arrivé de parler à quelqu'un qui vous donne l'impression de vouloir être ailleurs, même s'il semble apprécier votre compagnie ? Un arrêt sur image de cette scène révélerait sans doute deux choses : d'une part, la personne en question a la tête tournée vers vous, et on voit clairement qu'il sourit et hoche la tête ; par ailleurs, son corps et ses pieds sont tournés dans la direction opposée, vers quelqu'un d'autre, ou vers la sortie. Or la direction désignée par le corps ou les pieds de quelqu'un correspond à celle qu'il aimerait prendre.

L'homme de droite manifeste son envie de partir.

L'illustration ci-dessus montre deux hommes en train de se parler devant une porte. Celui de gauche tente de retenir l'attention de l'autre, mais son interlocuteur préfèrerait continuer dans la direction indiquée par son corps, bien qu'il tourne la tête vers son interlocuteur par courtoisie. Or une conversation constructive supposerait qu'il tourne le corps vers son interlocuteur.

Dans toute rencontre en face à face, quand une personne a décidé de mettre fin à la conversation ou de partir, elle tournera son corps ou ses pieds vers la sortie la plus proche. C'est le signal que vous devez soit chercher à capter l'attention de votre interlocuteur, soit mettre un terme à la discussion de votre propre initiative, afin de garder le contrôle de la situation.

Ce que révèlent les angles du corps

1. Les positions ouvertes

Nous avons mentionné plus haut que la distance qui sépare les individus est liée à leur degré d'intimité ou d'intérêt. L'angle d'orientation du corps fournit également des indices non verbaux sur leurs attitudes et leurs relations.

Chez la plupart des espèces, un animal qui s'apprête à attaquer signale son intention en s'approchant de front. Si son adversaire relève le défi, il réagit de manière identique, en lui faisant face. Si, en revanche, l'animal veut inspecter l'autre de près sans intention de se battre, il l'approchera de biais, comme le fait un chien affectueux. Il en va de même chez les humains. Quelqu'un qui parle de façon très affirmée, en se tenant bien droit, directement face à son auditeur, est perçu comme agressif. Celui qui dit exactement la même chose en se présentant de biais par rapport à son interlocuteur est perçu comme un individu sûr de lui, axé sur la réalisation de ses objectifs, mais non agressif.

Dans les rencontres amicales, pour éviter d'être perçu comme agressif, chacun doit donc adopter une oblique de 45° avec le corps de l'autre.

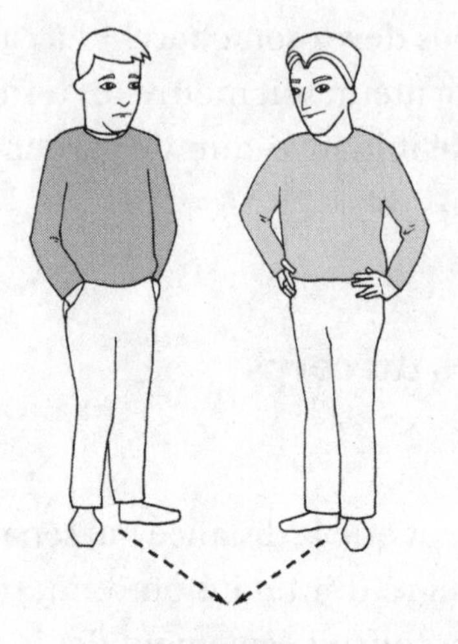

Chacun se déporte suivant un angle de 45° pour ne pas paraître agressif.

L'illustration ci-dessus montre deux hommes, le corps tourné vers un point imaginaire. L'angle ainsi formé indique que nous assistons probablement à une conversation non agressive ; en outre, les deux hommes pratiquent l'effet miroir, qui signale l'égalité de statut. La formation en triangle invite un tiers à se joindre à la conversation. Si une quatrième personne est acceptée par le groupe, celui-ci formera un carré, et avec l'arrivée d'un cinquième ou d'un sixième membre, soit un cercle, soit un nouveau triangle.

Dans des lieux confinés tels les ascenseurs, les bus ou le métro, où il n'est pas possible de se détourner à 45°, on se contente de tourner la tête suivant cet angle.

2. Les positions fermées

Quand deux personnes recherchent l'intimité, l'angle de leurs corps passe de 45° à 0° : ils se font face. Un homme ou une femme qui fait des avances a recours à cette position, associée à d'autres gestes de séduction, pour monopoliser l'attention de l'autre. Un homme va en outre diminuer la distance qui les sépare en pénétrant dans l'espace intime de la femme. Pour accepter cette approche, il suffit à la femme de revenir au face-à-face intégral. La distance qui sépare deux personnes en position fermée est souvent moindre que dans une position ouverte.

Le face-à-face en position fermée, pour capter l'attention de son auditeur.

Outre les gestes de parade, si l'intérêt est réciproque, les deux personnes peuvent refléter la gestuelle de l'autre et intensifier le contact oculaire.

Les études ont montré que les hommes redoutent l'attaque frontale et qu'une approche directe les rend méfiants, tandis que les femmes redoutent l'attaque par derrière. Mieux vaut donc éviter le face-à-face avec un homme que l'on vient juste de rencontrer. Il le percevrait comme une agression de la part d'un homme, et comme une avance de la part d'une femme. Un homme peut se permettre d'aborder une femme de front, s'il se tourne ensuite à 45°.

Comment nous excluons les autres

L'illustration suivante montre deux personnes dans la position ouverte à 45°, invitant une troisième personne à se joindre à eux.

Position ouverte du triangle, favorisant l'intégration d'un tiers.

Si quelqu'un souhaite se joindre à deux personnes en position fermée, il n'y sera invité que si elles tournent leurs corps de façon à former un triangle. Si elles le rejettent, elles maintiendront la position fermée en se contentant de tourner la tête vers lui en signe de reconnaissance ; et le gratifieront sans doute de sourires polis. Le troisième protagoniste, se sentant exclu, les laissera certainement en tête à tête (voir illustration page suivante).

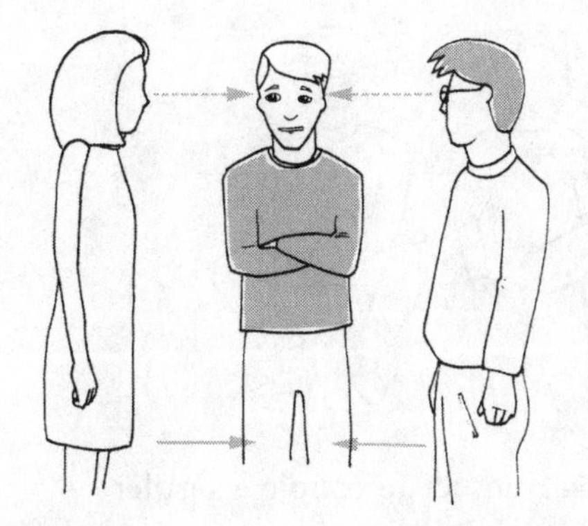

Il ferait mieux de s'en aller – Le nouvel arrivant n'est pas accepté par les deux autres.

Dans une conversation à trois ayant débuté dans la position ouverte du triangle, il arrive que deux des interlocuteurs adoptent la position fermée pour exclure le troisième. Ce changement de formation du groupe lui signale clairement qu'il ferait mieux de quitter le groupe s'il ne veut pas se retrouver dans une situation inconfortable.

Les positions pointées assises

En croisant les genoux en direction d'une personne, on exprime son intérêt ou son acceptation à son égard. Si l'intérêt est réciproque, celle-ci croise les genoux à son tour. À mesure que toutes deux s'impliquent dans la conversation, chacune va commencer à refléter les gestes et les mouvements de l'autre.

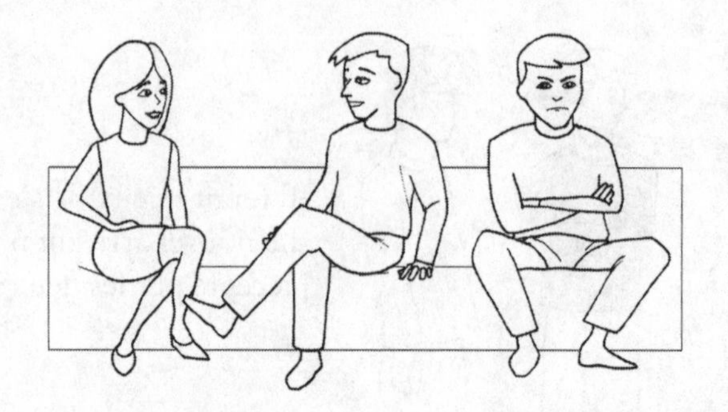

Genoux et pieds pointés servent ici au couple à s'isoler
et à exclure l'homme assis à leur droite.

Dans l'image ci-dessus, l'homme et la femme assis à gauche ont adopté une position fermée qui exclut les autres, notamment l'homme qui se tient à leur droite. Le seul moyen pour celui-ci de participer à la conversation serait de s'installer sur une chaise en face d'eux pour tenter de former un triangle, ou de tenter un geste qui briserait cette formation fermée. Mais pour l'instant, ils préféreraient visiblement qu'il aille voir ailleurs.

Le pied pointé

Si nos pieds indiquent la direction que nous avons envie de prendre, ils désignent aussi les personnes qui nous plaisent ou qui nous attirent le plus. Imaginons qu'au cours d'une soirée, vous remarquiez un groupe composé de trois hommes et d'une femme. La conversation semble dominée par les hommes, la femme se contentant d'écouter. Puis, vous remarquez que tous les hommes ont le pied pointé vers la femme.

Les pieds désignent ce qui occupe l'esprit de leur propriétaire.

Par ce signal non verbal, chaque homme exprime à la femme l'intérêt qu'il lui porte. Au niveau du subconscient, elle enregistre la position des pieds et restera sans doute dans le groupe aussi longtemps qu'elle recevra cette attention. De son côté, elle se tient pieds parallèles (position neutre) et, le cas échéant, finira peut-être par pointer le pied vers l'homme qui éveille chez elle le plus d'intérêt.

En résumé

Peu de gens considèrent l'impact de l'orientation de leur corps sur l'attitude et les réactions des autres. Si vous voulez mettre les gens à l'aise, adoptez la position ouverte à 45° ; si vous avez besoin d'exercer une pression sur eux, ayez recours au face-à-face. La position à 45° permet aux autres de penser et d'agir en toute indépendance, sans ressentir de pression. Mais surtout, gardez-vous d'aborder un homme directement de front, et une femme par derrière.

Ce contrôle de l'orientation du corps, qui exige un peu d'entraînement, peut vite devenir naturel. Dans vos rencontres quotidiennes, l'angle du corps, le pied pointé, et d'autres associations de gestes positifs comme l'ouverture des bras, les paumes visibles, le corps penché en avant, la tête inclinée ou un visage souriant peuvent non seulement aider les autres à apprécier votre compagnie, mais aussi les rendre davantage réceptifs à votre point de vue.

CHAPITRE 15

PARADES NUPTIALES ET SIGNAUX DE SÉDUCTION

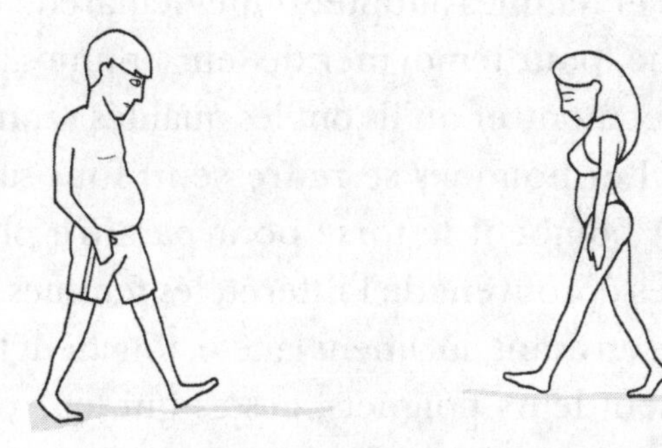

1. Sur une plage, un homme et une femme s'approchent l'un de l'autre.

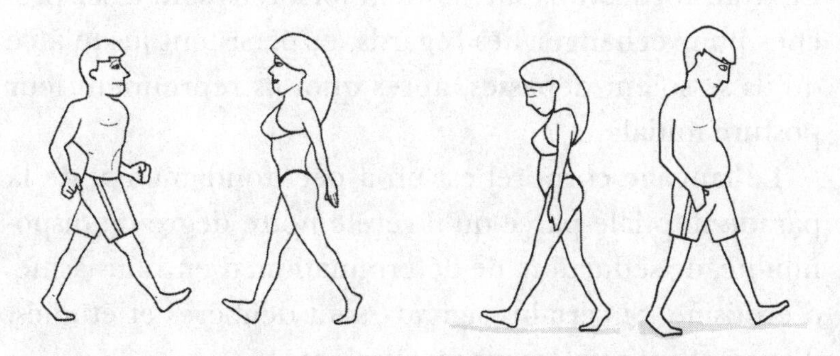

2. Ils se voient. 3. Ils poursuivent leur chemin.

Le Dr Albert Scheflen a découvert qu'un individu subit certains changements physiologiques lorsqu'il croise une personne du sexe opposé. Le tonus musculaire s'améliore en vue d'une possible rencontre sexuelle, les poches sous les yeux s'estompent, les contours du visage et du corps se raffermissent, le torse se bombe, le ventre se rentre automatiquement, la brioche s'efface, le corps se redresse et la personne paraît soudain plus jeune. Scheflen a remarqué qu'hommes et femmes adoptent une démarche plus vive, plus élastique, pour témoigner de leur bonne santé et de leur vitalité et montrer qu'ils ont les qualités requises d'un partenaire. Les hommes se redressent, font saillir leur mâchoire et bombent le torse pour paraître plus dominants. Si elles éprouvent de l'intérêt, les femmes pointent leur poitrine en avant, inclinent la tête, touchent leurs cheveux, exposent leurs poignets, gestes qui leur confèrent une apparence soumise.

La plage est le lieu idéal pour observer ces changements, au moment où un homme et une femme vont se croiser. Les transformations surviennent lorsqu'ils sont assez proches pour échanger des regards, et persistent jusqu'à ce qu'ils se soient dépassés, après quoi ils reprennent leur posture initiale.

Le langage corporel est un aspect fondamental de la parade nuptiale parce qu'il révèle notre degré de disponibilité, de séduction, de détermination, d'enthousiasme, d'érotisme. Si certains signaux sont délibérés et étudiés, d'autres sont totalement inconscients.

L'apparition du mâle chamarré

Chez la plupart des mammifères, c'est le mâle qui se met « sur son trente et un » pour impressionner les femelles, plus ternes. Chez les humains, c'est le contraire. Depuis des siècles, les femmes prennent en charge la quasi-totalité du racolage pour la sexualité en se peignant le visage et en s'ornant de vêtements et de bijoux de couleurs vives. Seuls ont fait exception à la règle les XVIe et XVIIe siècles en Europe, au cours desquels les hommes se paraient de superbes perruques et d'habits chamarrés, et soignaient davantage leur apparence extérieure que les femmes. Rappelons par ailleurs qu'historiquement, si les femmes se sont toujours habillées pour plaire aux hommes, chez ces derniers, les vêtements ont toujours eu pour fonction de symboliser leur statut ou d'effrayer leur ennemi.

Aujourd'hui, nous assistons à la résurgence de l'homme centré sur lui-même qui recommence à se parer comme un paon. Nous voyons des footballeurs s'offrir des soins du visage et des manucures, et des lutteurs se teindre les cheveux. Aux États-Unis est en train de surgir le phénomène du « métrosexuel » ; un homme homo- ou hétérosexuel qui imite les schémas comportementaux féminins, se fait faire des manucures, des pédicures, se teint les cheveux, porte des vêtements sophistiqués, fréquente les spas, mange végétarien-bio, se fait faire des injections de botox et des liftings, et revendique sa « part de féminité ». Considérés par beaucoup d'hommes comme des excentriques, les métrosexuels se recrutent parmi trois catégories : les gays, les hommes efféminés et ceux qui ont compris qu'adopter des comportements traditionnellement féminins est un excellent moyen d'entrer en contact avec les femmes.

L'histoire de Patrick

Un certain Patrick avait développé une compétence pour l'obtention de laquelle beaucoup d'hommes tueraient. Dans les soirées, il savait repérer immédiatement les femmes disponibles, faisait son choix et en un temps record, quittait les lieux avec l'une d'elles, l'escortait à sa voiture et la ramenait chez lui. Puis il revenait et recommençait son manège, parfois plusieurs fois dans la même soirée. On aurait dit qu'il disposait d'un radar pour détecter les femmes disponibles au bon moment et les persuader de le suivre. Personne ne comprenait comment il s'y prenait.

Des recherches effectuées par des zoologistes spécialistes de la parade nuptiale et par des spécialistes du comportement ont montré que les animaux, mâles et femelles, ont recours à une série de gestes complexes de parade, certains évidents, d'autres beaucoup plus subtils, et pour la plupart inconscients. Dans le monde animal, le comportement nuptial de chaque espèce suit un schéma spécifique prédéterminé. Chez plusieurs espèces d'oiseaux, par exemple, le mâle se pavane autour de la femelle en poussant des cris, en ébouriffant son plumage et en exécutant divers mouvements pour attirer son attention, tandis que la femelle fait mine de ne pas le remarquer. Ce rituel est proche de celui pratiqué par les humains lorsqu'ils entreprennent de se faire la cour.

Chez les humains, le flirt implique des séquences de gestes et d'expressions qui ne sont pas sans rappeler les danses nuptiales des animaux, telles qu'on les voit dans les documentaires animaliers.

En résumé, lorsqu'une personne tente d'attirer l'attention d'une personne du sexe opposé, elle le fait en mettant l'accent sur ses différences sexuelles. À l'inverse, pour dissuader un individu de l'autre sexe, on atténue ou on cache ces différences.

C'est la mise en valeur des différences sexuelles qui donne à une personne une apparence « sexy ».

Sa technique consistait tout d'abord à repérer les femmes dont le langage corporel signalait leur disponibilité, puis à y répondre par des gestes de parade nuptiale masculine. Quand les femmes manifestaient leur intérêt en lui renvoyant les signaux féminins appropriés, ce feu vert non verbal lui signifiait qu'il pouvait passer à l'étape suivante.

Le degré de succès d'une femme dans ses rencontres amoureuses dépend directement de sa capacité à envoyer des signaux aux hommes, et à décoder ceux qu'ils lui renvoient. Chez un homme, le succès dans le jeu de la séduction repose essentiellement sur sa capacité à décoder les

lui sont transmis, et la virtuosité de sa tech-
éduction vient loin derrière.
gle générale, les femmes sont conscientes des
de parade masculins, tandis que les hommes y sont
up moins réceptifs, voire totalement aveugles. C'est
uoi tant d'hommes peinent à trouver des partenai-
otentielles. Le handicap des femmes pour trouver un
enaire réside, lui, non dans leur capacité à lire les
naux, mais dans la difficulté à trouver un partenaire qui
rresponde à leurs critères.

Patrick, lui, savait parfaitement ce qu'il devait chercher. En réaction à l'attention permanente qu'il leur portait et aux signaux qu'il émettait, les femmes le percevaient comme sexy, drôle et viril, et comme quelqu'un avec qui « elles se sentaient plus femmes ». En revanche, les hommes le trouvaient « agressif », « faux », « arrogant » et « pas spécialement drôle » ; une réaction au rival qu'ils devinaient en lui. En conséquence, pour des raisons évidentes, il avait peu d'amis hommes ; aucun homme n'ayant envie d'attirer l'attention de sa compagne sur un rival potentiel. Ce chapitre est consacré aux signaux féminins que cet homme perspicace savait décoder et au langage corporel par lequel il y répondait.

Pourquoi ce sont toujours les femmes qui mènent la barque

Demandez à un homme qui fait généralement le premier pas, et il répondra invariablement que ce sont les hommes.

Pourtant, toutes les études sur la séduction montrent que dans 90 % des cas, les femmes sont les véritables initiatrices.

Elles envoient une série de signaux oculaires, corporels et faciaux à leur cible, qui, à condition de les repérer, y réagit. Certains hommes abordent des femmes dans un club ou un bar sans avoir reçu de feu vert ; si quelques-uns réussissent régulièrement à trouver une partenaire, en règle générale, les chances de succès avec ce procédé sont statistiquement faibles, parce qu'ils n'y ont pas été invités. Cela revient à jouer à la loterie.

Dans les manœuvres de séduction, ce sont souvent les femmes qui décident, et les hommes qui s'exécutent.

Dans ce cas de figure, un homme qui sent que son approche va se solder par un échec tente souvent de faire croire qu'il est simplement venu pour bavarder, et se rabat sur des questions bateau du type : « Alors comme ça, vous travaillez à la banque ? » ou « Vous êtes bien la sœur de Marc Fournier ? ». Pour aboutir en cherchant une partenaire sur le principe de la loterie, un homme doit aborder beaucoup de femmes, à moins bien sûr d'avoir le physique de Brad Pitt.

Lorsqu'un homme traverse la salle pour aborder une femme, il le fait généralement sur son initiative à elle, en réaction à ses signaux de langage corporel. Il semble faire le premier pas, parce que c'est lui qui s'est physiquement déplacé. Or, 90 % du temps, les femmes sont à l'origine de la rencontre amoureuse, mais elles le font si subtilement que les hommes s'imaginent en être les instigateurs.

Les différences entre hommes et femmes

Les hommes ont souvent du mal à interpréter les subtilités du langage corporel féminin, et tendent à confondre comportement amical et souriant avec attirance sexuelle. Cela vient du fait que leur rapport au monde est plus sexuel que celui des femmes, à cause d'un niveau 10 à 20 fois plus élevé de testostérone.

Certains hommes pensent que quand une femme dit « non », elle veut dire « peut-être » ; que si elle dit « peut-être », elle veut dire « oui » ; mais que si elle dit « oui », ce n'est pas une « dame ».

Lorsqu'elles rencontrent un partenaire potentiel, les femmes lui envoient des signaux de parade subtils, mais souvent trompeurs, pour s'assurer que la piste vaut la peine d'être suivie. Elles ont tendance à bombarder les hommes de signaux sexuels dans les premières minutes, avec le risque que ces signaux soient mal interprétés et que leur cible réponde par des avances maladroites. En envoyant des signaux ambigus et décousus au tout début, les femmes manipulent les hommes pour les pousser à abattre leurs cartes. C'est l'une des raisons pour lesquelles elles ont souvent du mal à attirer les hommes ; déstabilisés, ils ont alors tendance à battre en retraite.

Le processus de séduction

Comme chez les autres animaux, la parade chez les êtres humains respecte une séquence prévisible constituée de cinq étapes immuables dans le rituel de séduction :

Étape 1. Le contact oculaire : elle inspecte la pièce et repère un homme qui lui plaît. Elle attend qu'il la remarque, soutient son regard environ cinq secondes, puis se détourne. Il la surveille pour voir si elle va recommencer. Une femme doit lancer ce regard en moyenne trois fois pour que l'homme le remarque. Ce geste, qui peut se répéter plusieurs fois, enclenche le processus de séduction.

Étape 2. Le sourire : elle sourit fugitivement, à une ou plusieurs reprises. Ces demi-sourires rapides ont pour objectif de donner le feu vert, et d'autoriser l'homme à approcher. Malheureusement, beaucoup d'hommes ne sont pas réceptifs à ces signaux, ce qui laisse croire aux femmes qu'elles ne les intéressent pas.

Étape 3. La mise en valeur des atouts essentiels : la femme se redresse pour faire ressortir sa poitrine et croise les jambes ou les chevilles pour les mettre en valeur ou, si elle est debout, elle se déhanche en inclinant la tête sur le côté pour exposer son cou. Elle joue avec ses cheveux pendant quelques secondes, suggérant qu'elle se fait belle pour son homme. Éventuellement, elle passe la langue sur ses lèvres, rejette une mèche de cheveux, ajuste ses vêtements, ses bijoux. Il répond en se redressant, en bombant le torse, en ajustant ses vêtements, en touchant ses cheveux ou en glissant les pouces dans sa ceinture. Tous deux pointent le pied ou orientent la totalité de leur corps vers l'autre.

Étape 4. La conversation : il l'aborde et tente de bavarder, en recourant à des clichés tels que « On ne s'est pas déjà vus quelque part ? » et autres formules éculées, qui n'ont pas d'autre fonction que de briser la glace.

Étape 5. Le contact physique : elle cherche un prétexte pour effleurer son bras, « accidentellement » ou pas. Toucher la main dénote un degré d'intimité supérieur. Ensuite, chaque nouveau contact physique se répète, pour vérifier que l'autre accepte ce degré d'intimité accru, et lui faire savoir que le premier contact n'était pas accidentel. En effleurant ou en touchant l'épaule d'un homme, une femme lui montre qu'elle se soucie de sa santé et de son apparence. Se serrer la main permet de passer rapidement à l'étape du contact physique.

Ces cinq premières étapes de séduction peuvent sembler insignifiantes ou anecdotiques, mais elles sont essentielles pour initier toute nouvelle relation. Ce sont des étapes que la plupart des gens, les hommes surtout, trouvent difficiles. Ce chapitre va examiner les signaux qu'hommes et femmes émettent le plus fréquemment dans cette parade de séduction.

Les 13 gestes et signaux de parade féminins les plus courants

Globalement, les femmes ont recours aux mêmes gestes de « pomponnage » que les hommes : elles se touchent les cheveux, lissent leurs vêtements, posent une main ou ou les deux sur les hanches, pointent le pied ou orientent leur corps vers l'homme, lui lancent des regards insistants et multiplient les contacts oculaires. Certaines glissent également les pouces dans la ceinture, geste qui, s'il est à la base un geste d'affirmation masculine, est ici plus subtil : en général, seul un pouce dépasse d'une poche, se glisse dans la ceinture ou dans la bandoulière du sac.

Les femmes se montrent sexuellement plus actives au milieu de leur cycle menstruel, au moment où elles ont le plus de chances de concevoir. C'est à cette période qu'elles sortent de préférence jupes courtes et talons hauts, qu'elles marchent, dansent et parlent de manière provocante et qu'elles privilégient les signaux que nous allons maintenant aborder. Les treize signaux de séduction qui suivent sont ceux que les femmes utilisent le plus couramment, aux quatre coins du monde, pour montrer à un homme qu'elles sont disponibles.

1. Secouer la tête pour rejeter une mèche en arrière

C'est généralement le premier geste de parade d'une femme en présence d'un homme qui lui plaît. Elle renverse la tête pour rejeter ses cheveux derrière les épaules et dégager son visage. Même les femmes aux cheveux courts y ont recours. C'est pour elles un moyen subtil de signaler qu'elles attachent de l'importance à l'apparence qu'elles montrent à un homme. Il leur permet également d'exposer leur aisselle, et d'émettre le « parfum de l'amour » ou phéromone à destination de l'homme-cible.

Elle arrange ses cheveux en laissant agir
les phéromones émanant de ses aisselles.

2. Lèvres humides, moue et bouche entrouverte

À la puberté, la structure osseuse du visage des garçons se modifie considérablement ; la testostérone leur donne une mâchoire plus forte, plus proéminente, un nez plus prononcé et un front plus marqué ; tous éléments essentiels à la protection du visage lors d'affrontements avec des ennemis, hommes ou animaux.

La structure osseuse des filles change beaucoup moins et reste plus enfantine, avec un apport de graisse sous-cutanée, ce qui donne aux visages des adolescentes un aspect plus plein et plus épais, notamment au niveau des lèvres. Une bouche grande et charnue devient dès lors un signal de féminité, contrastant en volume avec celle des hommes. Certaines femmes se font injecter du collagène pour accentuer cette différence sexuelle et se rendre ainsi plus séduisantes aux yeux des hommes. De même, faire la moue permet d'exposer davantage la bouche.

Les grandes lèvres du sexe de la femme sont proportionnellement de la même épaisseur que sa bouche. Ce phénomène, décrit par Desmond Morris sous le nom d'« auto-imitation », a pour but de symboliser la zone génitale féminine. Les lèvres peuvent être humidifiées soit par la salive, soit par le maquillage, et des lèvres brillantes sont un signal sexuel fort.

Lorsqu'une femme est sexuellement excitée, ses lèvres, ses seins et son sexe grossissent et rougissent à cause de l'afflux sanguin. Le rouge à lèvres est une invention égyptienne vieille de quatre mille ans, visant à reproduire sur le visage les parties génitales de la femme en état d'excitation. Voilà pourquoi, au cours de tests faisant intervenir des photos de femmes portant diverses teintes de rouges à lèvres, les hommes sont invariablement plus attirés par les rouges vifs.

Les *sex-symbols* savent d'instinct mettre leur bouche en valeur pour attirer l'attention.

3. Les auto-attouchements

Comme nous l'avons déjà abordé, notre tête pousse notre corps à traduire nos désirs secrets ; il en va de même pour les attouchements. Les femmes disposent de plus de capteurs sensoriels que les hommes. Quand une femme se caresse la cuisse, la gorge ou le cou dans un geste lent et sensuel, cela implique que, s'il joue bien ses cartes, un homme pourra peut-être la toucher à ces endroits-là. Grâce à ces auto-attouchements, elle peut par ailleurs s'imaginer ce qu'elle ressentirait s'il la touchait.

Beaucoup de photos de femmes dans des poses sensuelles font une large place à l'auto-attouchement.

4. Le poignet relâché

Être assis ou marcher avec le poignet relâché est un signe de soumission spécifique aux femmes. C'est un moyen très efficace d'attirer l'attention. Cette posture séduit beaucoup les hommes, auxquels elle donne le sentiment qu'ils peuvent dominer. Dans des situations professionnelles, toutefois, une femme qui arbore un poignet relâché perd en crédibilité, et aura du mal à se faire prendre au sérieux, même si elle a toutes les chances de se voir proposer un rendez-vous galant.

Pour attirer l'attention, les oiseaux font semblant d'avoir une aile blessée ; les femmes, elles, ont recours au poignet relâché.

5. Caresser un objet cylindrique

Une femme qui caresse sa cigarette, son doigt, le pied d'un verre à vin, un pendant d'oreille ou tout autre objet révèle inconsciemment ce qu'elle peut avoir en tête. Retirer et remettre à plusieurs reprises sa bague de son doigt peut également constituer une représentation mentale de l'acte sexuel. Face à une femme qui accomplit ces gestes, un homme est susceptible de tenter de la posséder symboliquement en caressant le briquet ou les clés de la femme, ou tout autre objet personnel qu'elle aura laissé à portée de main.

Un pied de verre peut être chargé de promesses.

6. Exposer ses poignets

Une femme attirée par un homme va progressivement exposer la peau lisse et tendre de son poignet au regard de son partenaire potentiel, à une fréquence qui va croître au rythme de son intérêt pour lui. La région du poignet est depuis longtemps considérée comme une zone hautement érogène du corps féminin, parce que c'est l'une de celles où la peau est la plus fine. On ignore s'il s'agit d'un comportement acquis ou inné, mais il fonctionne de toute évidence au niveau inconscient. Souvent, la femme expose aussi ses paumes au regard de l'homme en parlant. Cette exposition paume/poignet est plus facile pour les femmes qui fument, à qui il suffit de tenir leur cigarette paume relevée au niveau de l'épaule.

Exposer la peau tendre de l'intérieur du poignet est un puissant signal d'attraction. Les femmes se parfument l'intérieur du poignet avec l'idée que la chaleur de la peau en assurera une meilleure diffusion. Mais l'objectif réel est de mettre son poignet en avant vers le partenaire potentiel. Le parfum attire alors l'attention de l'homme sur la femme et sur la face interne de son poignet.

7. Les œillades par-dessus l'épaule

Hausser une épaule est pour la femme un moyen d'évoquer la rondeur des seins. En baissant partiellement les paupières, elle retient le regard de l'homme le temps nécessaire pour qu'il la remarque, puis elle détourne rapidement les yeux. Cette action donne à la femme le sentiment de regarder l'homme à la dérobée, et à l'homme visé, celui d'être furtivement observé.

Hausser une épaule met en valeur la rondeur et les courbes féminines.

8. Rouler des hanches

Parce qu'elles portent les enfants et les mettent au monde, les femmes ont des hanches et un entrejambe plus larges que les hommes. En conséquence, elles roulent davantage des hanches en marchant, ce qui met en évidence leur région pelvienne. Du fait que les hommes ne peuvent les imiter, ce mouvement a pris valeur de puissant signal de différence sexuelle. C'est aussi pour cette raison que les femmes courent globalement moins bien que les hommes, la largeur de leurs hanches axant leurs jambes vers l'extérieur. Depuis des siècles, rouler des hanches fait partie des gestes de parade féminins exploités par la publicité pour vendre des biens et des services. En leur présentant des modèles auxquels elles voudront s'identifier, la publicité sensibilise les femmes aux produits qu'elle promeut.

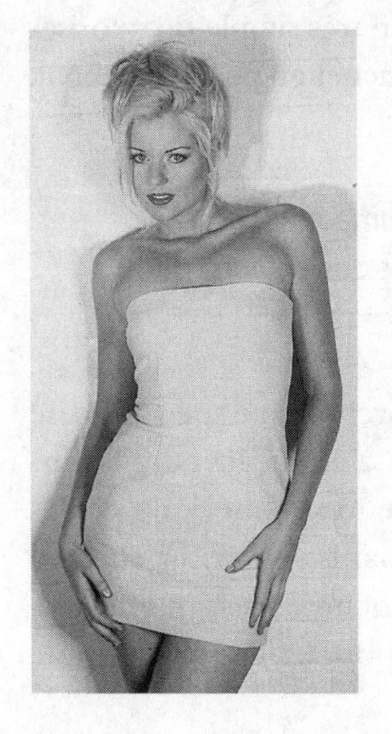

Se tortiller en marchant permet aux femmes de souligner ce qui les distingue des hommes.

9. Le déhanchement

Il est médicalement prouvé que les femmes en bonne santé qui ont le plus de chances de porter des enfants à terme sont celles qui ont un rapport taille-hanches de 70 %, c'est-à-dire que leur tour de taille représente 70 % de leur tour de hanches. Ce rapport leur donne une silhouette de sablier. Quelle que soit l'époque, c'est ce qui a toujours le plus séduit les hommes. Ceux-ci commencent à se détourner quand le rapport excède 80 %, et le degré d'attention qu'ils accordent à une femme est souvent directement proportionnel à ce rapport. L'intérêt disparaît totalement lorsque le rapport atteint

100 % ; s'il se maintient en dessous de 70 %, ce chiffre reste cependant le rapport idéal en termes de chances de reproduction. Les femmes ont un moyen très simple de valoriser ce rapport : il leur suffit de se déhancher en position debout.

En se déhanchant, une femme met l'accent sur sa capacité à porter des enfants.

Le professeur Devendra Singh, psychologue spécialiste de l'évolution à l'Université du Texas, a étudié les attraits physiques des candidates au titre de Miss Amérique et des mannequins posant dans les dépliants de *Playboy*, sur une période de cinquante ans. Sa conclusion est que le rapport taille-hanches le plus attirant pour les hommes se situe entre 67 et 80 %.

Madame Singh a effectué un test en montrant à des hommes des images de femmes trop maigres, de poids moyen, et en surpoids. Les images de femmes de corpulence moyenne, avec un rapport aux alentours de 70 %, ont été sélectionnées en priorité. Parmi les catégories surpoids ou trop maigres, les hommes ont préféré les femmes à la taille la plus fine. La vraie surprise de ce test est que les hommes persistent à privilégier le rapport taille-hanches à 70 %, même quand la femme est assez forte. Ce qui montre qu'ils se retournent également sur les femmes rondes, pour peu qu'elles aient le bon rapport taille-hanches.

Kylie Minogue présente un cocktail de tout ce que les hommes adorent : cheveux longs, cou exposé, rapport taille-hanches de 70 %, lèvres humides et entrouvertes, moue, yeux mi-clos, poitrine en avant et fesses rondes, auto-attouchements et mains sur les hanches.

10. Le sac à portée de main

Beaucoup d'hommes n'ont jamais vu le contenu d'un sac à main de femme, et des études montrent qu'ils ont souvent peur à la simple idée de le toucher, a fortiori de l'ouvrir. Le sac à main est un objet personnel, la femme le traite presque comme s'il s'agissait d'une extension d'elle-même. C'est pourquoi, lorsqu'elle le pose près d'un homme, ce geste est un signal fort d'intimité. Le garder à distance, au contraire, indique une distance émotionnelle.

Si une femme trouve un homme particulièrement attirant, elle est susceptible de caresser lentement son sac. Éventuellement, elle lui demandera de le lui passer, ou même d'y prendre quelque chose.

Poser son sac près d'un homme est un signe d'acceptation.

11. Le genou pointé

Une jambe est glissée sous l'autre, le genou pointé vers la personne jugée la plus intéressante. C'est une position décontractée, qui enlève tout aspect formel à une conversation et permet d'exposer fugitivement les cuisses.

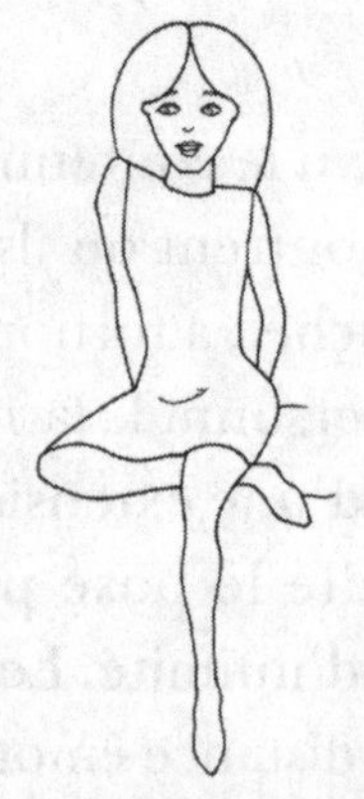

Elle désigne du genou la personne qui l'intéresse le plus.

12. Jouer avec une chaussure

Balancer la chaussure de la pointe du pied dénote également une attitude détendue ; en faisant entrer et sortir le pied de la chaussure, ce geste a en outre une connotation phallique. C'est pourquoi il trouble beaucoup d'hommes, même s'ils ne sont pas en mesure de l'expliquer.

Une chaussure peut être très révélatrice.

La jambe enroulée : l'une des positions assises féminines les plus prisées des hommes.

13. La jambe enroulée

Beaucoup d'hommes considèrent la jambe enroulée comme la position assise la plus séduisante pour une femme. C'est une posture qu'elles adoptent consciemment pour attirer l'attention sur leurs jambes. Pour reprendre la description d'Albert Scheflen, une jambe s'appuie fermement sur l'autre pour donner une apparence de tonus musculaire, position qu'une personne adopte quand elle est prête à s'accoupler. Parmi les autres signaux féminins types, notons le fait de croiser et de décroiser les jambes lentement en face du partenaire masculin et de se passer doucement la main sur les cuisses pour montrer son désir d'être caressée.

Sans vous référer à ce que vous venez de lire, combien de signaux et de postures de parade détectez-vous dans cette image ?

Ce qui retient le regard des hommes dans le corps d'une femme

Dans *Pourquoi les hommes mentent et les femmes pleurent* (Editions First) nous passons en revue les parties du corps de l'autre sexe qui attirent en priorité l'attention des hommes ou des femmes. Le résultat est clair : le cerveau masculin est conditionné pour aller vers les femmes qui montrent la plus grande capacité à la reproduction, et la plus grande disponibilité sexuelle. Quant à l'apparence, hommes et femmes favorisent les silhouettes athlétiques. Aux yeux des hommes, elles témoignent d'une bonne santé et de la capacité d'une femme à transmettre ses gènes.

Il est avéré que les hommes préfèrent les femmes au visage enfantin : grands yeux, petit nez, joues et lèvres pleines ; parce que ces signaux réveillent chez beaucoup d'hommes un instinct paternel et protecteur. C'est pourquoi la publicité pour la chirurgie esthétique met autant l'accent sur ces caractéristiques. À l'inverse, les femmes préfèrent chez les hommes un visage adulte qui traduit leur habileté à défendre : un front large, des mâchoires et un nez forts.

Les femmes au visage enfantin déclenchent chez les hommes l'émission d'hormones qui les poussent à les protéger.

La bonne nouvelle est que même si la beauté constitue un avantage de départ, une femme n'a pas besoin d'être belle pour attirer un homme ; il lui suffit d'émettre des signaux indiquant qu'elle est peut-être disponible. Voilà pourquoi certaines femmes dont le physique n'a rien d'exceptionnel semblent toujours attirer une ribambelle de soupirants. Globalement, ce sont d'abord les signaux de disponibilité émis par une femme qui attirent un homme, avant la séduction physique en soi. Et ces signaux de disponibilité peuvent s'acquérir.

Certaines femmes sont choquées par l'idée que l'homme moderne soit séduit initialement par l'apparence et la disponibilité d'une femme, et non par sa capacité à prendre soin de lui, à communiquer, à être une déesse du foyer ou à jouer du piano. Ces considérations leur paraissent dégradantes pour l'image de la femme. Pourtant, la majorité des études menées sur la séduction au cours des six dernières décennies sont parvenues à la même conclusion que les peintres, les poètes et les écrivains des six derniers millénaires : l'apparence et le corps d'une femme et ce qu'elle peut en faire attirent davantage les hommes que son intelligence ou ses talents, même au XXIe siècle, règne du politiquement correct. De prime abord, l'homme du XXIe siècle recherche la même chose que ses ancêtres, même si ses critères changent lorsqu'il se met en quête d'une partenaire à long terme, comme nous l'avons montré dans *Pourquoi les hommes mentent et les femmes pleurent.* Le fait est que pour avoir l'occasion de faire apprécier à un homme ses qualités profondes, une femme doit commencer par l'attirer.

Pourquoi la beauté est un cadeau empoisonné

On est souvent tenté de penser que l'apparence physique est la clé de la séduction, idée largement véhiculée par la télévision, les films et les médias. Mais voilà les Apollon et les Vénus ne courent pas les rues et c'est bien injuste de nous les présenter comme les modèles auxquels nous devrions tous ressembler. Or, les études montrent qu'une trop grande beauté inquiète. Nous préférons trouver des partenaires qui ont à peu près le même niveau de séduction que nous : ils risquent moins de vouloir aller chercher mieux ensuite.

Est-il plus sensible aux fesses, aux seins ou aux jambes ?

Sur la question des préférences concernant le corps féminin, les hommes se divisent en trois catégories à peu près égales : seins, fesses et jambes. Dans ce paragraphe, nous nous en tiendrons aux caractéristiques physiques du corps de la femme et aux raisons de leur impact sur les hommes. Le corps de la femme, en évoluant, est devenu un système ambulant de signaux permanents conçu pour attirer l'attention des hommes à des fins de reproduction. Dans ce processus, les seins, les fesses et les jambes jouent le premier rôle. Si ce n'est pas politiquement correct, c'est biologiquement très efficace !

1. Les fesses

Les hommes préfèrent les fessiers arrondis, en forme de pêche. À la différence des femelles des autres primates, qui n'arborent des fesses proéminentes que lorsqu'elles sont prêtes pour l'accouplement, les femmes ont les fesses constamment hypertrophiées et proéminentes, et ne présentent pas de période de non-disponibilité sexuelle. Cette régularité de l'activité sexuelle chez les humains a pour fonction de favoriser la durabilité du couple, nécessaire à la réussite de l'éducation des enfants.

Les humains sont les seuls primates qui s'accouplent face à face – chez les autres primates, la femelle est abordée par derrière, ses fesses rouges et gonflées servant de signal pour indiquer au mâle qu'elle est prête à s'accoupler. C'est la clé de l'attirance masculine pour les fesses des femmes : elles donnent toujours l'impression que celles-ci sont disponibles. Les fesses ont deux autres fonctions chez la femme : elles stockent la graisse, sorte de réserve alimentaire d'urgence en période de disette, un peu comme les bosses du chameau.

Si les jeans des designers ont autant de succès, c'est parce qu'ils mettent les fesses en valeur en leur donnant une apparence ferme et ronde. Les chaussures à talons hauts obligent les femmes à se cambrer, font saillir leurs fesses et les incitent à se tortiller en marchant, ce qui attire invariablement l'attention masculine. On dit que Marilyn Monroe raccourcissait de 2 cm le talon de sa chaussure gauche pour accentuer sa démarche chaloupée. Elle n'est pas la seule dans le règne animal : les femelles de plusieurs espèces de scarabées tortillent elles aussi de l'arrière-train devant des partenaires potentiels pour attirer leur attention.

2. Les seins

Ces dernières années, toute la planète semble avoir développé une obsession sur les seins et les décolletés et le chiffre d'affaires de la chirurgie esthétique mammaire s'estime aujourd'hui en milliards de dollars.

Les seins sont essentiellement constitués de tissu graisseux, qui leur donne leur forme arrondie. Or, ce tissu graisseux ne joue pratiquement aucun rôle dans la production du lait. Globalement, les seins remplissent un rôle clair : celui de signal sexuel. Ils rappellent l'apparence des fesses, vestige d'un autre temps où les humains marchaient à quatre pattes. Si un singe s'approchait de vous en marchant sur ses pattes arrière, vous seriez incapable de déterminer si c'est un mâle ou une femelle. Les humains étant bipèdes, les seins des femmes ont fini par rappeler l'image de leur arrière-train. Des tests menés avec des photos en gros plans de fesses et de décolletés pigeonnants montrent d'ailleurs que les hommes sont incapables de faire la différence entre l'un et l'autre.

Des tests montrent que les hommes sont incapables de différencier décolletés pigeonnants et fente des fesses.

Les décolletés plongeants et les balconnets accentuent ce signal en créant une fente. Heureusement, les études révèlent une grande diversité dans les goûts masculins en matière de forme et de volume. Qu'une femme ait des seins de la taille de citrons ou de pastèques, les hommes les aiment toujours. C'est l'aspect pigeonnant qui les excite avant tout. Une femme qui veut plaire à un homme aura tendance à se pencher et à resserrer les bras sur les côtés pour rehausser ses seins en avant et dessiner la fente médiane.

AVANT APRÈS

Mona Lisa après quinze jours aux États-Unis.

Les hommes préfèrent les seins des femmes au pic de leur activité reproductive et sexuelle ; de la fin de l'adolescence jusqu'à vingt-cinq ans environ. C'est précisément ceux qu'on choisit de représenter dans les dépliants des magazines érotiques pour hommes, dans les danses érotiques et les publicités axées sur la séduction. Des chercheurs de l'Université américaine de Purdue ont vérifié qu'une autostoppeuse a deux fois plus de chances d'être prise si elle « étoffe » son tour de poitrine de 5 cm par le port de coussinets.

Quand quelqu'un est « chaud »

Si la température du corps humain est de 37 °C, celle de la peau varie en fonction de notre état émotionnel. Les gens décrits comme « froids » ou « distants » ont souvent le corps effectivement plus froid que la moyenne parce que leur sang afflue vers les muscles de leurs membres pour se préparer au réflexe « lutter ou fuir » provoqué par la tension. Ainsi, lorsqu'on qualifie quelqu'un de « froid comme un glaçon », c'est tout à fait exact, tant au plan émotionnel que physique. À l'inverse, quand une personne est attirée par une autre, son sang afflue à la surface de la peau et lui fait éprouver une sensation de chaleur. Voilà pourquoi les amants sont « dans le feu de la passion », qu'ils « s'étreignent avec chaleur », ou qu'ils sont « tout feu tout flamme ». Chez les femmes, cette hausse de la température corporelle peut se traduire par une coloration ou des rougeurs sur la poitrine et les joues.

L'appât des longues jambes

Le goût des hommes pour les longues jambes répond à une explication biologique. Lorsqu'une fille atteint la puberté, ses jambes s'allongent subitement au moment où les hormones envahissent son corps et la transforment en femme. Cette élongation devient ainsi un signal fort, prévenant les mâles qu'elle parvient à la maturité sexuelle, et qu'elle est en âge de porter des enfants. C'est pourquoi les longues jambes ont toujours été un puissant symbole de sexualité féminine.

Les *top models* et les stars de cinéma, aux corps disproportionnés, ont gardé leurs longues jambes d'adolescentes.

Les hommes adorent les hauts talons parce qu'ils prêtent au corps féminin tous les attributs de la fertilité. Ils allongent les jambes, renforcent la cambrure, font saillir les fesses, rapetissent les pieds et projettent son bassin en avant ; en bref, ils accentuent les formes. C'est pourquoi les chaussures à talons aiguille et à lanières constituent l'accessoire le plus érotique.

Les hauts talons allongent les jambes et mettent en valeur les fesses et la poitrine.

Les hommes préfèrent également les jambes rondes et bien galbées aux jambes maigres, parce que les réserves de graisse les différencient davantage des jambes masculines, et qu'elles constituent un indicateur de meilleur potentiel d'allaitement. Ils apprécient les jambes musclées, mais se détourneront si la femme qu'ils convoitent a l'air de préparer la prochaine coupe du Monde de football.

Des mannequins comme Elle MacPherson et Rachel Hunter ont fait des signaux de séduction féminins un business se chiffrant en centaines de millions de dollars.

Les signaux de parade masculins

La parade masculine implique l'étalage du pouvoir, de la richesse et du statut social. Les femmes seront sans doute déçues par notre énumération des signaux de parade masculins, plutôt maigres comparés aux leurs. Là où une femme porte des vêtements sensuels, du maquillage, et recourt à toute une gamme de gestes *ad hoc*, ils font vrombir leur moteur de voiture, se vantent de leur salaire et défient d'autres hommes. En ce qui concerne les rituels de parade, les hommes sont en général à peu près aussi efficaces que quelqu'un qui essaierait d'attraper des poissons dans une rivière en leur tapant sur la tête avec un bâton. Les femmes ont plus d'appâts et de dons pour la « pêche » qu'aucun homme ne peut jamais espérer en avoir.

Nous allons aborder ici les signaux corporels masculins les plus répandus, qui sont le plus souvent centrés sur leur bas-ventre. Les hommes sont rarement très doués pour émettre ou percevoir les signaux intervenant dans la recherche d'un partenaire ; comme nous l'avons vu, ce sont les femmes qui contrôlent le jeu et dictent les règles, mais elles commandent aussi le tableau d'affichage des résultats. La plupart du temps, les hommes ne font que réagir aux signaux qu'ils reçoivent.

Quelques magazines tentent de persuader leurs lecteurs que l'augmentation du nombre d'hommes soucieux de leur apparence s'accompagne d'une amélioration de leurs talents de séducteurs. En 2004 au Royaume-Uni, une étude commandée par Gillette a montré que les Écossais étaient les plus coquets du pays, passant en moyenne 16 minutes par jour à se pomponner devant leur miroir. Mais ce comportement ne traduit nullement une meilleure capacité à lire les signaux de séduction émis par les femmes.

Une enquête américaine a identifié les trois mots que les femmes ont le plus envie d'entendre de la bouche de leur compagnon. Ce n'est pas « Je t'aime », mais « Tu as minci ».

Comme chez la plupart des espèces animales, l'homme commence à se pomponner à l'apparition d'une partenaire potentielle. Outre les réactions physiologiques automatiques déjà abordées, il ajuste sa cravate, lisse son col, balaye des poussières imaginaires sur son épaule, triture ses manchettes ou sa montre, arrange sa chemise, son manteau ou autres articles vestimentaires.

Il ajuste sa cravate.

Pourquoi les hommes parlent aux femmes au début d'une relation

Beaucoup d'hommes sont conscients qu'en prenant le temps de parler avec une femme des détails intimes de leur vie respective, ils la pousseront à leur ouvrir son esprit – voire plus. Ils utilisent souvent cette stratégie au début d'une relation, mais tendent à revenir à leur comportement stéréotypé de mutisme une fois passée la lune de miel ; n'en sortant que pour évoquer des faits, des informations et des solutions aux problèmes.

L'obsession masculine de l'entrejambe

Le geste sexuel le plus direct qu'un homme puisse effectuer devant une femme est de glisser les pouces dans la ceinture, encadrant le bassin. Il peut aussi orienter son corps vers elle de manière à lui faire face, pointer son pied vers elle, l'envelopper de regards intimes et soutenir son regard de manière prolongée. S'il est assis ou appuyé contre un mur, il peut également étendre les jambes pour mettre en évidence son entrejambe.

Dans les groupes de babouins et chez d'autres primates, les mâles affichent leur domination en exposant leur pénis. En écartant les pattes pour faire admirer aux autres la taille de leurs bijoux de famille, et en les réajustant périodiquement, ils affirment et réaffirment leur statut dominant. Les hommes recourent exactement à la même exposition pour affirmer leur virilité, même s'ils le font avec un peu plus de discrétion.

Le XVe siècle a vu l'apparition d'une braguette peu discrète en forme de coquille, censée exposer la taille de la virilité et par conséquent, le statut de l'homme. Au XXIe siècle, les indigènes de Nouvelle-Guinée continuent à exposer leur pénis, tandis que les Occidentaux parviennent au même résultat en portant des pantalons serrés et des slips de bain ajustés, ou en laissant pendre devant leur entrejambe de gros trousseaux de clés ou le bout de leur ceinture.

Ces objets suspendus leur donnent l'occasion d'effectuer d'occasionnels ajustements.

Arrimer les mains à sa ceinture ou danser en agrippant ses parties génitales : deux manières plutôt directes d'exposer sa virilité.

Avec son étui pénien, ce guerrier mek d'Irian Jaya (Indonésie) lance un message sans équivoque.

L'ajustement des parties génitales

La forme la plus courante d'exposition virile en public est l'ajustement des parties génitales. Dans tous les pays, les femmes se plaignent des hommes qui se mettent soudain à ajuster ou à toucher leurs parties génitales sans raison apparente au milieu de la conversation. Ce geste laisse entendre que la taille et l'encombrement de leurs organes génitaux les obligent à une attention régulière pour éviter des troubles de la circulation sanguine.

Le gros avantage d'être un homme,
c'est de pouvoir se réajuster sans quitter la pièce.

Observez n'importe quel groupe d'hommes jeunes, en particulier dans un contexte qui valorise les attitudes machos, comme une équipe de sport, et vous remarquerez qu'ils réajustent constamment leurs parties génitales, chaque homme s'efforçant d'affirmer sa virilité aux yeux des autres. Les femmes sont horrifiées quand un homme qui vient d'accomplir ce geste se sert de la même main pour lui apporter un verre et serrer des mains.

Le port de la cravate sur le côté

Si un homme veut connaître l'attitude d'une femme à son égard, il lui suffit de porter sa cravate légèrement sur le côté et de laisser traîner quelques peluches sur son épaule. Une femme qui vous trouve séduisant ne pourra s'empêcher de vous épousseter les épaules et de rajuster votre cravate afin que votre apparence soit vraiment impeccable.

En portant la cravate de manière légèrement décentrée, vous donnerez aux femmes qui ont l'air sensibles à votre charme l'occasion de la rajuster.

Le corps des hommes – ce qui excite les femmes

Les enquêtes montrent que les femmes expriment une préférence pour les voix graves, parce qu'elles sont directement liées à un niveau élevé de testostérone. La mue est un phénomène frappant chez les adolescents parce qu'à la puberté, alors qu'ils commencent à se transformer en hommes, leur corps se gorge d'hormones mâles et leur voix « se casse ». En présence d'une femme qui lui plaît, un homme est susceptible de prendre une voix plus grave pour accentuer sa virilité, tandis qu'une femme aura tendance à parler d'une voix plus aiguë pour mettre en valeur sa féminité. Depuis l'apparition du féminisme dans les années 1960, les femmes ont commencé à occuper des postes et des fonctions traditionnellement masculines exigeant la production de testostérone, l'hormone qui nous pousse à l'accomplissement, et qu'on a qualifiée d'« hormone de la réussite ». Des recherches montrent que dans les pays où le féminisme a eu le plus d'influence, comme les États-Unis, le Royaume-Uni, l'Australie et la Nouvelle-Zélande, les voix de femmes sont devenues plus graves, du fait qu'elles se sont affirmées. Espérons que la poitrine velue ne suivra pas.

Elle préfère le torse, les jambes ou les fesses ?

Les femmes sont visuellement stimulées par certaines parties du corps de l'homme. En termes de préférences, comme les hommes, elles se divisent en trois groupes : jambes, fesses et torse/bras, les fesses arrivant en première position avec 40 % des suffrages. Nous allons ici analyser ces caractéristiques physiques du corps masculin, et les raisons de leur impact sur les femmes.

En règle générale, les femmes sont sensibles à une silhouette athlétique, aux épaules larges, à la poitrine et aux bras musclés, et aux fessiers compacts. Les enquêtes montrent sans conteste que même au XXIe siècle, le modèle masculin reste celui d'un homme qui paraît physiquement apte à combattre un animal sauvage et à repousser les intrus.

Le corps masculin est fait pour chasser, attraper et vaincre les animaux, porter de lourdes charges et tuer les araignées.

1. De larges épaules, une poitrine et des bras musclés

Le torse d'un chasseur est large dans sa partie supérieure et se rétrécit progressivement jusqu'aux hanches pour former un triangle inversé, à l'inverse de celui d'une femme. Ces caractéristiques masculines permettaient aux hommes des cavernes de porter sur de longues distances de lourdes armes et le produit de leur chasse. La poitrine s'est développée pour héberger des poumons volumineux, permettant une distribution plus efficace de l'oxygène et une meilleure respiration pour courir et chasser. Dans les générations précédentes, plus un homme avait la poitrine large, plus il inspirait le respect et détenait de pouvoir, ce qui reste le cas dans beaucoup de tribus primitives.

2. Les petites fesses compactes

Les petites fesses compactes sont les préférées des femmes partout dans le monde, mais peu sont en mesure de dire pourquoi. Le secret en est qu'un arrière-train ramassé et musclé est plus efficace pour exercer le mouvement puissant nécessaire au transfert du sperme pendant l'acte sexuel. Un homme au derrière plat ou mou aura des difficultés à

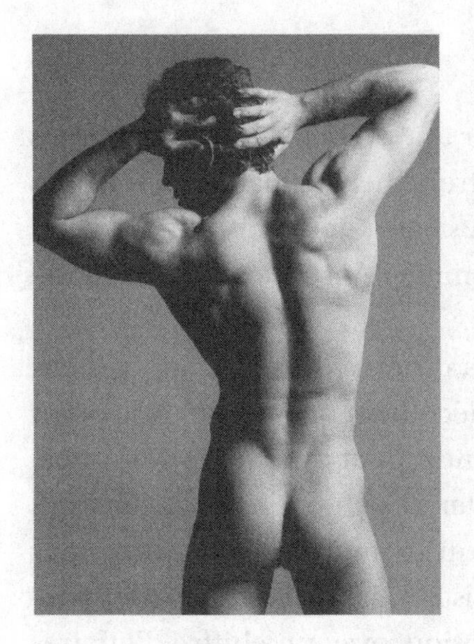

effectuer ce mouvement de poussée, et tendra à jeter tout son poids dans l'action. Ce poids peut être source d'inconfort pour la femme et entraver sa respiration. Par contraste, des petites fesses musclées sont plus prometteuses.

On trouve sur Internet beaucoup de sites permettant aux femmes d'évaluer les fesses des hommes.

3. Des hanches étroites et des jambes musclées

Les jambes des hommes n'attirent les femmes que parce qu'elles symbolisent la force et l'endurance masculine. Les jambes puissantes, anguleuses, de l'homme sont plus longues que celles de tous les autres primates, et ses hanches étroites lui permettent de courir vite sur de longues distances pour chasser. Les femmes ont souvent du mal à courir à cause de la largeur de leurs hanches, leurs pieds et la partie inférieure de leurs jambes ayant tendance à partir vers l'extérieur pour équilibrer le poids du corps. Le rapport taille-hanches que les femmes privilégient chez les hommes se situe aux alentours de 90 %.

En résumé

Le monde est submergé par une épidémie de célibat. Dans les pays occidentaux, le chiffre actuel des mariages est le plus faible enregistré depuis un siècle ; deux fois plus bas qu'il y a 25 ans. Dans des pays comme l'Australie, 28 % des adultes n'ont jamais été mariés.

L'idée que les premiers critères de séduction restent d'ordre physique peut en décourager certains ; or, le point positif est que tout le monde peut améliorer son apparence et décider de travailler sa séduction. Pour ceux qui choisissent de rester tels qu'ils sont, les rencontres par Internet, les rencontres assistées par ordinateur et le *speed-dating* sont en pleine explosion, avec un chiffre d'affaires annuel mondial estimé par le *New York Times* à 3 milliards de dollars. Et pour compenser leurs difficultés à entrer en contact avec le sexe opposé, dans le monde entier les hommes sont plus nombreux que les femmes à s'inscrire à des formations spécifiques.

Chapitre 16

PROPRIÉTÉ, TERRITOIRE ET SIGNAUX DE HAUTEUR

On se penche vers un être ou un objet pour en revendiquer la possession. En me penchant sur quelque chose, je peux aussi exprimer une volonté de domination ou d'intimidation si l'objet en question appartient à quelqu'un d'autre. Par exemple, si vous prenez une photo d'un ami et de sa nouvelle voiture, de son bateau tout neuf ou d'un objet quelconque lui appartenant, il aura tendance à s'appuyer contre son nouveau bien, à poser son pied dessus ou à l'entourer de son bras. Quand il touche sa propriété, celle-ci devient une extension de son corps et c'est de cette façon qu'il montre à autrui qu'elle lui appartient. En public, les amoureux se tiennent la main ou s'enlacent pour montrer aux rivaux éventuels qu'ils se possèdent l'un l'autre. De même, le PDG pose le pied sur son bureau ou la main sur le bouton de la porte pour montrer qu'il est le propriétaire de cet espace et de tout ce qu'il contient. Les femmes époussètent volontiers l'épaule de leur mari pour signifier aux autres femmes qu'il est « en main ».

Un moyen facile d'intimider quelqu'un consiste à s'appuyer sur un objet lui appartenant, à s'asseoir dessus ou à l'utiliser sans son autorisation. Outre cet abus caractérisé qui consiste à empiéter sur le territoire de quelqu'un ou à faire mine de s'approprier son bien, il existe beaucoup d'autres techniques d'intimidation subtiles. L'une d'elles consiste à se planter sur le seuil de la porte du bureau d'un collègue, la main sur le chambranle, ou, mieux encore, de s'asseoir sur son fauteuil.

Un vendeur qui se présente au domicile d'un client devrait lui demander où il est autorisé à s'asseoir avant de prendre place parce que s'il s'assoit dans le fauteuil de ce dernier, il l'intimidera et le mettra mal à l'aise.

Certains sont des spécialistes de la posture d'intimidation sur le seuil de la porte et adorent effrayer tous ceux qu'ils rencontrent de cette façon. Ils feraient bien mieux de se tenir droit, les paumes bien visibles pour créer une impression favorable sur les autres. L'essentiel de la première impression que nous faisons sur les autres se dessine en effet dans les quatre premières minutes et pour faire une première impression… on n'a jamais de seconde chance !

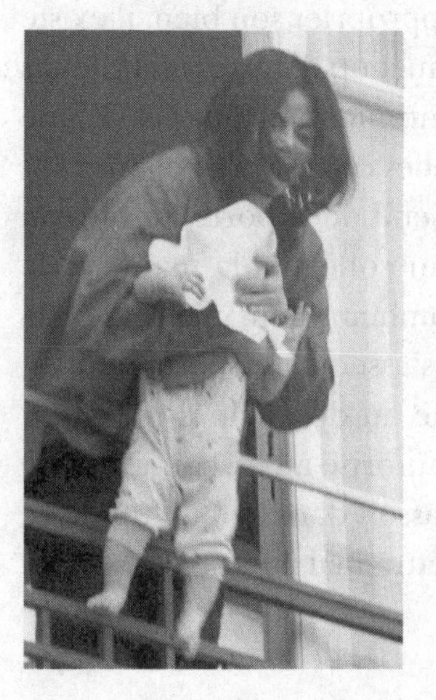

Le but de Michaël Jackson, lors de l'incident au cours duquel il balança ingénument son nourrisson au-dessus du vide, était de raccourcir la distance qui séparait son rejeton de ses fans afin que ceux-ci aient l'impression que ce bébé était aussi le leur. Il a simplement oublié la distance qui séparait l'enfant du sol…

Si le fauteuil du patron n'a pas de bras, ce qui est rare parce que c'est en général plutôt celui de ses visiteurs qui en est dépourvu, on verra souvent ce dernier poser un pied ou les deux sur son bureau. Si son supérieur entre dans la pièce, il est peu probable que ledit patron, alors en position d'infériorité, persévère dans une attitude de possession territoriale aussi flagrante ; il préférera sans doute se rabattre sur des postures plus subtiles et posera son pied sur un tiroir de son bureau, ou, si ce n'est pas un bureau à tiroirs, contre le piètement de celui-ci pour revendiquer sa possession.

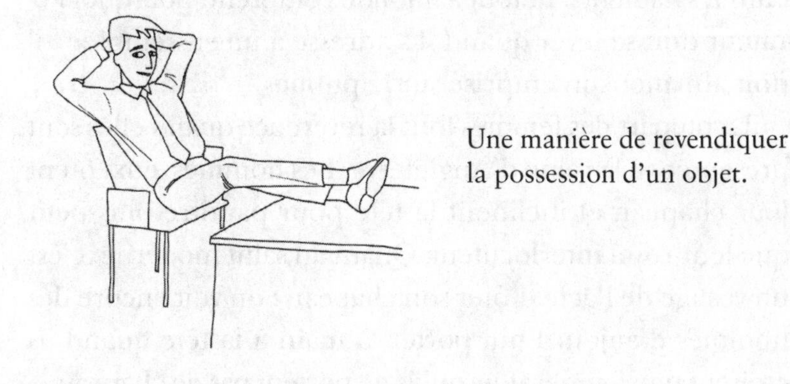

Une manière de revendiquer la possession d'un objet.

Révérences, courbettes et statut social

Les relations de supérieur à subordonné se sont toujours accompagnées de postures d'autorité (se dresser de toute sa taille) ou au contraire de révérence (se rapetisser). On appelle d'ailleurs le membre d'une famille royale *Votre Altesse,* alors que le mépris s'exprime souvent au moyen des adjectifs « bas », « petit », « minus », etc. Personne ne veut être taxé d'individu à « courte vue », ni être « regardé de haut ». L'orateur populaire s'élève au-dessus de la foule pour la haranguer, le bureau du juge est juché sur une estrade, le numéro un d'une discipline olympique a droit à la plus haute marche du podium, et le dernier étage d'un immeuble est toujours plus convoité que le rez-de-chaussée, enfin ce n'est pas pour rien que l'on parle des classes

« supérieures » et des classes « inférieures ». On n'imagine pas non plus un dieu, dans quelque religion que ce soit, vivant dans un trou perdu ou une vallée encaissée. Il ne peut habiter que le Walhalla, l'Olympe, ou le ciel, en tout cas dans les hauteurs. Et tout le monde comprend pourquoi l'orateur doit se lever quand il s'adresse à une assemblée : il doit affirmer son emprise sur le public.

La plupart des femmes font la révérence quand elles sont présentées à la reine d'Angleterre. Les hommes, eux, ôtent leur chapeau et inclinent la tête pour paraître plus petit que leur royal interlocuteur. Quant au salut moderne, c'est un vestige de l'acte d'ôter son chapeau : on voit encore des hommes d'aujourd'hui porter la main à la tête quand ils croisent une femme alors qu'ils ne portent pas de chapeau…

Plus un individu se sent bas dans l'échelle sociale, plus bas il s'incline.

Certaines entreprises japonaises ont réintroduit la « machine à courbettes » qui apprend aux employés l'angle exact de la courbette à exécuter devant un client : quinze degrés devant un client qui « regarde juste » et jusqu'à quarante-cinq degrés devant un acheteur potentiel. Dans l'entreprise, celui qui se prosterne sans cesse devant les chefs se voit affublé de sobriquets péjoratifs : lèche-bottes, cire-pompes, etc.

Le caïd du coin

Malgré les propos politiquement corrects sur la taille, les statistiques prouvent que la réussite sociale, la santé et même l'espérance de vie sont meilleures pour les plus grands. Le Dr Bruce Ellis a ainsi montré que les hommes de grande taille se reproduisent plus facilement que les petits et ce pour deux raisons : plus on est grand, plus on bénéficie de taux de testostérone élevés et les préférences féminines vont aux hommes qui les dépassent en taille. Ils sont considérés comme plus aptes à les protéger et à transmettre cet avantage par leurs gènes. Les hommes préfèrent en revanche les femmes plus petites qu'eux, parce qu'ils le ressentent comme une marque de supériorité.

Plus une femme est petite plus elle risque de se faire couper la parole (par un homme). L'une de nos clientes, cadre de direction dans un cabinet d'expertise comptable où elle était entourée de collègues masculins, avait le malheur de ne mesurer qu'1,55 m. Elle se plaignait d'être continuellement interrompue et lors des réunions de travail, elle finissait rarement, non seulement ses exposés mais même ses phrases ! Nous lui avons conseillé la stratégie suivante : elle devait se lever, aller se servir un café au fond de la pièce et, après avoir regagné sa place, rester debout pour exposer ses idées. En appliquant cette tactique, elle fut stupéfaite de constater à quel point ses propos étaient accueillis différemment. Évidemment elle ne pouvait répéter ce manège à chaque réunion, mais il lui permit de réaliser combien l'autorité est liée à la hauteur et qu'il ne tenait qu'à elle d'utiliser ce paramètre à son avantage.

On voit toujours des hommes grands avec des petites femmes mais rarement l'inverse.

Dans nos séminaires, nous avons souvent eu l'occasion de vérifier que les plus hauts responsables d'une entreprise sont presque toujours plus grands que les autres. En interrogeant différents instituts de management, nous avons pu collecter les tailles et les émoluments de 2 566 PDG et nous avons découvert qu'un écart de taille de trois centimètres entraînait un bonus salarial d'environ 700 euros – qu'il s'agisse d'un homme ou d'une femme. Des enquêtes réalisées aux États-Unis ont montré que la réussite financière y est aussi conditionnée par la taille : à Wall Street, mesurer trois centimètres de plus qu'un collègue aux compétences équivalentes se traduit par un supplément de salaire de 600 euros. Cette corrélation se vérifie dans la haute administration comme à l'université, où la promotion est en principe fonction du degré de compétences et pas de la taille… Une enquête américaine prouve notamment que dans les entreprises américaines, ce sont les grands qui accaparent les meilleurs postes, sans compter que pour eux les salaires de départ sont plus élevés. Les personnes qui mesurent plus de 1,90 m obtiennent des rémunérations supérieures de 12 % à leurs homologues mesurant moins de 1,80 m.

Ce qui fait grandir sur le petit écran

La perception subjective de la taille d'un individu à la télévision joue un rôle décisif dans sa réussite politique : la taille réelle des personnages que nous voyons étant d'environ 15 à 25 cm, c'est à notre subconscient de décider de leur taille réelle. La hauteur et le pouvoir que nous leur attribuons sont directement liés à la puissance et à l'autorité qui émanent d'eux. C'est la raison pour laquelle tant d'acteurs, de politiciens et de personnalités connaissent une telle réussite télévisée : ils agissent comme s'ils étaient grands. Prenons un exemple, celui du Premier ministre australien John Howard. Il s'est vu accoler le sobriquet de « Little Johnny » parce qu'à la télévision il se présentait comme un homme paisible et conciliant. Nos études ont montré que ses électeurs lui supposaient une taille d'environ 1,67 m, alors qu'en fait il mesure 1,75 m. L'un de ses adversaires, l'ex-Premier ministre Bob Hawke, mesurait quant à lui 1,85 m selon l'estimation de ces mêmes téléspectateurs, parce que ses prestations télévisées sont toujours pleines de punch. En fait, il est plus petit que son adversaire puisqu'il ne mesure que 1,70 m.

À la télévision, une excellente prestation vous fait paraître plus grand.

Les premières enquêtes menées en 1968 par Wilson sur ce thème montraient que quand un étudiant s'adresse à d'autres étudiants, ceux-ci lui attribuent une taille d'environ 1,75 m. Quand ce même étudiant est présenté comme un professeur, son public le grandit automatiquement de quinze centimètres. Une excellente performance ou un titre ronflant vous font paraître plus grand.

Le test qui ne trompe pas

Si vous voulez tester l'autorité que confère la taille, essayez donc cet exercice avec un ami. Allongez-vous par terre et demandez à votre ami de se tenir debout au-dessus de vous pour optimiser la différence de taille. Puis, demandez à cet ami de vous réprimander avec vigueur et d'une voix aussi sonore. Ensuite, échangez les rôles : c'est vous qui êtes debout tandis qu'il est étendu par terre. Vous découvrirez alors que non seulement ce sera presque impossible pour lui mais que sa voix n'aura pas la même force et qu'il sera incapable de dégager l'autorité nécessaire dans cette position.

Les inconvénients de la taille

Pourtant, il ne suffit pas toujours d'être grand pour réussir en tout. Si les grands suscitent souvent plus de respect que les petits, la hauteur peut aussi représenter un inconvénient pour la communication en tête à tête, par exemple quand on a besoin de « parler d'égal à égal » ou « les yeux dans les yeux »…

Un Anglais du nom de Philip Heinicy, commercial dans le secteur de la chimie mesurant deux mètres, a fondé le « club des grandes personnes » pour faire connaître les problèmes quotidiens des plus grands de nos semblables ainsi que leurs besoins sociaux et médicaux spécifiques. Il a notamment découvert que sa taille était ressentie comme une menace par ses clients. Ces derniers, trop intimidés par son physique, ne parvenaient pas à se concentrer sur ses arguments. Il a aussi constaté que quand il faisait une présentation commerciale en position assise, non seulement l'atmosphère était plus propice à une communication efficace, mais l'absence d'intimidation physique entraînait un bond de 62 % dans ses ventes !

Parfois le fait de se rapetisser peut rehausser votre statut social

Il est des circonstances dans lesquelles le fait de se rapetisser peut constituer un signal de supériorité. C'est par exemple le cas si, invité à vous asseoir dans le salon de votre hôte, vous vous vautrez dans le fauteuil qu'on vous a indiqué. Une attitude complètement détendue sur le territoire de l'autre traduit parfois une attitude dominante ou agressive.

Une personne se montrera toujours supérieure et protectrice sur son propre territoire, surtout dans sa maison, et il vaut donc mieux adopter des gestes et un comportement de soumission pour la gagner à vos projets.

Comment les politiciens peuvent rallier des électeurs grâce à la télé

Depuis plus de trente ans, nous conseillons des personnalités sur la crédibilité et l'efficacité de leur communication télévisée. Il peut s'agir aussi bien de stars du rock, d'hommes politiques, de présentateurs météo ou de Premiers ministres. Un jour, deux responsables politiques de premier plan ont été invités à débattre de leur programme de gouvernement pour le pays. L'un de ces candidats, monsieur A., mesurait 1,75 m mais son attitude paisible et conciliante le faisait paraître plus petit que son adversaire. Ce dernier, monsieur B., d'une taille de 1,90 m, était perçu par l'électorat comme encore plus grand à cause de son assurance et de son attitude autoritaire. Après le premier débat télévisé, monsieur A. a été donné nettement perdant contre monsieur B. Le premier nous a alors appelés pour prendre conseil et nous lui avons suggéré un certain nombre de procédés pour reprendre l'avantage. Afin de le faire paraître plus grand, nous lui avons notamment conseillé d'abaisser son micro d'une dizaine de centimètres ainsi que l'angle de prise de vue. Nous lui avons aussi suggéré de s'adresser directement à la caméra afin que chaque téléspectateur ait l'impression qu'on s'adressait à lui personnellement. Ça a marché. Après le débat suivant, le candidat A. était donné comme le vainqueur incontestable et les médias ont dit de lui qu'il dégageait une autorité et un leadership nouveaux. Monsieur A. a remporté les élections. La leçon à retenir est simple : les citoyens basent leur vote au moins autant sur la crédibilité de chef du candidat que sur les détails d'un programme électoral qu'ils retiennent mal.

Comment amadouer un homme en colère

Vous pouvez parfaitement éviter d'intimider quelqu'un en vous rapetissant consciemment. Examinons le langage corporel à adopter dans une situation type : vous avez commis une infraction sans réelle gravité : vous êtes garé en double file, vous avez klaxonné dans une rue où c'est interdit, vous avez allumé par mégarde vos feux antibrouillard.

La réaction de la plupart des conducteurs quand on les arrête consiste à rester vissé sur leur siège, à baisser leur vitre et à présenter des excuses ou, pis, à nier l'infraction. C'est une attitude erronée : un policier contraint qui s'approche de votre véhicule a tendance à vous considérer comme un ennemi.

1. Vous l'avez forcé à quitter son territoire (le véhicule de patrouille) et à s'aventurer sur le vôtre (votre véhicule).
2. À supposer que vous soyez coupable, des excuses maladroites peuvent être assimilées à une forme de défi.
3. En restant dans votre véhicule, vous créez une barrière entre vous et lui.

En admettant que dans une telle situation, l'agent de police est en position de supériorité par rapport à vous, ce comportement ne va faire qu'aggraver votre cas et vos risques de recevoir un PV augmenteront. Essayez plutôt la tactique suivante :

1. Sortez immédiatement de votre véhicule (votre territoire) et approchez-vous de celui du policier (son territoire). De cette façon, il n'est pas forcé de quitter son espace. (Cette méthode ne serait cependant pas à conseiller aux États-Unis où sortir de sa voiture et se précipiter vers la voiture d'un policier pourrait entraîner de graves conséquences pour celui qui s'y risquerait.)

2. Voûtez légèrement vos épaules pour paraître plus petit que lui.
3. Rabaissez votre position en anticipant sur le discours du policier et reconnaissez à quel point vous avez été irresponsable. Cela rehaussera d'autant sa position. Remerciez-le aussi de vous avoir fait réaliser votre erreur et dites-lui que vous comprenez à quel point son travail doit être difficile et combien ce doit être fatigant d'avoir affaire à des conducteurs comme vous…
4. Les paumes tournées vers l'extérieur, d'une voix tremblante, demandez-lui de ne pas vous verbaliser. Si vous êtes une femme et que le policier est un homme, souriez beaucoup, clignez des yeux à plusieurs reprises et parlez d'une voix un peu plus aiguë que d'ordinaire. Si vous êtes un homme, faites mine d'accepter la punition sans aucune objection.

S'il vous plaît soyez compréhensif, monsieur l'agent !

Cette attitude montrera au policier que vous ne constituez pas une menace et l'incitera à jouer le rôle du père indulgent. Il estimera peut-être qu'un avertissement suffit et que vous pouvez repartir – sans contravention ! En appliquant cette technique, vous pouvez espérer diviser par deux votre budget PV annuel.

Vous pourrez l'utiliser aussi pour apaiser un client irrité qui rapporte un produit défaillant dans un magasin ou vient réclamer pour une raison quelconque. Dans ce cas, le comptoir représente une barrière entre la personne de l'accueil et le client. Si vous restez derrière le comptoir, vous parviendrez difficilement à amadouer votre interlocuteur : le sentiment que vous vous retranchez derrière une barrière symbolique peut même l'irriter encore plus. Si, à l'inverse, vous contournez le comptoir en voûtant les épaules et en tournant les paumes vers lui, vous parviendrez plus rapidement à vos fins.

Qu'est-ce que l'amour a à voir là-dedans ?

L'anthropologue polonais Boguslaw Pawlowski a découvert que, dans une relation idéale, la confiance, l'argent et le respect sont moins importants que le rapport de taille qui doit être compris entre 1 et 1,09. Son étude parue en 2004 montre que pour être heureux en ménage, l'homme doit mesurer environ 9 % de plus que sa partenaire. Cette formule s'applique a contrario aux histoires d'amour qui échouent : Nicole Kidman mesure 1,80 m contre 1,70 m pour Tom Cruise. Leur séparation était peut-être inscrite dans cet écart.

Parmi les couples qui correspondent à notre ratio, on citera :
– Cherie et Tony Blair, 10 % ;
– Jennifer Aniston et Brad Pitt, 11 % ;
– Victoria et David Beckham, 9 %.

Camilla Parker-Bowles et le prince Charles (1 % d'écart) semblent en revanche démentir notre « écart idéal » qui n'est certes pas un paramètre absolu.

Quelques stratégies pour paraître plus grand

Si vous êtes une personne de petite taille, vous disposez de plusieurs stratégies pour neutraliser le pouvoir des personnes plus grandes que vous quand elles se servent de leur taille pour vous intimider. C'est un point essentiel si vous êtes une femme parce que l'écart de taille hommes-femmes est en moyenne de cinq centimètres, au détriment de ces dernières. Aménagez un espace à votre taille avec des sièges de différentes hauteurs et faites asseoir les grands sur des sièges bas. Assis, ils paraîtront déjà moins grands. En faisant asseoir votre interlocuteur à l'autre extrémité de la table, en vous accotant au chambranle de la porte de son bureau alors qu'il est assis, vous obtiendrez le même résultat. Autre truc pour le neutraliser : arrangez-vous pour que vos discussions aient lieu le plus souvent possible dans un lieu public, dans la rue, dans un café, en taxi, ou en avion.

Si l'autre vous défie, vous toise de toute sa hauteur alors que vous êtes assis, levez-vous et gagnez une fenêtre où vous laisserez votre regard flotter au loin tout en discutant avec lui.

Vous aurez l'air perdu dans de profondes pensées et votre interlocuteur, si grand soit-il, ne pourra tirer aucun avantage de sa taille si vous ne le regardez pas. Enfin, ayez l'air sûr de vous, cela vous aidera à réduire la différence de taille. Ces stratégies vous permettront de dominer « de la tête et des épaules » des interlocuteurs intimidants et vous aideront à déstabiliser ceux qui pourraient tenter de vous dominer.

Conclusion

Les différences de taille ont un impact tangible sur les relations, mais la hauteur et la puissance qu'on attribue à autrui sont en grande partie subjectives. Ainsi, des individus de petite taille peuvent donner l'impression d'être relativement grands et laisseront ce souvenir à leurs interlocuteurs s'ils prennent la peine de porter (pour les hommes) des vêtements sombres, costumes à fines rayures ou costumes trois pièces, ou (pour les femmes) un maquillage discret et une montre bracelet à large cadran. En effet, plus votre montre est petite, moins vous en imposerez à votre interlocuteur. Tenez-vous bien droit, que vous soyez assis ou debout, marchez à grands pas, d'un air décidé, et vous avez de bonnes chances, avec un minimum d'assurance, de communiquer cette impression aux autres – et de vous en persuader vous-même !

CHAPITRE 17

COMMENT, POURQUOI ET OÙ VOUS ASSEOIR

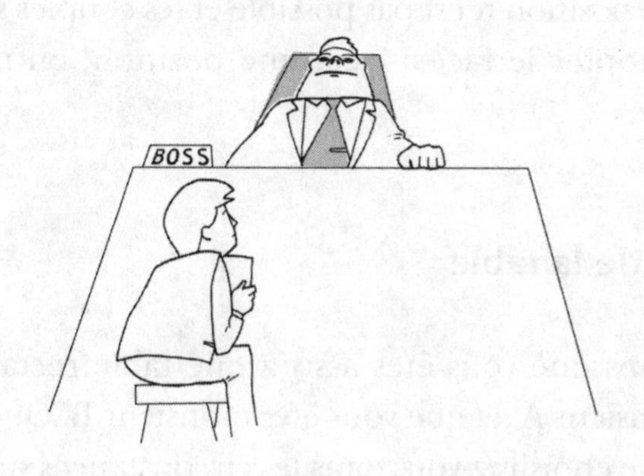

Pour tirer le maximum de ceux avec qui vous vous entretenez, le choix de l'endroit où vous allez vous asseoir est très important. Observez aussi leur posture quand ils sont assis, elle est révélatrice de ce qu'ils ressentent à votre égard.

Dans son ouvrage *Non Verbal Communication in Human Interaction*, Marc Knapp a observé que, bien que l'interprétation de la posture assise obéisse à une loi d'interprétation générale, le cadre peut exercer une influence sur la position adoptée. Cette recherche, conduite avec des Américains moyens, révèle que la posture assise dans un bar ou un café diffère sensiblement de celle de clients qui prennent place à la table d'un grand restaurant. L'orientation des sièges et la distance entre les tables peut aussi avoir une influence perceptible sur la façon d'être assis. Ainsi, un couple d'amoureux préférera la position côte à côte chaque fois que ce sera possible. Dans un restaurant bondé où les tables sont alignées les unes à côté des autres, une telle position n'est pas possible et les couples sont obligés d'adopter le face-à-face, une position, en principe, défensive.

Le test de la table

Supposons que vous êtes assis à une table rectangulaire avec monsieur A. et que vous êtes monsieur B. Quelle position assise choisirez-vous dans les circonstances suivantes ?

- Il s'agit d'un entretien professionnel, vous recrutez un collaborateur pour le compte d'une PME « familiale » ;
- Vous devez aider un copain à remplir une grille de mots croisés ;
- Vous allez disputer une partie d'échecs ;

– Vous travaillez dans une bibliothèque et voulez éviter toute promiscuité.

Examinez l'illustration ci-dessous et choisissez votre position.

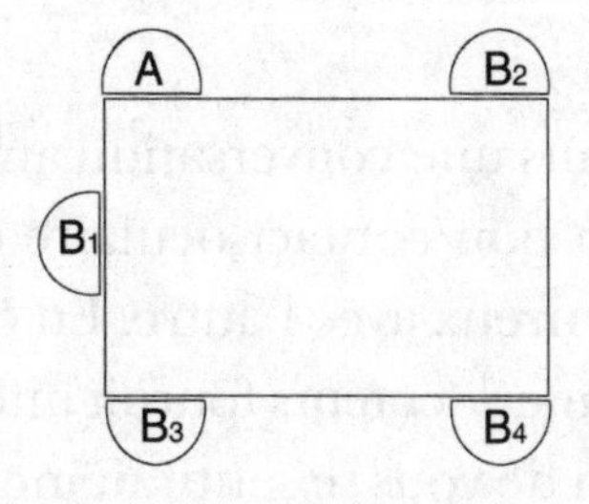

Positions assises de base.

Voici ce que vous allez sans doute répondre :

– Pour l'entretien d'embauche, vous avez choisi B1, la position du coin. Parce qu'elle vous permet de détailler la physionomie de votre interlocuteur sans vous poser en rival ou en ennemi, comme ce serait le cas si vous vous placiez en B3, et sans avoir l'air trop familier non plus, comme en B2.
– Vous vous êtes assis en B2, la position « coopérative », pour aider votre copain à remplir sa grille de mots croisés parce que c'est l'endroit où il faut s'asseoir pour seconder un collègue ou pour réaliser un travail en tandem.
– Vous avez choisi la position B3 pour disputer une partie d'échecs. C'est la position dite « compétitive-défensive » et c'est celle qui convient quand on défie un adversaire parce qu'elle procure le meilleur point

de vue sur son visage et sur les signaux qu'émet son corps.

– Dans la bibliothèque, enfin, vous avez opté pour la position en diagonale B4, pour signifier votre volonté d'isolement, de mise à distance.

La position en coin (B1)

Cette position est indiquée dans une conversation amicale et spontanée. Elle permet un bon contact oculaire et un échange gestuel varié et chaleureux avec l'autre. En outre, le coin de table qui sépare les interlocuteurs fournit une protection partielle au cas où l'un de vous se sentirait menacé, et cette position a l'avantage d'éviter une division de la table en territoires. C'est la position stratégique la plus intéressante pour monsieur B. s'il doit faire un exposé – à supposer que son interlocuteur soit monsieur A. Si l'atmosphère est tendue, il suffit de déplacer la chaise en B1 pour la détendre et accroître les chances d'une communication efficace.

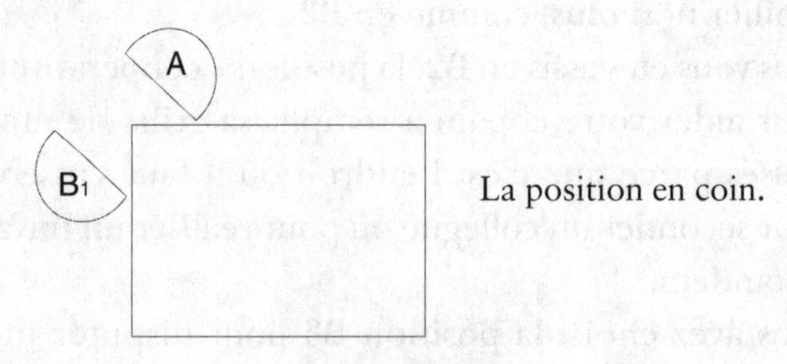

La position en coin.

La position « coopérative » (B2)

Quand deux personnes sont du même avis ou collaborent ensemble à un projet, c'est la position à conseiller. 55 % des gens estiment que c'est la meilleure pour travailler en tandem ou l'adoptent spontanément pour travailler avec un collègue.

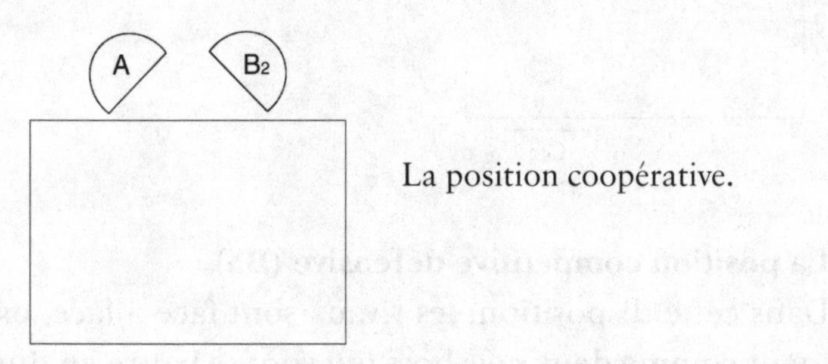

La position coopérative.

C'est l'une des meilleures positions pour présenter et faire accepter un projet parce qu'elle permet un bon contact oculaire et un effet-miroir optimal. Toute l'astuce consiste alors, pour monsieur B., à s'asseoir ainsi sans que monsieur A. ait l'impression que son territoire est envahi. C'est également une position très payante en cas d'introduction d'un tiers par monsieur B. dans le cadre d'une négociation. Supposons par exemple qu'un commercial rencontre un client pour un deuxième entretien et qu'il lui présente un collègue qui va donner des précisions techniques. Voici quelle serait alors la stratégie à adopter :

Le technicien est assis en position C, face au client A. Le commercial s'assiéra alors soit en position B2 (coopérative), soit en B1 (coin). Cette disposition permettra au vendeur d'être « du côté du client » et de poser au technicien les questions que le client se pose. De jouer pour ainsi dire le « ralliement à l'ennemi ».

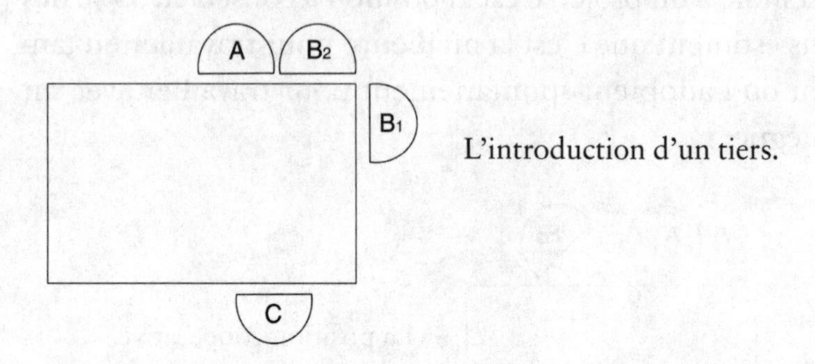

L'introduction d'un tiers.

La position compétitive-défensive (B3)

Dans cette disposition, les rivaux sont face à face, exactement comme deux cow-boys qui vont se battre en duel. La table représentant une barrière symbolique, cette position peut attiser une atmosphère défensive-compétitive qui conduira les deux interlocuteurs à camper sur leurs positions.

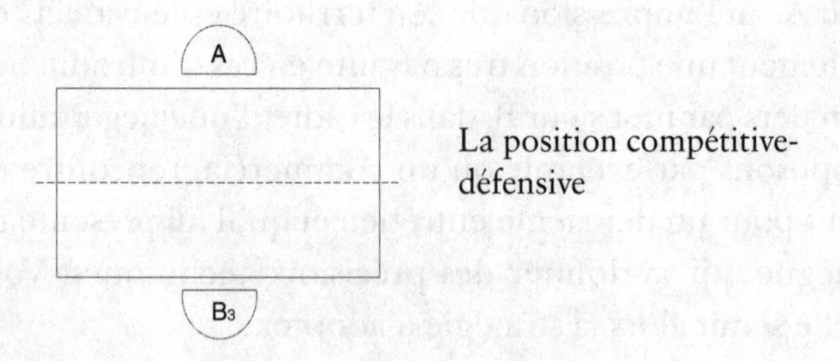

La position compétitive-défensive

56 % des personnes interrogées décrivent cette position comme compétitive dans un cadre professionnel mais coopérative dans un cadre amical (café ou restaurant).

C'est la position qu'on adopte spontanément quand on retrouve un ami au restaurant, mais c'est parce que la plupart des patrons de restaurant privilégient cette disposition que les clients l'adoptent. Elle donne de bons résultats pour un couple parce qu'elle permet un contact oculaire et que le face-à-face souligne subtilement la différence sexuelle. Dans un cadre professionnel, cependant, cette position convient plutôt en situation de rivalité ou pour un supérieur et un subalterne quand le premier doit réprimander le second. Elle peut aussi être adoptée par monsieur A. pour marquer une supériorité hiérarchique, quand elle est utilisée sur son territoire.

Pourquoi certains patrons n'arrivent pas à se faire aimer

Nous avons découvert que, dans le monde du travail, quand elles sont placées en position compétitive-défensive, les personnes interrogées s'expriment en phrases plus courtes, se souviennent moins bien du contenu de l'entretien et ont tendance à prendre la mouche. Une autre étude conduite dans plusieurs cabinets médicaux fait apparaître que la présence ou l'absence d'un bureau a un effet très sensible sur le sentiment de bien-être ou au contraire de malaise que ressentira le patient. Seuls 10 % des patients se sentent à l'aise quand ils sont séparés de leur médecin par un bureau derrière lequel officie ce dernier. L'absence de bureau fait grimper ce chiffre à 55 %. Nous avons demandé à 244 cadres supérieurs et à 127 cadres moyens de dessiner la disposition idéale du mobilier de leur service en cas de déménagement dans un nouveau siège. Pas moins de 76 % des cadres supérieurs (185) plaçaient leur bureau entre eux-mêmes et leurs subordonnés. À l'inverse, les petits employés n'étaient que 50 % (64) à adopter cette formule et, parmi les chefs d'équipe, les hommes étaient deux fois plus nombreux que les femmes à adopter cette disposition.

La découverte la plus intéressante concerne la perception par les employés des chefs d'équipe qui refusaient de faire de leur bureau un « bouclier ». Ces responsables étaient décrits par leurs collègues comme plus ouverts d'esprit, capables d'une meilleure écoute, moins critiques à leur égard et plus impartiaux dans leurs rapports aux employés en général.

Si monsieur B. cherche à persuader monsieur A., la position compétitive augmente les risques d'échec de la discussion, à moins que monsieur B. n'adopte délibérément cette position d'affrontement par choix tactique. Par exemple, on peut imaginer que A. est le responsable qui doit réprimander l'employé B. Dans ce cas, la position compétitive augmentera l'impact de son sermon. Et réciproquement, si monsieur B. veut placer monsieur A. en position de supériorité, il peut choisir délibérément de s'asseoir en face de ce dernier.

Quel que soit votre travail, s'il vous amène à traiter avec d'autres, votre intérêt consiste à optimiser l'impact de votre message. Pour ce faire, il vous faudra toujours comprendre le point de vue de l'autre, le mettre à l'aise et lui faire passer un bon moment. Or, la position compétitive risque d'avoir l'effet inverse. Vous obtiendrez toujours de meilleurs résultats en choisissant les positions en coin et coopérative, plutôt que la position compétitive. Les échanges sont notablement plus courts et plus laborieux dans la position compétitive.

La position indépendante (B4)
C'est celle qu'on adopte quand on veut éviter tout échange avec autrui. Elle est privilégiée par les lecteurs d'une bibliothèque, par les promeneurs qui s'assoient sur un banc public ou par les clients d'un restaurant qui ne se connaissent pas, et c'est celle à laquelle nous nous référons quand nous disons que nous sommes « diamétralement opposés » à une idée. Pour 42 % des personnes interrogées, le message contenu dans cette position est celui de l'indifférence, voire de l'hostilité. Il faut donc absolument l'éviter quand vous voulez obtenir de deux personnes qu'elles se rapprochent.

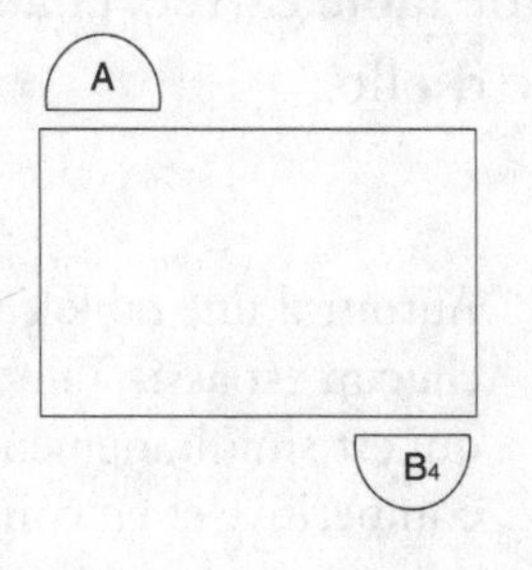

La position indépendante signifie aux autres que vous voulez qu'on vous laisse tranquille.

Peu importe ce que vous dites si vous êtes assis à la mauvaise place

Comme nous l'avons souligné, une table rectangulaire crée une relation compétitive ou défensive entre deux interlocuteurs parce que chacun d'eux dispose alors d'un espace égal, d'une « ligne de front » équivalente et d'un bord de la table. Elle permet certes des contacts oculaires plus directs de part et d'autre de la table, mais les interlocuteurs risquent de camper sur leurs positions. Une table carrée sera idéale pour un entretien bref, « droit au but », ou pour créer une relation hiérarchique. L'essentiel de la coopération viendra alors de la personne assise à votre droite ou à votre gauche, et celle de droite sera en général plus coopérative que celle de gauche.

Il y a des raisons historiques à ce comportement. En effet, votre voisin de droite, s'il tente de vous poignarder de la main gauche, risque fort d'échouer. C'est donc votre voisin de droite qui sera favorisé et... C'est avec la personne assise en face de vous (position du duel) que vous constaterez la plus grande résistance. Quand quatre personnes sont assises autour d'une table carrée, chacune d'elles a son « opposant » en face d'elle.

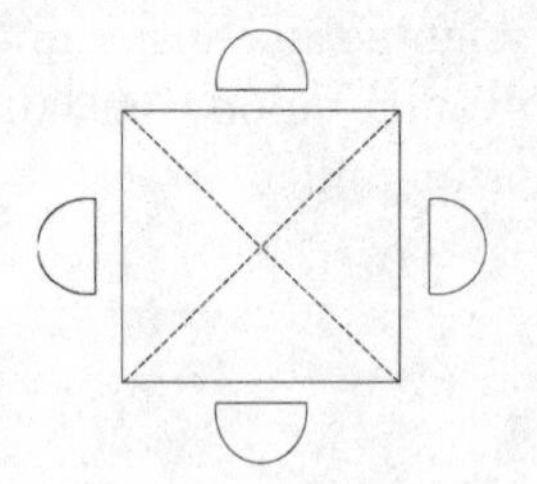

Autour d'une table carrée, chacun est assis à une position qui est simultanément compétitive et en coin.

La trouvaille du roi Arthur

Le roi Arthur a inventé la table ronde pour que ses chevaliers disposent d'une autorité et d'un statut équivalents. Une table ronde crée une atmosphère informelle et décontractée et elle est idéale pour susciter la discussion entre des personnes de statut identique. Ainsi en effet, chacune se voit octroyer un espace à peu près équivalent. Le cercle est un symbole universel d'unité et de force et le simple fait de s'asseoir en cercle produit ce type d'impression. Malheureusement, le roi Arthur ne savait pas que, si le statut d'une des personnes est plus élevé que celui des autres dans une telle disposition, cela suffit à fausser complètement le fonctionnement du groupe. C'était au roi qu'était échu le plus grand pouvoir et cela signifiait que les chevaliers assis de part et d'autre d'Arthur étaient les plus importants, celui d'entre eux qui était assis à sa droite ayant d'ailleurs préséance sur celui qui était assis à sa gauche. Le pouvoir de chacun des chevaliers était en fait directement fonction de la distance qui le séparait du roi.

La présence d'un haut responsable à une table ronde fausse la répartition du pouvoir.

Le chevalier qui était assis en face du roi, de l'autre côté de la table, se trouvait placé en position compétitive-défensive et, de ce fait, devenait un rival potentiel. Pour 68 % des personnes interrogées dans notre enquête, la personne assise en face d'eux à une table ronde est celle avec qui elles risquent de se disputer ou de se trouver en position de rivalité. 56 % d'entre elles nous ont également répondu que cette position en face à face pouvait être utilisée pour signifier le détachement ou l'indifférence (comme dans une bibliothèque). 71 % des personnes interrogées ont confié que leurs voisins, de droite ou de gauche, étaient ceux avec qui le rapport était le plus cordial et le plus productif.

Nombre des chefs d'entreprise actuels utilisent des tables rectangulaires, carrées et rondes. Le bureau rectangulaire, qui est en général celui sur lequel on travaille, est utilisé pour les séances de travail à plusieurs, pour de brèves conversations, ou des réprimandes. La table ronde, qui peut être celle où on se réunit pour boire le café et dont les fauteuils sont les plus confortables, est utilisée pour des réunions informelles et décontractées. On la trouve aussi souvent dans les familles qui tiennent à instaurer une ambiance « démocratique » ou qui refusent le modèle patriarcal classique. Les tables carrées, quant à elles, seront plus à leur place dans le cadre d'une cafétéria ou d'une cantine.

Quand on veut obtenir de deux collaborateurs qu'ils s'impliquent vraiment dans leur travail

Supposons que vous, monsieur C., deviez parler avec monsieur A. et monsieur B. et que vous soyez tous les trois assis en triangle à une table ronde. Supposons que monsieur A. soit le plus loquace et qu'il pose beaucoup de questions, tandis que monsieur B. reste plutôt silencieux. Quand monsieur A. vous pose une question, comment allez-vous lui répondre et conduire la discussion avec lui sans que monsieur B. se sente exclu ?

Voici la technique simple et efficace que nous vous conseillons : quand monsieur A. pose une question, regardez-le au début de votre réponse, puis tournez la tête vers monsieur B., avant de revenir vers monsieur A., puis vers monsieur B. jusqu'au moment de conclure, moment où vous revenez vers monsieur A. en proférant votre dernière phrase.

Cette technique vous permettra d'intégrer monsieur B. dans la discussion et elle est particulièrement utile si vous avez besoin de le gagner à votre thèse.

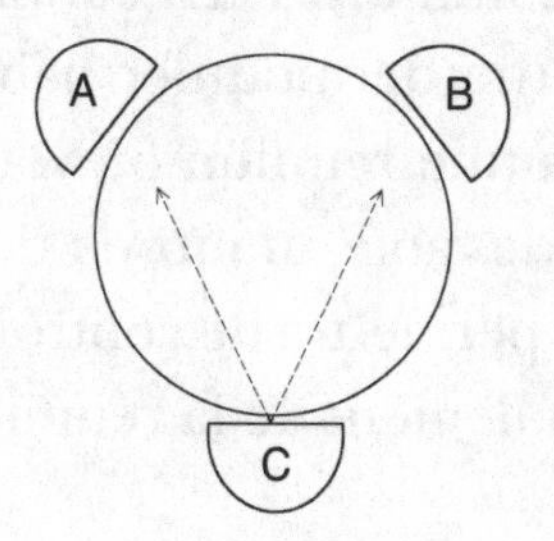

Pour capter l'attention des deux parties quand vous répondez à une question.

Tables de réunion rectangulaires

Sur une table rectangulaire, et cela vaut dans la plupart des cultures, la position A est celle qui confère le plus grand prestige, même quand toutes les personnes présentes sont de rang égal. Dans une réunion de ce genre, la personne assise en position A aura une influence prépondérante, à condition qu'elle ne soit pas placée le dos à la porte. Si c'est le cas, la personne assise en position B la supplantera et constituera un redoutable challenger pour elle. Les observations de Strodtbeck et Hook sur les délibérations de jury ont montré que la personne assise en position dominante était choisie beaucoup plus souvent comme « chef », surtout si cette personne était perçue comme appartenant à une classe sociale supérieure. Dans le cas où A. se trouvait placé dans la position de pouvoir la meilleure, B. était numéro 2 en termes d'autorité, ensuite c'était D., puis C. Les positions A et B sont perçues comme focalisées sur la tâche à accomplir tandis que la position D est plutôt celle du leader émotionnel, souvent une femme, pour qui les relations au sein du groupe et l'implication de chacun représentent le souci numéro 1. La connaissance de ces éléments vous permettra de moduler habilement les relations de pouvoir dans une réunion où vous aurez intérêt à imposer votre plan de table au moyen de petites cartes nominatives. Cela vous permettra de contrôler, dans une certaine mesure, le déroulement de la réunion.

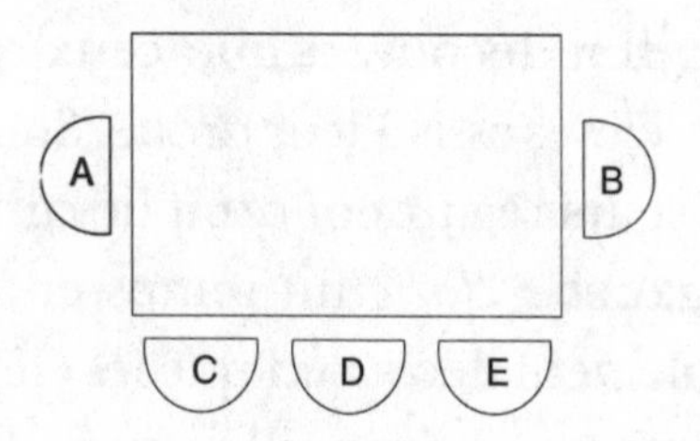

Pourquoi le chouchou du prof est toujours assis à sa gauche

Des chercheurs de l'Université de l'Oregon ont découvert que les gens retiennent en général jusqu'à trois fois plus d'informations sur les choses qui se trouvent situées dans la partie droite de leur champ de vision que sur celles qui se trouvent dans la moitié gauche. Leur étude suggère que quand vous présentez un exposé à des interlocuteurs, la moitié gauche de votre visage qui apparaît dans la partie droite du champ visuel de la personne qui se trouve en face de vous est le côté à privilégier.

Les études montrent que c'est la moitié gauche de votre visage qui est à privilégier quand vous faites une présentation.

Le docteur John Kershner a étudié le comportement des enseignants dans une salle de classe et enregistré les points où leurs regards se posaient. Il a découvert que ceux-ci ignoraient presque toujours les élèves assis à leur droite. Son analyse montre que les professeurs regardent droit devant eux 44 % du temps, sur la gauche 39 % du temps et à droite seulement 17 %. Il a également découvert que les élèves qui sont assis à gauche obtiennent de meilleurs résultats en lecture que ceux qui sont assis à droite et qu'ils étaient moins souvent réprimandés.

Nos recherches confirment que les tractations commerciales réussissent en général mieux quand un vendeur est assis à la gauche de son client. Si vous avez des enfants d'âge scolaire, conseillez-leur donc de se placer à la gauche de leur professeur (sa gauche à lui) mais s'ils sont adultes et qu'ils assistent à des réunions, conseillez-leur de s'asseoir à la droite de leur patron pour bénéficier du supplément de prestige que cette position confère.

Les jeux de pouvoir à la maison

La forme de la table de la salle à manger peut nous donner un indice sur la répartition du pouvoir dans la famille concernée, à condition qu'elle ne soit pas directement conditionnée par des considérations d'espace et que son choix ait été mûrement pesé. Les familles « de gauche » choisiront plutôt des tables rondes tandis que les familles « de droite » auront tendance à préférer des tables carrées. Quant aux familles à forte tendance patriarcale, elles opteront de préférence pour des tables rectangulaires.

La prochaine fois que vous organiserez un dîner à la maison, procédez de la manière suivante : placez l'invité le plus timide et le plus introverti en bout de table, le plus loin possible de la porte et le dos au mur. Vous serez étonné de constater combien le seul fait de placer une personne dans une position assise avantageuse l'encourage à parler plus facilement, avec plus d'autorité et comme les autres l'écouteront plus attentivement.

Comment faire pleurer votre public

La peur de parler en public serait, semble-t-il, notre peur numéro 1 – elle l'emporterait même largement sur la peur de la mort. (Cela signifie-t-il que, dans un enterrement, il vaille mieux être le mort que celui qui prononce son éloge funèbre ?)

Si l'on vous demande de prononcer un discours en public, il est important que vous compreniez comment vos auditeurs reçoivent et retiennent les informations que vous délivrez. Tout d'abord, n'avouez jamais que vous vous sentez nerveux ou intimidé, ils commenceront à chercher les signaux corporels trahissant ce malaise, et, inévitablement, ils les trouveront. En revanche, si vous leur taisez ce malaise, ils ne le soupçonneront pas. Ensuite, ponctuez votre discours de gestes pleins d'assurance, même si vous êtes terrorisé. Utilisez le geste des mains en clocher, les positions paumes ouvertes et fermées, dressez de temps à autre les pouces et dégagez les coudes. Évitez de pointer le doigt vers le public, de croiser les bras, de vous toucher le nez et d'agripper le micro.

Les enquêtes ont montré que ce sont les spectateurs du premier rang qui apprennent et retiennent le mieux les informations que dispense un conférencier. On peut certes leur prêter une motivation supérieure mais n'oublions pas qu'ils sont directement placés sous le regard du conférencier : ils sont tenus de montrer une attention plus soutenue que les autres pour éviter de le contrarier.

Ceux qui sont assis au milieu de la salle montrent une attention légèrement inférieure mais sont ceux qui posent le plus de questions, car la partie centrale de la salle est celle où l'on se sent le plus en sécurité (on est au milieu des autres). Les rangées latérales et le fond de la salle sont occupés par les auditeurs les plus passifs, les moins attentifs. Quand le conférencier se trouve sur la partie droite de la scène et qu'il s'adresse aux auditeurs placés à gauche, ces informations ont un impact plus fort sur l'hémisphère cérébral droit de ses auditeurs, c'est-à-dire le cerveau émotionnel – du moins chez la plupart des gens. Si au contraire, il s'adresse aux auditeurs assis à droite et qu'il privilégie donc le côté gauche de la scène, son discours est d'abord enregistré par l'hémisphère cérébral gauche de son public. C'est pour cette raison que vos auditeurs riront plus longtemps si l'orateur plaisante à gauche de la scène. En revanche ils réagiront mieux aux remarques et aux anecdotes émotionnelles si vous leur parlez depuis la partie droite de la scène. Les comédiens connaissent ce truc depuis toujours, c'est à gauche de la scène qu'on fait rire son public et c'est à droite qu'on le fait pleurer.

La zone d'attention

Nous avons mené une enquête visant à évaluer le degré d'implication et de mémorisation des auditeurs en fonction de leur place dans une salle de conférence. Résultat : nous avons noté quelques différences culturelles entre Australiens, Sud-Africains, Singapouriens, Allemands, Britanniques, Français et Scandinaves, les personnes de rang social supérieur privilégiant le premier rang presque partout, et notamment au Japon. Ces notables sont aussi ceux qui participent le moins, raison pour laquelle nous n'avons tenu compte des réactions du public que dans les cas où les participants étaient de rang sensiblement égal. Nous avons appelé le résultat de cette enquête « l'effet d'entonnoir ».

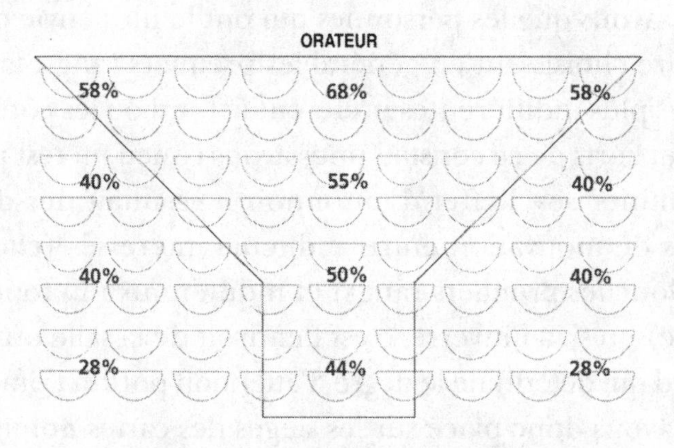

Rétention d'informations et participation
en fonction du choix de la place dans une salle.

Comme vous pouvez le constater, quand les participants sont assis à la manière d'élèves dans une salle de classe, il y a une

« zone d'apprentissage » qui prend la forme d'un entonnoir s'évasant vers l'avant de la salle. Ce sont donc les spectateurs des premiers rangs qui sont les plus actifs et réagissent le plus aux propos du conférencier ; ce sont aussi ceux-là qui mémorisent le mieux son discours. En revanche, ceux qui sont assis tout au fond ou sur les côtés de la salle sont en général plus négatifs, plus critiques et retiennent moins bien ce qu'il a dit. C'est également au fond de la salle qu'on a le plus tendance à bavarder, à somnoler... ou à gagner la sortie.

Une expérience d'apprentissage

Nous savons que les personnes qui ont le plus envie d'apprendre choisissent en général les premiers rangs, tandis que les plus indifférentes préfèrent le fond ou les côtés de la salle. Forts de ce constat, nous avons conçu un test pour déterminer si « l'effet d'entonnoir » résultait des différences de motivation entre auditeurs intéressés (choisissant donc les premiers rangs) et indifférents (au fond de la salle) ou si, à l'inverse, c'est l'endroit de la salle où l'on s'assied qui détermine le degré d'attention porté à l'orateur. Nous avons donc placé sur les sièges des cartes nominatives afin d'empêcher les auditeurs de céder à leur penchant naturel et avons placé les plus enthousiastes sur les côtés et à l'arrière de la salle tandis que nous faisions asseoir au premier rang les « cancres » avérés. Il s'est avéré que cette stratégie améliorait la participation et la mémorisation des participants les plus négatifs, mais qu'elle réduisait la participation et la mémorisation des participants habituellement les plus actifs, en l'occurrence relégués au fond. La leçon à retenir est claire : si vous voulez que certains auditeurs retiennent le message que vous délivrez, faites-les asseoir au premier rang. Certains conférenciers et formateurs ont abandonné la disposition de type salle de classe, leur préférant des groupes d'élèves plus petits disposés en « fer à cheval » ou en « carré ouvert », parce que l'expérience a montré que ces placements permettaient une plus grande réactivité et une meilleure mémorisation des participants, grâce à un contact oculaire accru de l'ensemble des auditeurs avec celui qui parle.

Comment obtenir une réponse favorable lors d'un dîner

En gardant à l'esprit ce que nous venons d'expliquer sur le territoire personnel et la forme (carrée, rectangulaire ou ronde) de la table, examinons maintenant l'attitude à adopter lors d'un dîner d'affaires au restaurant où votre but est d'obtenir une réponse favorable à une proposition.

Si vous avez l'intention de conclure une transaction pendant ce dîner, la meilleure tactique consiste à entrer dans le vif du sujet avant de commencer à manger. En effet, quand les convives entameront le repas, la conversation risque de se disperser et le vin d'émousser votre lucidité. Après le repas, votre estomac drainera une bonne partie du flux sanguin qui irrigue normalement le cerveau : quand on digère, la réflexion est toujours plus laborieuse. Si pour certains hommes il peut être utile de susciter cette atmosphère avec la femme qu'ils viennent de rencontrer, elle peut s'avérer très négative dans une discussion professionnelle. Présentez donc vos propositions au moment où les convives sont encore au meilleur de leur lucidité intellectuelle.

Personne ne prend jamais de décision la bouche pleine

Vous obtiendrez d'autre part plus facilement une décision favorable à votre projet si votre interlocuteur est décontracté et qu'il baisse la garde. Voici quelques règles simples dont l'application vous permettra de parvenir à vos fins.

Tout d'abord, que vous dîniez à la maison ou au restaurant, faites asseoir votre convive le dos au mur ou à une cloison. Les études ont montré que, quand une personne est assise le dos à un espace ouvert, surtout si la circulation est dense, elle éprouve un léger malaise. Sa gêne sera encore plus perceptible si elle tourne le dos à une porte ou à une fenêtre ouverte et qu'elle se trouve au rez-de-chaussée. Ce sera donc l'emplacement que vous choisirez si vous voulez déstabiliser ou irriter votre convive.

Ensuite, vous privilégierez des lumières tamisées et une musique d'ambiance feutrée pour détendre l'atmosphère. Certains restaurants chics ont opté à juste titre pour un feu de cheminée, authentique ou factice, situé près de l'entrée, pour recréer l'ambiance du feu qui brûlait près de l'entrée de la caverne autrefois. Mieux vaut utiliser une table ronde et boucher la vue de votre ou de vos interlocuteur(s) au moyen d'un paravent ou d'une grande plante verte si vous voulez vous assurer qu'il vous écoute attentivement.

Les grands restaurants emploient ces techniques de relaxation pour soutirer de larges sommes d'argent à des clients auxquels ils servent une nourriture somme toute banale. Quant aux hommes, qui convoitent une femme, ils les mettent en œuvre depuis des milliers d'années pour « mettre en condition » la femme qu'ils convoitent. Il est beaucoup plus aisé d'obtenir d'elle une décision favorable dans cette atmosphère-là, que dans un restaurant brillamment éclairé, bruyant et où la circulation est dense.

Conclusion

L'endroit où l'on s'assoit et celui où l'on assoit ses convives ne doit donc pas être choisi au hasard : suivant le lieu où ses participants sont assis, la réunion risque en effet de réussir ou d'échouer. La prochaine fois que vous participerez à une réunion importante, posez-vous la question : sur qui voulez-vous exercer la plus grande influence et où faire asseoir cette personne dans ce but ? Parmi les personnes présentes, laquelle risque de se montrer la plus difficile à convaincre – voire la plus réfractaire ? Quand les participants sont de rang égal, observez bien lequel d'entre eux va tenter de s'arroger une position dominante, révélant ainsi sa soif de pouvoir. Si vous voulez contrôler le déroulement de la réunion, où devez-vous vous asseoir ? Les réponses à ces questions vous donneront un avantage décisif et, de plus, elles empêcheront les autres d'essayer de dominer ou de contrôler la réunion en question.

Chapitre 18

ENTRETIENS, JEUX DE POUVOIR ET INTRIGUES DE COULOIR

Adam sort de l'entretien contrarié par sa mauvaise prestation. Sont-ce ses propos qui ont déplu ? Ou peut-être son costume chocolat, sa barbiche pointue, sa boucle d'oreille et son vieux cartable bourré de documents ? À moins qu'il ne se soit pas assis au bon endroit ?

La plupart des entretiens d'embauche sont faussés à la base parce que les études montrent une forte corrélation entre la sympathie qu'éprouve le recruteur pour le candidat et la réussite ou l'échec de ces entretiens. Les critères objectifs et les informations échangées, les véritables indicateurs de la qualité du candidat en question, sont laissés de côté. Ce dont le recruteur se rappellera en premier lieu et qui orientera sa décision, c'est l'impression générale que lui aura faite le candidat.

La première impression est l'alpha et l'oméga de l'entretien d'embauche.

Le professeur Franck Bernieri, de l'Université de Tolède, a analysé les performances de candidats d'âges et de profils variés au cours d'entretiens d'embauche d'une vingtaine de minutes. On demandait au recruteur d'évaluer l'ambition, l'intelligence et la compétence de chaque candidat. Ensuite, on a demandé à un panel d'observateurs d'analyser les quinze premières secondes filmées de chaque entretien. Les résultats ont montré que les impressions des observateurs recoupaient presque toujours celles des recruteurs. Ce test constitue une preuve supplémentaire qu'on a décidément jamais de seconde chance pour faire une première impression et que votre manière de vous présenter, votre poignée de main et votre langage corporel en général sont les facteurs clés de votre réussite.

Pourquoi James Bond semble toujours à l'aise, calme et concentré

Des recherches conduites par des linguistes ont fait apparaître une relation directe entre d'une part le statut social, le pouvoir et le prestige d'un individu et, d'autre part, l'étendue de son vocabulaire. Plus il se situe haut dans l'échelle sociale ou professionnelle, plus grande sera l'efficacité de sa communication orale. La recherche sur le langage corporel a révélé, par ailleurs, une corrélation entre l'éloquence d'une personne et le nombre de gestes qu'elle utilise pour communiquer son message. Le cadre supérieur, l'avocat ou le médecin, qui ont atteint le sommet de l'échelle, se servent en effet avant tout de leur compétence orale pour transmettre ce qu'ils ont à dire, tandis que le petit employé, moins éduqué et moins à l'aise dans le langage, s'appuie plus sur les gestes que sur les mots pour se faire comprendre. Chaque fois que le mot lui manque, le geste est là pour le remplacer. En règle générale, la réussite sociale d'une personne est inversement proportionnelle à la « loquacité » de son langage corporel.

James Bond, le célèbre agent secret, applique ces recettes avec beaucoup d'efficacité : il réduit en effet mimiques et gestes à leur plus simple expression, surtout quand il est sous pression. Que les « méchants » le harcèlent, l'insultent, lui tirent dessus, il reste très économe de ses gestes et s'exprime en toutes circonstances par phrases courtes et sur un ton monocorde.

James Bond est si peu émotif qu'il est capable de faire l'amour immédiatement après avoir tué une dizaine de « méchants ».

Les gens « importants » gardent toujours leur calme, c'est-à-dire qu'ils s'efforcent, autant que possible, de ne pas laisser filtrer leurs émotions. Au contraire, les acteurs donnent volontiers libre cours à leur caractère extraverti et n'hésitent pas à mettre en scène leurs défauts…

Les neuf clés pour faire une première impression parfaite

Supposons que vous vous rendiez à un entretien d'embauche et que vous vouliez produire une première impression irréprochable. N'oubliez pas que votre interlocuteur se forgera 90 % de son opinion sur vous durant les quatre premières minutes et que 60 à 80 % de l'impact que vous produirez passera par votre langage corporel. Voici les neuf clés pour optimiser l'impression que vous produirez lors de ce premier entretien :

1 – Dans la salle d'attente

Ôtez votre manteau et confiez-le, si possible, à la personne de l'accueil. Mieux vaut en effet éviter d'entrer dans le bureau les bras chargés, vous risquez d'apparaître gauche et emprunté. Restez toujours debout dans la salle d'attente ; ne vous asseyez jamais. Les réceptionnistes insistent toujours pour faire asseoir ceux qui se présentent... Vous pouvez croiser les mains dans le dos, signe de confiance, et vous balancer lentement d'avant en arrière (signe de confiance et de contrôle) ou utiliser le geste des mains en clocher. Cette signalétique corporelle rappelle à la personne chargée de vous annoncer que vous êtes là et que vous attendez. Cette posture serait en revanche à déconseiller dans la salle d'attente de votre percepteur !

2 – Votre entrée

Votre entrée va révéler à votre interlocuteur comment vous vous situez par rapport à lui. Quand la réceptionniste vous donne le feu vert, entrez sans hésitation. Ne piétinez pas à l'entrée du bureau comme un écolier fautif qu'on envoie chez le proviseur. Quand vous passez le seuil de la porte, ne ralentissez pas l'allure. Les gens qui manquent de confiance en eux ont tendance à ralentir quand ils pénètrent dans un bureau.

3 – L'approche

Même si votre hôte discute au téléphone, fourrage dans un tiroir ou noue ses lacets, entrez d'un pas décidé mais dénué d'agressivité. Posez votre serviette ou votre dossier au sol, serrez la main qu'on vous tend et asseyez-vous immédiatement. Montrez que vous avez l'habitude d'être toujours poliment accueilli et qu'on ne vous fait jamais attendre. Ceux qui entrent d'une démarche hésitante ou d'un pas nonchalant signifient qu'ils ont tout leur temps, qu'ils ne s'intéressent guère à ce qu'ils font ou encore qu'ils n'ont rien d'autre à faire. Quand on est un milliardaire retraité et qu'on habite la Côte d'Azur, cette attitude convient parfaitement, mais elle est contre-productive quand on tente de convaincre un recruteur qu'on a les qualités de dynamisme, d'autorité et les compétences qui le convaincront de vous offrir le poste convoité. Vous remarquerez que les personnages influents, et en général ceux qui attirent l'attention, marchent d'un pas vif mais relativement court.

4 – La poignée de main

Gardez la paume tendue et modulez la pression en fonction de celle de votre hôte. Laissez-lui décider du moment où il faut y mettre fin. Dirigez-vous vers la gauche de son bureau, si celui est rectangulaire, pour éviter une poignée de main de type paume-vers-le-bas. Ne serrez jamais la main de votre hôte par-dessus son bureau. Appelez-le par son nom à deux reprises au cours des 15 premières secondes de l'entretien et ne parlez jamais plus de 30 secondes à la fois.

5 – Quand vous êtes assis

Si l'on vous fait asseoir sur un siège bas en face à face direct, tournez-vous à 45 degrés pour éviter la position de la « réprimande ». Si vous ne pouvez faire pivoter le siège, adoptez une position de biais.

6 – Où s'asseoir

Si votre hôte vous invite à vous asseoir dans une zone informelle de son bureau, par exemple une table basse où trône le plateau à boissons, il s'agira d'un signe positif : en effet, dans le monde du travail, 95 % des mauvaises nouvelles sont annoncées par un supérieur assis derrière son bureau. Ne prenez jamais place sur un canapé trop bas qui vous donnerait l'air d'une petite tête coiffant une gigantesque paire de jambes. Si nécessaire, asseyez-vous le dos bien droit au bord du canapé de façon à pouvoir contrôler vos signaux corporels et vos gestes, et évitez le face-à-face en faisant pivoter votre corps à 45°.

7 – Votre gestuelle

Les individus calmes, concentrés et maîtres de leurs émotions s'expriment au moyen de gestes clairs, fluides, décidés. Les hauts responsables réduisent en général leur langage gestuel au minimum, à l'inverse des employés subalternes. C'est un vieux truc de négociateur : en effet, les hommes de pouvoir ont l'habitude d'être clairement compris, même quand ils limitent leur expression à quelques signaux. N'oubliez pas que les Européens de l'Est utilisent plus la partie inférieure du corps que leurs homologues de l'Ouest, tandis que chez les Méditerranéens l'acte de communication implique le corps tout entier, y compris les épaules. Mimez les gestes de votre interlocuteur ainsi que ses expressions quand vous en sentirez le besoin.

8 – La distance

Respectez l'espace personnel de votre interlocuteur qui, en principe, se rapprochera spontanément de vous dans les premières minutes de l'entretien. Si vous le « collez », il réagira en reculant dans son fauteuil, en se reposant sur l'accoudoir le plus éloigné de vous ou bien en se livrant à une activité répétitive comme de tambouriner avec les doigts. En règle générale, vous pouvez réduire la distance avec les gens que vous connaissez mais ne vous avisez pas de le faire avec quelqu'un à qui vous venez d'être présenté. Les hommes ont tendance à se rapprocher des femmes avec lesquelles ils travaillent tandis que celles-ci ont plutôt la réaction inverse : elles rétablissent la distance initiale avec leurs homologues masculins. Avec un collègue de votre âge, la distance pourra être réduite, mais elle devra être strictement respectée avec des interlocuteurs nettement plus âgés ou beaucoup plus jeunes que vous.

9 – La fin de l'entretien

Rassemblez vos effets calmement, posément, en évitant tout signe de fébrilité. N'oubliez surtout pas de serrer la main qu'on vous tend, tournez les talons et sortez. Si la porte était fermée quand vous êtes entré, refermez-la en partant. N'oubliez pas qu'on verra votre dos et donc les talons de vos chaussures : assurez-vous au préalable qu'elles sont bien cirées. C'est un détail que beaucoup d'hommes omettent et les femmes n'apprécient guère cette négligence. Quand une femme prend la décision de partir, elle a tendance à pointer un pied vers la porte ; elle commence à ajuster ses vêtements et ses cheveux, notamment dans le dos, pour faire une bonne impression à celui qui la regardera s'éloigner. Comme nous l'avons déjà souligné, les tests en caméra cachée montrent que, si vous êtes une femme, votre interlocuteur détaillera toujours votre silhouette de dos quand vous partirez, que cela vous plaise ou non. Une fois au seuil de la pièce, retournez-vous lentement et souriez : il vaut beaucoup mieux qu'on se rappelle votre sourire plutôt que votre postérieur.

Quand on vous fait attendre

Si celui qui vous reçoit vous fait attendre plus de vingt minutes, c'est le signe, soit d'une certaine désorganisation, soit d'un jeu de pouvoir. Faire attendre est en effet une des façons les plus efficaces de rabaisser l'autre et de se rehausser soi-même. On peut observer le même effet dans une file de restaurant ou devant un cinéma : chacun présume que l'attente en vaut la peine – sinon pourquoi attendre ?

Pour signifier que vous êtes trop occupé pour vous permettre de perdre du temps, munissez-vous d'un livre, d'un ordinateur portable ou d'un dossier. Quand la personne qui vous a fait attendre vient à votre rencontre, laissez-le parler le premier, levez lentement la tête vers lui pour le saluer puis remballez vos affaires tranquillement et avec assurance. Une autre bonne stratégie consiste à sortir quelques documents financiers, une calculatrice et à vous plonger dans des calculs. Quand on vous appellera, répondez : « Je n'en ai que pour une minute, quelques additions à finir. » Vous pouvez aussi choisir de passer tous vos appels sur votre portable. En tout cas, envoyez un message clair : vous êtes une personne très occupée et n'entendez pas perdre une seule minute de votre temps. Si par ailleurs vous soupçonnez votre hôte de tenter une démonstration de puissance, arrangez-vous pour recevoir un appel urgent pendant votre entretien avec lui. Prenez l'appel, soyez bref. Raccrochez le combiné, excusez-vous de cette interruption et poursuivez l'entretien comme si de rien n'était.

Si votre hôte prend un appel durant l'entretien ou qu'un tiers entre dans la pièce et entame une longue conversation avec celui qui vous reçoit, sortez un livre ou un dossier de votre serviette et plongez-vous dedans. Vous montrerez ainsi votre discrétion et votre refus de perdre du temps. Si vous avez l'impression que ces interruptions sont destinées à vous tester, sortez votre téléphone portable et passez plusieurs appels importants concernant l'opportunité très intéressante dont vous avez pris connaissance lors du premier appel téléphonique.

Faut-il jouer la comédie pour réussir ?

Si vous prenez soin d'éviter de porter la main au visage et si vous multipliez les signaux d'ouverture dans la conversation, pouvez-vous vous permettre de lancer quelques gros bobards en toute sécurité ? À vrai dire, mieux vaut l'éviter. En effet, les signaux d'ouverture qu'on envoie quand on sait qu'on ment seront presque toujours compromis par des signaux parasites : transpiration, tics faciaux et mouvements des paupières. Laissez aux acteurs professionnels ce type de performance, elle suppose une très grande virtuosité. Si vous vous contentez de développer les compétences que nous exposons dans ce livre, il y a de bonnes raisons de croire qu'elles deviendront pour vous une seconde nature et qu'elles vous serviront pour le restant de vos jours.

Sept stratégies simples pour réussir vos entretiens

1 – Animez les réunions debout

Vous dirigerez debout toutes les réunions de courte durée destinées à prendre une décision. Les études montrent en effet que ces conversations seront nettement plus courtes que celles au cours desquelles vous devez vous asseoir. D'autre part, l'animateur qui s'adresse debout à des participants assis est d'emblée perçu comme hiérarchiquement supérieur à eux. Rester debout est aussi une excellente façon de raccourcir les entretiens avec vos visiteurs ; par conséquent, si c'est pour vous un impératif prioritaire, posez-vous la question suivante : ne faut-il pas supprimer le siège visiteur dans votre bureau ? Debout, on entre plus vite dans le vif du sujet, on prend plus vite ses décisions et on s'épargne les bavardages mondains ou les questions concernant la famille.

2 – Faites asseoir vos rivaux le dos à la porte

Comme nous l'avons expliqué, les études révèlent que quand on a le dos tourné vers la porte, la tension augmente, le cœur bat plus vite, le souffle est plus court, autant de symptômes du stress qu'éprouve un primate qui redoute une attaque dans le dos : c'est donc là que vous placerez un adversaire que vous voulez déstabiliser.

3 – Gardez les doigts serrés

Les individus qui gardent les doigts serrés quand ils parlent avec leurs mains et gardent leurs mains sous leur menton sont ceux qu'on écoute le plus attentivement. Des doigts écartés et des mains qui s'élèvent au-dessus du menton indiquent, pour la plupart des gens, des personnages moins importants.

4 – Dégagez les coudes

Quand vous êtes assis sur un fauteuil, écartez les coudes du torse, les timides ont tendance à garder les coudes serrés pour se protéger et ils sont perçus comme poltrons.

5 – Utilisez le lexique du pouvoir

Une enquête conduite par des chercheurs californiens a révélé que les mots les plus convaincants du langage parlé sont : découverte, garantie, amour, prouver, résultat, économiser, facile, santé, argent, nouveau, sûr et vous. Exercez-vous à employer ces termes : les résultats que vous obtiendrez vous donneront la garantie d'obtenir plus d'amour, une meilleure santé et vous économiserez votre argent.

6 – Votre porte-documents doit être mince !
Un porte-documents mince avec une serrure de sûreté, voilà l'objet-fétiche par excellence des importants personnages qui ne pensent qu'à une chose : le résultat final. Les gros cartables ventrus sont réservés aux factotums assignés aux tâches subalternes et leur épaisseur suggère une certaine inefficacité dans le travail.

7 – Mettez-vous à l'aise
Les analyses de vidéos de négociations houleuses, par exemple entre délégués syndicaux et représentants de la direction d'une entreprise, révèlent que celles-ci débouchent plus fréquemment sur un accord quand leurs participants ont « tombé la veste ». Ceux qui gardent les bras croisés le font souvent sans déboutonner leur veste et ce sont toujours les plus négatifs. Quand dans une réunion de ce genre un participant enlève soudain sa veste, vous pouvez en déduire presque à coup sûr qu'il vient également d'ouvrir son esprit.

En résumé
Avant de vous rendre à un entretien ou à une réunion importante, asseyez-vous cinq minutes et imaginez-vous faisant tous les gestes que nous venons d'énumérer. Si vous arrivez à les voir clairement en esprit, votre corps sera capable de les accomplir.

Un bureau qui vous met en valeur

Vous est-il arrivé, au cours d'un entretien d'embauche, de vous retrouver impuissant et sans défense sur le fauteuil réservé aux candidats ? Ou d'avoir l'impression d'être minuscule en face d'un individu énorme, écrasant ? Il y a fort à parier que la personne qui vous recevait avait astucieusement organisé la disposition des sièges de son bureau, de manière à renforcer sa position tout en rabaissant la vôtre. Un aménagement judicieux de l'espace suffit à conditionner la rencontre. Dans un bureau, trois facteurs peuvent contribuer à renforcer la position de pouvoir de son occupant : la taille et le style des sièges, leur hauteur au sol, et leurs emplacements respectifs.

1. La taille et le style du siège

Plus le dossier de la chaise est élevé, plus le statut de la personne assise est perçu comme tel. Le dossier d'un trône royal ou pontifical peut s'élever jusqu'à deux mètres cinquante au-dessus du sol – et, dans un bureau, celui du siège d'un cadre dirigeant est souvent plus élevé que celui qu'il réserve à ses visiteurs. Quelle impression de pouvoir pourrait bien offrir le pape ou la reine d'Angleterre s'ils prenaient place sur des tabourets ?

La possibilité de faire pivoter son siège est aussi un paramètre de puissance car, en cas de tension, la liberté de mouvement est importante. La position statique imposée par les chaises à pieds fixes pousse la personne assise à des gestes qui risquent de révéler ses attitudes et ses émotions.

Les fauteuils les plus imposants sont ceux qui sont équipés de roulettes, d'un dossier inclinable et d'accoudoirs.

2. La hauteur du siège

Nous avons évoqué dans le chapitre 16 la puissance et l'autorité qui se dégagent d'une personne de haute taille. On observe le même phénomène chez un individu assis sur un siège plus élevé que celui de son interlocuteur. Les responsables des agences de publicité sont bien connus pour affectionner les sièges à dossier et assise surélevés, alors qu'ils font asseoir leurs clients en face d'eux – en position défensive – dans un fauteuil bas, les yeux à la hauteur du bureau.

3. L'emplacement du siège

Comme nous l'avons écrit dans un chapitre précédent, quand on place son visiteur en face à face, en position compétitive, on exerce sur lui l'influence la plus grande. Une épreuve de force courante consiste à réduire au minimum le statut du visiteur en le faisant asseoir le plus loin possible du bureau de son hôte.

Les territoires de la table

Quand deux personnes sont assises de part et d'autre d'une table, elles en divisent inconsciemment la surface en deux territoires égaux, que chacun défend contre l'intrusion de l'autre.

Lorsqu'il s'agit de présenter un document, il peut s'avérer difficile ou inopportun de s'asseoir au coin de la table. Imaginons que vous présentez un dossier, un devis ou un tarif à un client potentiel assis en face de vous devant une table rectangulaire. Votre objectif est de vous assurer la meilleure position possible. Vous commencerez par poser le document sur la table, à mi-chemin entre lui et vous. Il pourra alors se pencher pour le regarder, l'attirer à lui, ou encore le repousser vers vous.

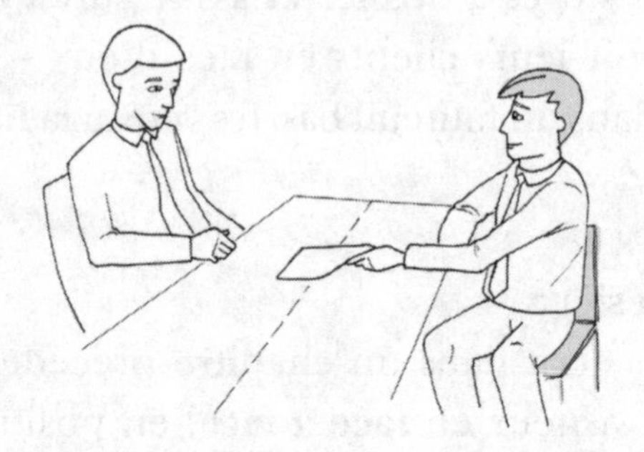

Le document est placé à la frontière des deux territoires.

Si votre interlocuteur se penche sur le document sans le saisir, il indique qu'il ne veut pas de vous sur son territoire personnel, et vous serez contraint de lui proposer vos explications depuis votre place. Dans ce cas, tournez-vous à 45 degrés pour lui parler. Si en revanche il fait glisser le document dans « sa moitié » de table, il vous autorise à lui demander de s'approcher de lui – et vous pourrez alors vous asseoir à côté de lui ou au coin de la table.

Dessin 1 : Attirer le document sur son territoire est un geste tacite d'acceptation.

Dessin 2 : Vous avez reçu l'accord tacite de pénétrer dans son espace.

Si votre interlocuteur repousse le document de votre côté, restez assis en face de lui. N'empiétez jamais sur le territoire personnel de quelqu'un qui ne vous en a pas donné l'autorisation, verbale ou tacite – vous risqueriez de le mettre « hors jeu ».

L'orientation des sièges

Imaginez la situation suivante : vous êtes cadre et vous avez convoqué un de vos subordonnés dont les performances professionnelles n'ont pas été à la hauteur. Vous devrez lui poser des questions abruptes, et vous êtes conscient des tensions qu'elles pourront provoquer. Il vous faudra aussi lui manifester votre sympathie et votre accord sur certaines de ses idées et de ses actions.

Sans aborder ici les techniques d'interview proprement dites, voici quelques conseils pratiques : (1) L'entretien se tiendra dans votre bureau ; (2) vous ferez asseoir l'employé sur une chaise à pieds fixes et sans accoudoirs, ce qui vous permettra de décoder ses gestes et ses postures ; (3) vous-même serez assis sur un fauteuil pivotant, ce qui vous donnera une certaine liberté de mouvement et vous aidera à réduire votre gestuelle au minimum.

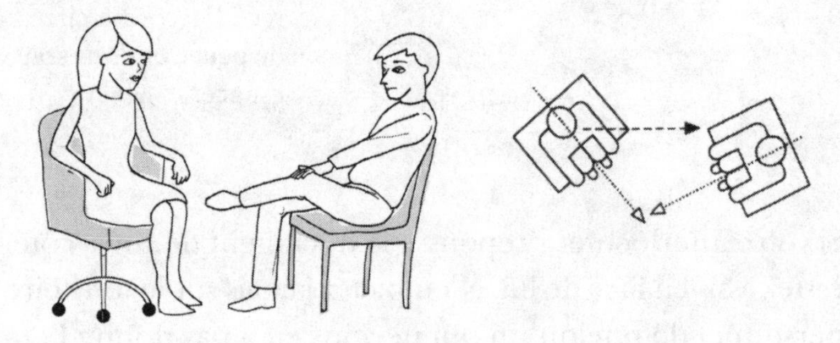

La disposition triangulaire à 45 degrés vous détendra.

Vous pourrez exprimer votre accord tacite avec lui en imitant les gestes de votre subordonné. L'orientation des deux interlocuteurs vers un point X qui n'est ni l'un ni l'autre permet de détendre l'atmosphère.

Tourner votre siège vers votre subordonné en face à face signifie que vous allez passer aux questions directes et que vous voulez des réponses tout aussi directes.

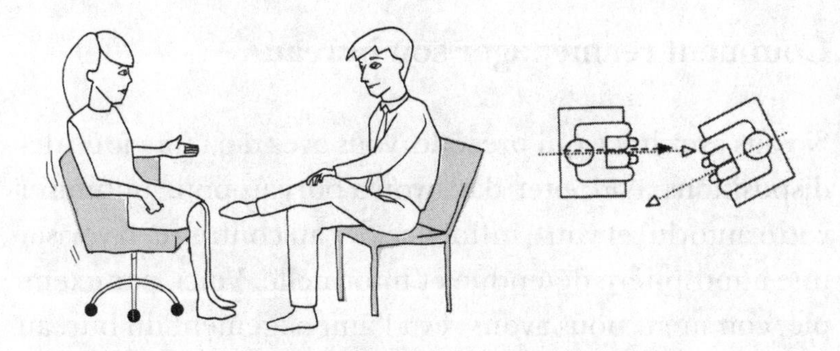

L'orientation frontale : un entretien sérieux.

En vous détournant à 45 degrés de votre interlocuteur, vous ferez baisser la pression. C'est la position la mieux adaptée aux questions délicates ou embarrassantes, celle qui incite l'interlocuteur à se livrer en toute franchise sans pour autant lui donner l'impression de parler sous la contrainte.

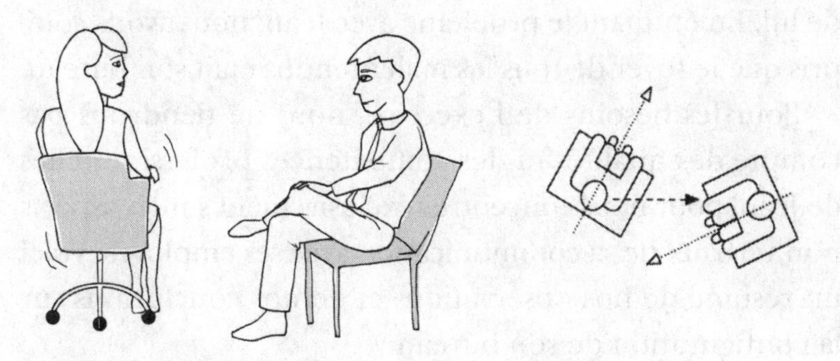

Le détournement à 45 degrés.

Comment réaménager son bureau

Si vous avez lu ce qui précède, vous avez déjà une idée des dispositions à adopter dans votre bureau pour optimiser votre autorité et votre influence ou, au contraire, favoriser une atmosphère détendue et informelle. Voici, par exemple, comment nous avons revu l'aménagement du bureau de Jean pour l'aider à résoudre ses problèmes relationnels avec ses employés.

Jean venait d'être promu à un poste de direction dans une grande société et il s'agissait de son nouveau bureau. Après quelques mois dans ses nouvelles fonctions, il a senti un certain malaise dans ses relations avec ses nouveaux collaborateurs qui le fuyaient et les relations étaient souvent tendues, notamment quand il les recevait dans son bureau. Ils ne suivaient pas ses consignes, et il apprit qu'on médisait de lui. En étudiant le problème avec Jean, nous avons compris que le foyer de tous les malentendus était son bureau.

Pour les besoins de l'exercice, nous ne tiendrons pas compte des qualités ni des compétences professionnelles de Jean, pour nous concentrer exclusivement sur les aspects non verbaux de sa communication avec ses employés. Voici un résumé de nos observations et de nos conclusions sur la configuration de son bureau :

1. La chaise réservée aux visiteurs était placée en situation compétitive par rapport à celle de Jean.
2. Les murs de son bureau étaient aveugles, à l'exception d'une fenêtre donnant sur l'extérieur, et d'une

cloison de verre qui donnait sur le plateau où étaient rassemblés ses collaborateurs. Le fait d'être visible nuisait au statut de Jean, tout en rehaussant celui de ses visiteurs, car ils étaient assis du même côté de son bureau que les employés, derrière la cloison.

3. Jean travaillait sur un bureau dont la façade pleine cachait la partie inférieure de son corps, ce qui empêchait les visiteurs d'observer ses jambes et d'évaluer ses attitudes envers eux.
4. La chaise du visiteur tournait le dos à la porte d'entrée.
5. Jean recourait souvent à la *catapulte* ou à la *jambe au-dessus de l'accoudoir* en parlant aux employés qu'il recevait dans son bureau.
6. Il avait un fauteuil pivotant à roulettes, équipé d'accoudoirs et d'un dossier élevé. La chaise des visiteurs avait des pieds fixes, un dossier bas et pas d'accoudoirs.

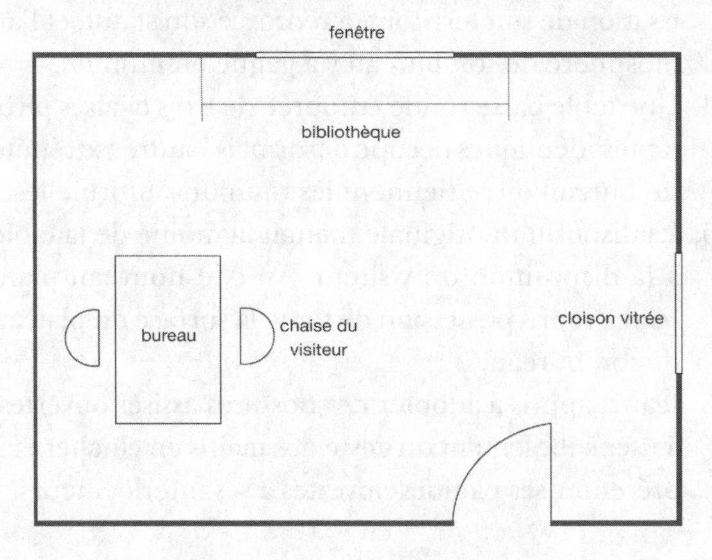

Le plan original du bureau de Jean.

Du point de vue du message tacite qu'il adressait aux visiteurs, ce bureau était catastrophique. Une impression d'hostilité vous saisissait dès l'entrée. Pour créer un climat plus chaleureux, nous avons proposé à Jean les réaménagements suivants :

1. Le bureau a été placé contre la cloison vitrée, ce qui a fait paraître la pièce plus grande, tout en rendant Jean visible dès l'entrée. C'est dès lors lui, et non son bureau, qui salue ses visiteurs.
2. La chaise du visiteur, le « gril », est placée en oblique, pour permettre une communication plus ouverte. Le coin de la table fait office de protection partielle pour les employés manquant d'assurance.
3. La cloison vitrée a été transformée en glace sans tain, pour permettre à Jean de voir sans être vu. La sécurisation de son territoire a renforcé son statut, et l'atmosphère de son bureau y a gagné en intimité.
4. Une table basse ronde entourée de trois chaises pivotantes identiques occupe désormais l'autre extrémité du bureau où se tiennent les réunions informelles.
5. La disposition originale mettait la moitié de la table à la disposition du visiteur. Avec le nouveau plan, Jean a repris possession de toute la surface du plateau de son bureau.
6. Jean a appris à adopter des postures assises ouvertes, à user subtilement du geste des mains en clocher et à présenter ses paumes ouvertes à ses interlocuteurs.

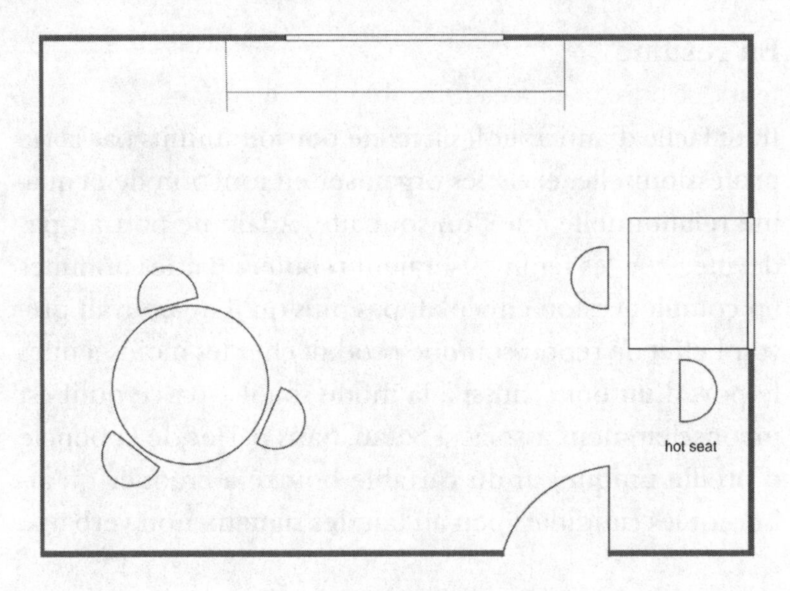

Le nouveau plan du bureau.

Le résultat ? Une amélioration significative dans les rapports hiérarchiques. Certains employés ont même décrit Jean comme un directeur facile à vivre et détendu, avec lequel il était agréable de travailler.

Si vous souhaitez vous faire valoir et réussir avec vos collègues et vos clients, il vous suffira de réfléchir à la disposition des meubles dans votre bureau. La plupart des responsables d'entreprise se voient malheureusement imposer des meubles conçus par des designers, et non par des spécialistes de la communication et de l'interaction. On tient rarement compte des signaux négatifs transmis aux visiteurs par un mobilier mal adapté et mal placé.

En résumé

Il est facile d'anticiper les jeux de pouvoir induits par la vie professionnelle, et de les organiser en fonction de la qualité relationnelle que l'on souhaite. Adam ne pouvait pas deviner que les femmes seraient rebutées par les hommes en complet-veston chocolat, pas plus qu'il ne pouvait prévoir l'effet de repoussoir que produit chez les moins jeunes le port d'un bouc, aussi à la mode soit-il – parce qu'il est inconsciemment associé à Satan. Sans parler de la boucle d'oreille unique, ni du cartable bourré à craquer qu'arborent les candidats peu au fait des signaux non verbaux.

CHAPITRE 19

CONCLUSION

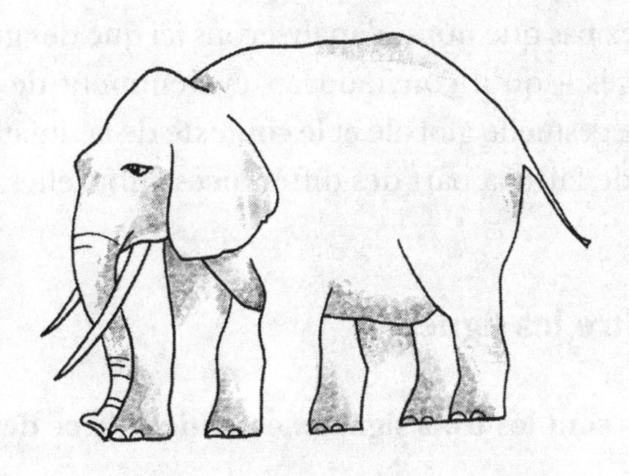

Si vous regardez rapidement ce dessin, vous y verrez un éléphant. Ce n'est qu'en l'examinant de plus près que vous y découvrirez des détails incongrus. Il en va de même pour notre vision des autres. Quand nous regardons quelqu'un, nous passons le plus souvent à côté de détails qui deviennent évidents dès qu'on apprend à l'étudier. La communication par le langage corporel est vieille comme le monde, mais elle n'est étudiée scientifiquement que depuis la fin du XXe siècle. Le monde entier la découvre aujourd'hui, elle est enseignée à l'université et dans les écoles de commerce.

Ce dernier chapitre vous offre l'occasion de tester vos compétences de décodeur du langage corporel, à travers dix-huit scènes de la vie sociale et professionnelle. Étudiez bien le dessin de chaque situation avant de lire le commentaire. Dressez la liste des signaux que vous aurez reconnus grâce à la lecture de ce livre ; vous compterez ensuite un point pour chaque signal correct. Vous trouverez une évaluation globale de vos performances à la fin du chapitre. Vous serez certainement étonné des progrès de votre perspicacité. N'oubliez pas que nous n'analyserons ici que des gestes isolés et figés – qu'il conviendrait évidemment de resituer dans une gestuelle globale et le contexte de la situation, sans oublier de faire la part des différences culturelles.

Lire entre les lignes

1. Quels sont les trois signaux essentiels de ce dessin ?

Réponses..

Un bon exemple de posture globale de franchise : les paumes des mains sont entièrement exposées en geste de soumission, et les doigts écartés y ajoutent celui de la non-agression. Tout le corps est ouvert, pour signifier que l'on n'a rien à cacher. L'attitude de cet homme adresse un message d'ouverture.

2. Quels sont les cinq signaux essentiels ?

Réponses..

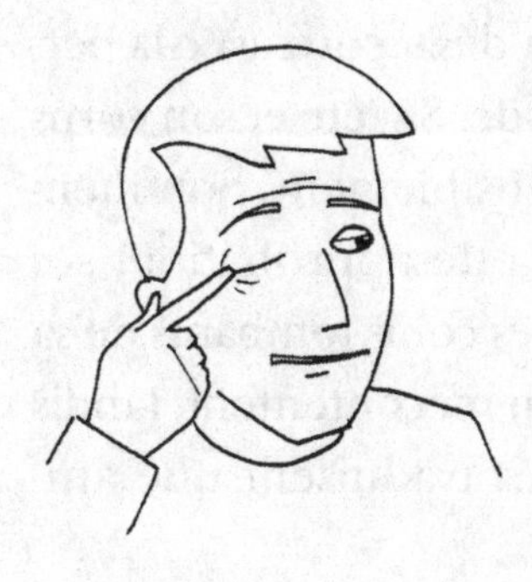

Une mimique globale de tromperie : l'homme se frotte un œil tout en haussant les sourcils, il détourne le regard et la tête. Son menton légèrement baissé révèle une attitude négative et ses lèvres pincées esquissent un sourire hypocrite.

3. Quels sont les trois signaux essentiels ?

Réponses..

L'incohérence des gestes est ici évidente : cet homme marche en affichant un sourire confiant, mais l'un de ses bras lui barre la poitrine et il joue avec le bracelet de sa montre. Il arbore un sourire craintif qui trahit un manque d'assurance ou une insécurité due aux circonstances.

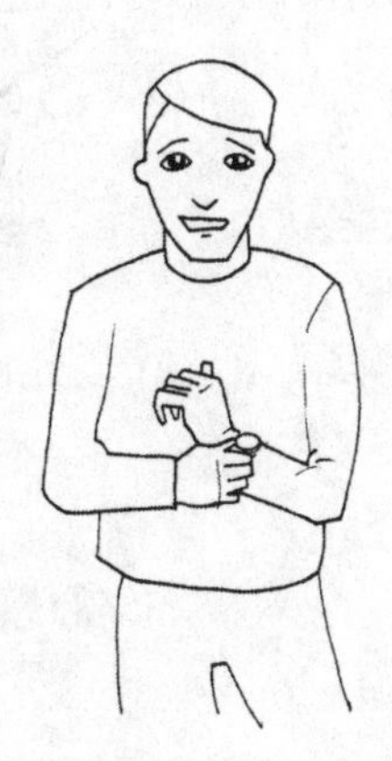

4. Quels sont les cinq signaux essentiels ?

Réponses...

Cette femme est en désaccord avec la personne qu'elle regarde. Sa tête et son corps se détournent ostensiblement. Son menton baissé trahit sa désapprobation, ses sourcils froncés et les coins tombants de sa bouche révèlent son mécontentent, tandis que ses bras croisés traduisent une attitude défensive.

5. Quels sont les quatre signaux essentiels ?

Réponses...

Posture de domination, de supériorité et de défense du territoire. La posture en catapulte (bras croisés derrière la tête) est le geste supérieur de « celui qui sait tout », et les pieds sur la table affirment la revendication territoriale. Pour mettre en valeur son ego, il est assis en position de défensive-compétitive sur un fauteuil à roulettes, à haut dossier inclinable et accoudoirs.

6. Quels sont les trois signaux essentiels ?

Réponses...

Cet enfant met les mains sur ses hanches pour se grandir et se donner un air menaçant. Le menton en avant en signe de défiance et les dents exposées, bouche grande ouverte : il reprend exactement la mimique d'un animal sur le point d'attaquer.

7. Quels sont les cinq signaux essentiels ?

Réponses...

Cette posture globale pourrait se résumer en un seul mot : elle est négative. Le dossier serré sur la poitrine sert de bouclier, les jambes et les bras croisés indiquent une atti-

tude tendue et défensive. La veste est boutonnée et les lunettes noires cachent tous les signaux des yeux et des pupilles. Sachant qu'on forme 90 % de son opinion sur un inconnu dans les quatre premières minutes de la rencontre, il est très peu probable que cet homme parvienne jamais à séduire la moindre femme.

8. Quels sont les six signaux essentiels ?

Réponses...

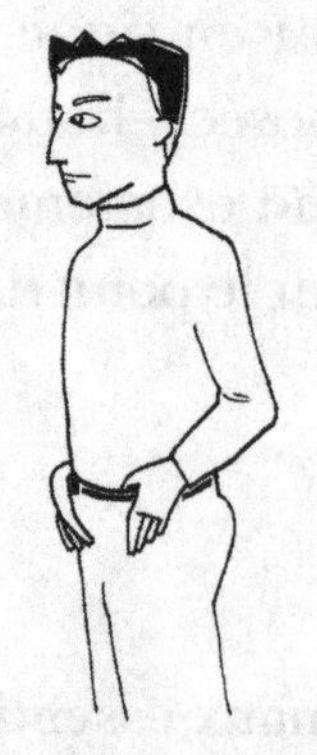

Les postures de ces deux hommes signifient la tension et l'agressivité : mains sur les hanches pour l'un, pouces passés dans la ceinture pour l'autre. L'homme de gauche est moins agressif que celui de droite, car il s'appuie sur sa jambe arrière – tandis que l'autre cherche à l'intimider en se plantant droit devant lui. L'expression faciale et la bouche tombante de l'homme de droite sont en parfait accord avec sa posture.

9. Quels sont les treize signaux essentiels ?

Réponses..

....

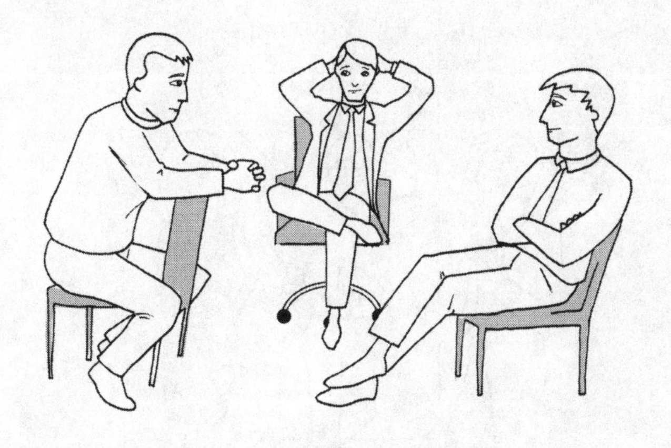

L'homme de gauche est assis à califourchon sur sa chaise pour tenter de contrôler la discussion ou de dominer l'homme de droite, vers lequel il se tourne. Il a les poings serrés et les pieds joints sous sa chaise – deux postures de contrariété, signe qu'il a du mal à faire passer son message. L'homme aux mains croisées derrière la tête se sent supérieur aux deux autres. Ses jambes croisées en forme de chiffre 4 indiquent une attitude de compétition et de contradiction. Il est assis sur un « fauteuil de chef » (équipé de roulettes, d'un dossier inclinable et d'accoudoirs). La chaise de l'homme de droite est celle d'un subalterne, à pieds fixes et sans accoudoirs. Ses jambes et ses bras croisés révèlent une attitude défensive, et son menton baissé trahit l'hostilité. Le fait qu'il se laisse aller en arrière indique qu'il désapprouve ce qu'il entend.

10. Quels sont les quatorze signaux essentiels ?

Réponses...
....

La femme utilise toute la gestuelle classique de la séduction. Elle avance un pied vers l'homme de gauche, signalant ainsi qu'il l'intéresse. La main posée sur la hanche et le pouce passé dans la ceinture manifestent son assurance et son ouverture. Elle exhibe l'intérieur de son poignet gauche en signe de sensualité, et souffle vers le haut la fumée de sa cigarette, ce qui révèle une attitude positive de confiance en soi. Elle ajoute à ces gestes un regard en coin. L'homme répond en ajustant sa cravate. Il pointe un pied vers elle et relève la tête en signe d'intérêt. L'homme au centre montre clairement que son rival ne l'impressionne pas, en se détournant de lui et en lui lançant un regard agressif. Ses paumes ne sont pas visibles et il souffle la fumée vers le bas, ce qui indique une attitude négative. Appuyé d'une main contre le mur, il est en posture d'agression territoriale.

11. Quels sont les douze signaux essentiels ?

Réponses

L'homme de gauche manifeste arrogance et supériorité vis-à-vis de celui qui est en face de lui. Il ferme les yeux pour l'éliminer de son champ de vision et renverse la tête en arrière en signe de dédain. Son attitude est défensive, comme l'indiquent ses genoux serrés et ses deux mains croisées devant son verre. Bien qu'exclu de la conversation par les deux autres qui ne le font pas entrer dans un triangle, l'homme au milieu manifeste sa distance par le geste de supériorité des pouces glissés dans la poche de son gilet. Adossé sur sa chaise, il écarte les jambes, révélant ainsi son attitude machiste. Quant à l'homme de droite, il semble en avoir assez entendu, et adopte la posture du « prêt-à-partir ». Ses sourcils froncés et sa bouche tombante trahissent sa désapprobation.

12. Quels sont les onze signaux essentiels ?

Réponses..
....

L'homme de gauche et celui de droite ont tous deux adopté des postures fermées. Celui du centre manifeste sa supériorité par le geste de la main agrippée au revers de la veste, et le pouce railleur pointé vers l'homme de droite. Ce dernier répond par la posture défensive des jambes croisées et la prise de l'avant-bras, qui dénote une agressivité refoulée. L'homme de gauche se montre peu impressionné par le comportement de celui du centre : les jambes croisées sur la défensive, la main dans la poche traduisent son refus de participer à la discussion, que soulignent les yeux baissés et la main posée sur la nuque.

13. Quels sont les douze signaux essentiels ?

Réponses..

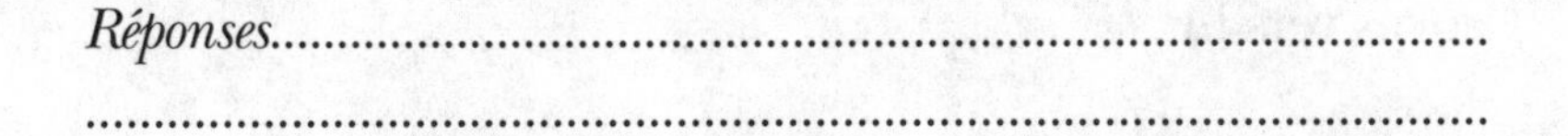

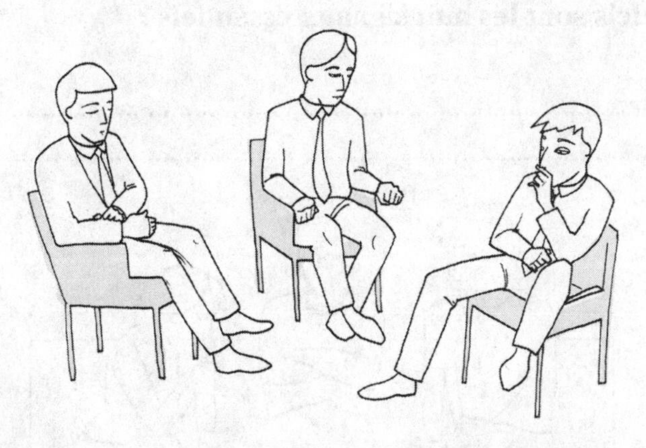

Comme le précédent, ce dessin décrit une atmosphère tendue. Les trois hommes sont assis au fond de leurs sièges comme pour s'éloigner le plus possible l'un de l'autre. C'est probablement celui de droite qui est à l'origine de la tension, si l'on en juge par sa posture négative : il se touche le nez en parlant – en signe de tromperie ; son bras droit lui barre partiellement la poitrine – en signe de défense ; son entrejambe exposé, sa jambe posée sur l'accoudoir, l'orientation de son corps qui se détourne marquent par ailleurs qu'il se moque bien de l'opinion des autres. Son partenaire de gauche désapprouve ce qu'il dit, comme le montre sa main gauche qui enlève les peluches de sa manche droite. Il croise les jambes en signe de défense et les détourne sur le côté, en signe de désintérêt. Quant à celui du centre, il se retient de parler en serrant les poings sur les accoudoirs de son fauteuil et en croisant les chevilles. Il défie par ailleurs l'homme de droite en tournant son corps vers lui.

14. Quels sont les huit signaux essentiels ?

Réponses..

....

La femme et l'homme de gauche se renvoient leurs gestes en miroir et se placent en position de « serre-livres » par rapport au deuxième homme. Ils manifestent une forte attirance mutuelle – comme en témoignent leurs poignets, face intérieure exposée, et leurs jambes croisées en direction l'un de l'autre. Au centre du canapé, leur compagnon simule l'intérêt pour leur conversation par un sourire pincé – que démentent ses autres gestes et expressions faciales.

Il baisse le menton en signe de désapprobation, sa bouche tombante et ses sourcils froncés révèlent sa contrariété et il jette à l'homme de gauche un regard en biais. Il croise fermement les bras et les jambes en signe de défense, ce qui ajoute encore à l'hostilité de sa posture.

15. Quels sont les quinze signaux essentiels ?

Réponses..

....

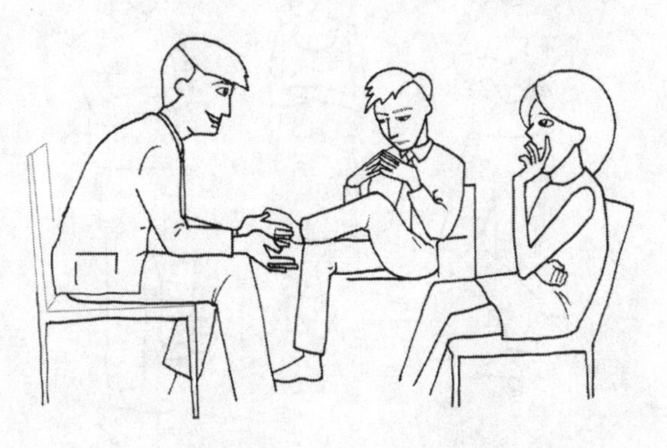

La posture de l'homme assis à gauche du dessin traduit l'ouverture et l'honnêteté : paumes ouvertes et tendues, tête levée, bras et jambes ouverts, veste déboutonnée, corps penché et pied avancé vers la femme, expressions du sourire. Cependant, son message n'a pas l'air de passer. La femme est sur la défensive : elle recule sur le dossier de sa chaise, croise les jambes sur le côté et un bras en travers de la taille. Son poing serré est un signal de tension, tandis que son menton baissé, soutenu par la main, dénote une nette défiance. L'homme assis au centre joint les mains en clocher dressé – signe d'assurance ou de suffisance – et son croisement des jambes en chiffre 4 indique une attitude compétitive ou raisonneuse. On peut supposer que sa posture est négative, à en juger par sa tête baissée et sa façon d'être assis au fond du fauteuil.

16a. Quels sont les neuf signaux essentiels ?

Réponses...

....

La séquence de ces trois scènes décrit successivement les postures typiques des attitudes de défense, d'agression et de séduction.

Dans la première scène, les trois personnages sont sur la défensive, comme l'indiquent leurs bras croisés, ainsi que leurs jambes, pour deux d'entre eux. Leurs corps sont en position d'éloignement. Ces postures peuvent signaler qu'ils viennent de faire connaissance. L'homme de droite semble attiré par la femme : il se penche légèrement vers elle, tend le pied droit dans sa direction et lui adresse un sourire et un regard en coin, en haussant les sourcils – un signal d'intérêt. La femme est, à ce stade, en posture fermée vis-à-vis des deux hommes.

16b. Quels sont les onze signaux essentiels ?

Réponses...

....

En position d'attention, la femme a décroisé les jambes. L'homme de gauche en a fait autant, et il se tourne vers elle, le pied pointé dans sa direction, ce qui signifie qu'il s'intéresse à elle. Il a glissé les pouces sous la ceinture de son pantalon, soit pour affronter l'homme de droite, soit pour manifester à la femme son attirance. Il se tient droit pour paraître plus grand. Il semble intimider l'homme de droite, qui s'est redressé, a croisé les bras, et lance à la femme un regard oblique, sourcils froncés vers le bas, en signe de désapprobation. Son sourire a cédé la place à une expression hostile.

16c. Quels sont les quinze signaux essentiels ?

Réponses...

....

Le langage corporel des trois protagonistes reflète maintenant très clairement leurs attitudes et leurs émotions. L'homme de gauche maintient sa posture d'un pied vers l'avant et son corps est franchement tourné vers la femme. Ses pouces s'accrochent plus fermement à sa ceinture pour renforcer le signal de compétition par rapport à l'autre homme et son corps s'est encore redressé. La femme répond favorablement à ses avances avec ses propres gestes de séduction : elle a décroisé les bras, s'est tournée vers lui, et pointe un pied dans sa direction. Elle se touche les cheveux, expose ses poignets, et bombe la poitrine, tandis que son visage émet des signaux positifs. Elle manifeste sa confiance en elle en soufflant vers le haut la fumée de sa cigarette. L'homme de droite est visiblement mécontent d'avoir été exclu de la rencontre. Ses mains sur les hanches révèlent son agressivité et ses jambes écartées trahissent sa contrariété.

Un quart d'heure plus tard.

Pour résumer le scénario, l'homme de gauche a réussi à capter l'attention de la femme... et celui de droite n'a plus qu'à aller se faire cuire un œuf.

Quel est votre score ?

De 130 à 150 points

Vous êtes le Sherlock Holmes du langage corporel ! Communicateur talentueux et efficace, vous faites preuve d'une grande intuition pour les émotions des gens qui vous entourent. Félicitations !

De 100 à 130 points
Doué d'un bon feeling, vous devinez souvent ce qui se passe dans la tête des autres. Continuez à vous entraîner et vous deviendrez un communiquant hors pair.

De 70 à 100 points
Il vous arrive de saisir facilement ce que pensent et ressentent les autres, mais aussi de ne le comprendre qu'*a posteriori*. Vous avez besoin d'entraînement pour parvenir à décoder le langage corporel.

Moins de 70 points
C'est tout ce que vous avez trouvé après avoir lu ce livre ? Nous vous suggérons de poursuivre une carrière d'informaticien, de comptable ou de téléphoniste, un métier où votre incompétence de décodeur ne vous fera pas trop de torts. Ou alors, reprenez ce livre depuis le début. Concentrez-vous sur sa lecture, sans vous laisser distraire, sous aucun prétexte.

En résumé

Vous savez maintenant que si vous changez de langage corporel, ce sont tous vos rapports avec les autres qui vont changer. Vos nouvelles habitudes gestuelles positives vous mettront de meilleure humeur et feront de vous un professionnel plus sûr de lui, plus aimable et plus convaincant. En contrôlant vos signaux non verbaux, vous communiquerez mieux avec votre entourage qui, à son tour, réagira de manière différente.

Au début de ce travail de sensibilisation, vous risquez de vous sentir mal à l'aise : conscient de chacune de vos expressions faciales, surpris par le nombre de vos gestes ou de vos tics, vous aurez l'impression que tout le monde les remarque aussi. Or vous savez maintenant que la plupart des gens sont totalement inconscients de leurs propres signaux non verbaux, et tellement occupés à tenter de vous impressionner que votre langage corporel passe totalement inaperçu. Il vous paraîtra sans doute bizarre au début d'ouvrir intentionnellement vos paumes de main devant les autres et de ne pas les quitter des yeux en parlant – si vous aviez l'habitude de leur parler avec les mains dans les poches ou les bras croisés, tout en regardant ailleurs.

Vous vous demanderez peut-être : « Comment arriver à scruter le langage corporel des autres, tout en surveillant le mien et en restant concentré sur la conversation ? » Rappelez-vous que votre cerveau est programmé pour décrypter spontanément un grand nombre de ces messages non verbaux. On peut comparer cet apprentissage à celui du vélo : on n'est pas très sûr de soi pour commencer, on se casse la figure une ou deux fois, mais on a très vite l'impression d'être né sur une bicyclette.

Certains estimeront peut-être que l'étude du langage corporel rend hypocrite et manipulateur. On pourrait en dire autant du choix des vêtements, du ton, du registre de langage qui varie en fonction des interlocuteurs et des situations. Il ne s'agit ici que de rendre conscient ce qui est d'ordinaire invisible, d'apprendre à lire et à utiliser les signaux corporels pour mieux comprendre les autres et leur faire meilleure impression. Si vous êtes un homme, n'oubliez pas que les femmes décodent vos expressions corporelles sans que vous vous en rendiez compte – alors pourquoi ne pas vous placer sur un pied d'égalité avec elles ? Faute de maîtriser votre langage corporel, vous risquez de ressembler aux acteurs des films mal doublés – dont les mouvements des lèvres ne collent pas aux paroles – et qui donnent l'impression de jouer tellement mal que les téléspectateurs s'empressent de zapper.

Les six secrets d'un langage corporel positif

Voici, pour conclure, un petit résumé des règles à suivre si vous souhaitez transmettre à autrui des signaux corporels positifs.

Le visage : Veillez à le garder toujours animé, souriez le plus souvent possible, en découvrant vos dents.

Les gestes : Soyez expressif, mais n'en faites pas trop. Gardez les doigts joints quand vous faites un geste de la main. Que vos mains ne montent pas plus haut que votre menton. Évitez de croiser les bras ou les pieds.

Les mouvements de tête : hochez la tête trois fois quand vous approuvez, et inclinez-la sur le côté quand vous écoutez.

Les yeux dans les yeux : une pratique qu'il convient d'adapter à l'attente de votre interlocuteur. Rappelez-vous néanmoins qu'on est mieux écouté quand on soutient le regard de l'autre. (Attention, cependant : dans certaines cultures, ce geste est prohibé.)
La posture : penchez-vous en avant quand vous écoutez, et tenez-vous droit quand vous parlez.
Le territoire : adoptez la distance qui vous met à l'aise. Si l'autre recule, n'avancez plus.
L'effet-miroir : imitez discrètement le langage corporel de vos interlocuteurs.

Achevé d'imprimer par GGP Media GmbH, Pößneck
en Octobre 2005
pour le compte de France Loisirs,
Paris

N° d'éditeur: 43233
Dépôt légal: Novembre 2005
Imprimé en Allemagne